Suhrkamp BasisBibliothek 114

M000305815

Heinrich von Kleist
Michael Kohlhaas

Berlin 1810

Mit einem Kommentar
von Axel Schmitt

Suhrkamp

Der vorliegende Text folgt der Ausgabe:
Heinrich von Kleist. *Sämtliche Werke und Briefe in vier Bänden*.
Bd. 3: *Erzählungen, Anekdoten, Gedichte, Schriften*. Heraus-
gegeben von Klaus Müller-Salget, Frankfurt am Main: Deutscher Klassiker Verlag 1990, S. 11–142.

Erste Auflage 2013
Originalausgabe
Suhrkamp BasisBibliothek 114

Satz: pagina GmbH, Tübingen
Druck: CPI – Ebner & Spiegel, Ulm
Umschlagabbildung: picture-alliance/akg images
Umschlaggestaltung: Regina Göllner und Hermann Michels
Printed in Germany

ISBN 978-3-518-18914-6

Inhalt

⌜Michael Kohlhaas⌝

Historischen Figur
└ gegen aristokratischen Mann
gekämpft

An den Ufern der Havel lebte, um die Mitte des sechzehnten Jahrhunderts, ein Roßhändler, Namens *Michael Kohlhaas*, Sohn eines Schulmeisters, ⌐einer der rechtschaffensten zugleich und entsetzlichsten Menschen seiner Zeit.⌐ –

5 Dieser außerordentliche Mann würde, ⌐bis in sein dreißigstes Jahr⌐ für das Muster* eines guten ⌐Staatsbürgers⌐ haben gelten können. Er besaß ⌐in einem Dorfe, das noch von ihm den Namen führt⌐, einen Meierhof, auf welchem er sich durch sein Gewerbe* ruhig ernährte; die Kinder, die ihm

10 sein Weib schenkte, erzog er, in der ⌐Furcht Gottes, zur Arbeitsamkeit und Treue; nicht Einer war unter seinen Nachbarn, der sich nicht seiner Wohltätigkeit, oder seiner Gerechtigkeit⌐ erfreut hätte; kurz, ⌐die Welt würde sein Andenken haben segnen müssen, wenn er in einer Tugend

15 nicht ausgeschweift hätte⌐. Das ⌐Rechtgefühl⌐ aber machte ihn zum Räuber und Mörder.

Er ritt einst, mit einer Koppel* junger Pferde, wohlgenährt alle und glänzend, ins Ausland*, und überschlug eben, wie er den Gewinst*, den er auf den Märkten damit zu machen

20 hoffte, anlegen wolle: teils, nach Art guter Wirte*, auf neuen Gewinst, teils aber auch auf den Genuß der Gegenwart: als er an die ⌐Elbe⌐ kam, und bei einer stattlichen ⌐Ritterburg⌐, auf sächsischem Gebiete, einen Schlagbaum traf, den er sonst auf diesem Wege nicht gefunden hatte. Er

25 hielt, in einem Augenblick, da eben der Regen heftig stürmte, mit den Pferden still, und rief den Schlagwärter*, der auch bald darauf, mit einem grämlichen Gesicht, aus dem Fenster sah. Der Roßhändler sagte, daß er ihm öffnen solle. Was gibt's hier Neues? fragte er, da der Zöllner, nach

30 einer geraumen Zeit, aus dem Hause trat. Landesherrliches Privilegium*, antwortete dieser, indem er aufschloß: dem ⌐Junker Wenzel von Tronka⌐ verliehen. – So, sagte Kohl-

Sittliches und moralisches Vorbild

Sammelbegriff für geschäftl. Unternehmungen zum Erwerb des Unterhalts

Gruppe von mit Halsbändern zusammengebundenen Pferde

Hier: Sachsen (von Brandenburg aus betrachtet)

Gewinnüberschuss nach Abzug der Unkosten

Hier: Wirtschafter

Neubildung Kleists: Wärter des Schlagbaums

Das vom sächs. Kurfürsten verliehene Vorrecht, Zoll für die Grenzüberschreitung zu erheben

haas. Wenzel heißt der Junker? und sah sich das Schloß an, das mit glänzenden Zinnen über das Feld blickte. Ist der

Schlaganfall

alte Herr tot? – Am Schlagfluß* gestorben, erwiderte der Zöllner, indem er den Baum in die Höhe ließ. – Hm! Schade! versetzte Kohlhaas. Ein würdiger alter Herr, der 5 seine Freude am Verkehr der Menschen hatte, ⌐Handel und Wandel⌐, wo er nur vermogte, forthalf, und einen Steindamm einst bauen ließ, weil mir eine Stute, draußen, wo der Weg ins Dorf geht, das Bein gebrochen. Nun! Was bin ich schuldig? – fragte er; und holte die Groschen, die der 10 Zollwärter verlangte, mühselig unter dem im Winde flatternden Mantel hervor. »Ja, Alter,« setzte er noch hinzu, da dieser: hurtig! hurtig! murmelte, und über die Witterung fluchte: »wenn der Baum im Walde stehen geblieben wäre, wärs besser gewesen, für mich und euch;« und damit gab er 15 ihm <u>das Geld</u> und wollte reiten. Er war aber noch kaum unter den Schlagbaum gekommen, als eine neue Stimme

Pferdehändler

schon: halt dort, der Roßkamm*! hinter ihm vom Turm

Aufsichtsbeamter v. Schlössern u. öffentl. Gebäuden

erscholl, und er den Burgvogt* ein Fenster zuwerfen und zu ihm herabeilen sah. Nun, was gibt's Neues? fragte Kohl- 20 haas bei sich selbst, und hielt mit den Pferden an. Der Burgvogt, indem er sich noch eine Weste über seinen weitläufi-

dicken Bauch

gen Leib* zuknüpfte, kam, und fragte, schief gegen die Wit-

Passierschein für Menschen u. Waren

terung gestellt, <u>nach dem Paßschein*</u>. – Kohlhaas fragte: der Paßschein? Er sagte, ein wenig ⌐betreten⌐, daß er, so viel 25 er wisse, keinen habe; daß man ihm aber nur beschreiben

möchte

mögte*, was dies für ⌐ein Ding des Herrn⌐ sei: so werde er vielleicht zufälligerweise damit versehen sein. Der Schloßvogt, indem er ihn von der Seite ansah, versetzte, daß ohne einen landesherrlichen Erlaubnisschein, kein Roßkamm 30 mit Pferden über die Grenze gelassen würde. Der Roßkamm versicherte, daß er siebzehn Mal in seinem Leben, ohne einen solchen Schein, über die Grenze gezogen sei; daß er alle landesherrlichen Verfügungen, die sein Gewerbe angingen, genau kennte; daß dies wohl nur ein Irrtum sein 35

würde, wegen dessen er sich zu bedenken bitte, und daß
man ihn, da seine Tagereise lang sei, nicht länger unnützer
Weise hier aufhalten möge. Doch der Vogt erwiderte, daß
er das achtzehnte Mal nicht durchschlüpfen würde, daß die
5 Verordnung deshalb* erst neuerlich* erschienen wäre, und
daß er entweder den Paßschein noch hier lösen, oder zu-
rückkehren müsse, wo er hergekommen sei. Der Roßhändler, den diese ungesetzlichen Erpressungen zu erbittern an-
fingen, stieg, nach einer kurzen Besinnung, vom Pferde,
10 gab es einem Knecht, und sagte, daß er den Junker von
Tronka selbst darüber sprechen würde. Er ging auch auf
die Burg; der Vogt folgte ihm, indem er von filzigen* Geld-
raffern und nützlichen Aderlässen* derselben murmelte;
und beide traten, mit ihren Blicken einander messend, in
15 den Saal. ⌜Es traf sich⌝, daß der Junker eben, mit einigen
muntern Freunden, beim Becher saß, und, um eines
Schwanks willen, ein unendliches Gelächter unter ihnen
erscholl, als Kohlhaas, um seine Beschwerde anzubringen,
sich ihm näherte. Der Junker fragte, was er wolle; die Rit-
20 ter, als sie den fremden Mann erblickten, wurden still;
doch kaum hatte dieser sein Gesuch, die Pferde betreffend,
angefangen, als der ganze Troß* schon: Pferde? <u>Wo sind
sie?</u> ausrief, und an die Fenster eilte, um sie zu betrachten.
Sie flogen, da sie die glänzende Koppel sahen, auf den Vor-
25 schlag des Junkers, in den Hof hinab; der Regen hatte auf-
gehört; Schloßvogt und Verwalter und Knechte versammelten sich um sie, und alle musterten die Tiere. Der Eine
lobte den Schweißfuchs mit der Blesse*, dem Andern gefiel
der Kastanienbraune, der Dritte streichelte den Schecken
30 mit schwarzgelben Flecken; und Alle meinten, daß die
Pferde wie Hirsche wären, und im Lande keine bessern
gezogen* würden. Kohlhaas erwiderte munter, daß die
Pferde nicht besser wären, als die Ritter, die sie reiten sollten; und forderte sie auf, zu kaufen. Der Junker, den der
35 mächtige Schweißhengst sehr reizte, befragte ihn auch um

Randglossen:
- diesbezügliche Verordnung
- neulich
- geizigen
- Hier: Geld abnehmen
- Hier: Menge
- Dunkelrotes Pferd mit weißem Stirnfleck
- gezüchtet

bat ihn
unaufhörlich

eine Erklärung
über den Preis
abgegeben
hatte

schätze

den Preis; der Verwalter lag ihm an*, ein Paar Rappen zu
kaufen, die er, wegen Pferdemangels, in der Wirtschaft gebrauchen zu können glaubte; doch als der Roßkamm sich
erklärt hatte*, fanden die Ritter ihn zu teuer, und der Junker sagte, daß er nach der ⌈Tafelrunde⌉ reiten und sich den 5
König Arthur aufsuchen müsse, wenn er die Pferde so anschlage*. Kohlhaas, der den Schloßvogt und den Verwalter,
indem sie sprechende Blicke auf die Rappen warfen, mit
einander flüstern sah, ließ es, aus einer dunkeln Vorahn-
dung, an nichts fehlen, die Pferde an sie los zu werden. Er 10
sagte zum Junker: »Herr, die Rappen habe ich vor sechs
Monaten für 25 Goldgülden gekauft; gebt mir 30, so sollt
ihr sie haben.« Zwei Ritter, die neben dem Junker standen,
⌈äußerten nicht undeutlich⌉, daß die Pferde wohl so viel
wert wären; doch der Junker meinte, daß er für den 15
Schweißfuchs wohl, aber nicht eben für die Rappen, Geld
ausgeben mögte, und machte Anstalten, aufzubrechen;
worauf Kohlhaas sagte, er würde vielleicht das nächste

Gäulen; hier
nicht abwer-
tend gemeint

Mal, wenn er wieder mit seinen Gaulen* durchzöge, einen
Handel mit ihm machen; sich dem Junker empfahl, und die 20
Zügel seines Pferdes ergriff, um abzureiten. In diesem Augenblick trat der Schloßvogt aus dem Haufen vor, und
sagte, er höre, daß er ohne einen Paßschein nicht reisen
dürfe. Kohlhaas wandte sich und fragte den Junker, ob es
denn mit diesem Umstand, der sein ganzes Gewerbe zer- 25
störe, in der Tat seine Richtigkeit habe? Der Junker ant-

Hier: unruhig,
betreten

wortete, mit einem verlegnen* Gesicht, indem er abging: ja,
Kohlhaas, den Paß mußt du lösen. Sprich mit dem Schloßvogt, und zieh deiner Wege. Kohlhaas versicherte ihn, daß
es gar nicht seine Absicht sei, die Verordnungen, die wegen 30
Ausführung der Pferde bestehen mögten, zu umgehen; versprach, bei seinem Durchzug durch Dresden, den Paß in
der ⌈Geheimschreiberei⌉ zu lösen, und bat, ihn nur diesmal,
da er von dieser Forderung durchaus nichts gewußt, ziehen
zu lassen. Nun! sprach der Junker, da eben das Wetter wie- 35

der zu stürmen anfing, und seine dürren Glieder durchsauste: laßt den Schlucker* laufen. Kommt! sagte er zu den Rittern, kehrte sich um, und wollte nach dem Schlosse gehen. Der Schloßvogt sagte, zum Junker gewandt, daß er

Schmarotzer; armer, ausgehungerter Mensch

5 wenigstens ein Pfand, zur Sicherheit, daß er den Schein lösen würde, zurücklassen müsse. Der Junker blieb wieder unter dem Schloßtor stehen. Kohlhaas fragte, welchen Wert er denn, an Geld oder an Sachen, zum Pfande, ⌐wegen der Rappen⌐, zurücklassen solle? Der Verwalter meinte, in
10 den Bart murmelnd, er könne ja die Rappen selbst zurücklassen. Allerdings, sagte der Schloßvogt, das ist das Zweckmäßigste; ⌐ist der Paß gelös't, so kann er sie zu jeder Zeit wieder abholen⌐. Kohlhaas, über eine so unverschämte Forderung betreten, sagte dem Junker, der sich die Wams-
15 schöße frierend vor den Leib hielt, daß er die Rappen ja verkaufen wolle; doch dieser, da in demselben Augenblick ein Windstoß eine ganze Last* von Regen und Hagel durch's Tor jagte, rief, um der Sache ein Ende zu machen: wenn er die Pferde nicht loslassen will, so schmeißt ihn

Menge

20 wieder über den Schlagbaum zurück; und ging ab. Der Roßkamm, der wohl sah, daß er hier der Gewalttätigkeit weichen mußte, entschloß sich, die Forderung, weil doch nichts anders übrig blieb, zu erfüllen; ⌐spannte die Rappen aus, und führte sie in einen Stall, den ihm der Schloßvogt
25 anwies. Er ließ einen Knecht bei ihnen zurück⌐, versah ihn mit Geld, ermahnte ihn, die Pferde, bis zu seiner Zurückkunft, wohl in Acht zu nehmen, und setzte seine Reise, mit dem Rest der Koppel, halb und halb ungewiß, ob nicht doch wohl, ⌐wegen aufkeimender Pferdezucht⌐, ein solches
30 Gebot, im Sächsischen, erschienen sein könne, nach Leipzig, wo er auf die Messe wollte, fort.

⌐In Dresden, wo er, in einer der Vorstädte der Stadt, ein Haus mit einigen Ställen besaß⌐, weil er von hier aus seinen Handel auf den kleineren Märkten des Landes zu bestrei-
35 ten pflegte, begab er sich, gleich nach seiner Ankunft, auf

die Geheimschreiberei, wo er von den Räten*, deren er einige kannte, erfuhr, was ihm allerdings sein erster Glaube schon gesagt hatte, daß ⌐die Geschichte von dem Paßschein ein Märchen sei⌐. Kohlhaas, dem die mißvergnügten Räte, auf sein Ansuchen, ⌐einen schriftlichen Schein über den Ungrund*⌐ derselben gaben, lächelte über den Witz* des dürren Junkers, obschon er noch nicht recht einsah, was er damit bezwecken mogte; und die Koppel der Pferde, die er bei sich führte, einige Wochen darauf, zu seiner Zufriedenheit, verkauft, kehrte er, ohne irgend weiter ein bitteres Gefühl, als das der allgemeinen Not der Welt, zur Tronkenburg zurück. Der Schloßvogt, dem er den Schein zeigte, ließ sich nicht weiter darüber aus, und sagte, auf die Frage des Roßkamms, ob er die Pferde jetzt wieder bekommen könne: er mögte nur hinunter gehen und sie holen. Kohlhaas hatte aber schon, da er über den Hof ging, den unangenehmen Auftritt*, zu erfahren, daß sein Knecht, ungebührlichen Betragens halber, wie es hieß, wenige Tage nach dessen Zurücklassung in der Tronkenburg, zerprügelt* und weggejagt worden sei. Er fragte den Jungen, der ihm diese Nachricht gab, was denn derselbe getan? und wer während dessen die Pferde besorgt* hätte? worauf dieser aber erwiderte, er wisse es nicht, und darauf dem Roßkamm, dem das Herz schon von Ahnungen schwoll, den Stall, in welchem sie standen, öffnete. Wie groß war aber sein Erstaunen, als er, statt seiner zwei glatten und wohlgenährten Rappen, ein Paar dürre, abgehärmte Mähren* erblickte: Knochen, denen man, wie Riegeln*, hätte Sachen aufhängen können; Mähnen und Haare, ohne Wartung und Pflege, zusammengeknetet: das wahre Bild des Elends im Tierreiche! Kohlhaas, den die Pferde, mit einer schwachen Bewegung, anwieherten, war auf das Äußerste entrüstet, und fragte, was seinen Gaulen widerfahren wäre? Der Junge, der bei ihm stand, antwortete, daß ihnen weiter kein Unglück zugestoßen wäre, daß sie auch das gehörige Futter

Marginalien:
- *Niedere Regierungsbeamte* (zu Z. 1)
- *Unwahrheit* (zu Z. 5)
- *Im 18. Jh. auch: Verstand, Scharfsinn* (zu Z. 6)
- *Im Sinne von: merkwürdiger Vorgang* (zu Z. 16)
- *Intensivere Form von ›verprügeln‹* (zu Z. 18)
- *versorgt* (zu Z. 20)
- *Hier: schlecht versorgte Pferde* (zu Z. 26)
- *Hier: Querstangen* (zu Z. 28)

bekommen hätten, daß sie aber, da gerade Ernte gewesen sei, wegen Mangels an Zugvieh, ein wenig auf den Feldern gebraucht worden wären. Kohlhaas fluchte über diese schändliche und abgekartete Gewalttätigkeit, verbiß je-
5 doch, im ⌜Gefühl seiner Ohnmacht⌝, seinen Ingrimm*, und machte schon, da doch nichts anders übrig blieb, Anstalten, das Raubnest mit den Pferden nur wieder zu verlassen, als der Schloßvogt, von dem Wortwechsel herbeigerufen, erschien, und fragte, was es hier gäbe? Was es gibt? ant-
10 wortete Kohlhaas. Wer hat dem Junker von Tronka und dessen Leuten die Erlaubnis gegeben, sich meiner bei ihm zurückgelassenen Rappen zur Feldarbeit zu bedienen? Er setzte hinzu, ob das wohl ⌜menschlich⌝ wäre? versuchte, die erschöpften Gaule durch einen Gertenstreich zu erregen,
15 und zeigte ihm, daß sie sich nicht rührten. Der Schloßvogt, nachdem er ihn eine Weile trotzig angesehen hatte, versetzte: seht den Grobian! Ob der Flegel nicht Gott danken sollte, daß die Mähren überhaupt noch leben? Er fragte, wer sie, da der Knecht weggelaufen, hätte pflegen sollen?
20 Ob es nicht billig gewesen wäre, daß die Pferde das Futter, das man ihnen gereicht habe, auf den Feldern abverdient hätten? Er schloß, daß er hier keine Flausen* machen mögte, oder daß er die Hunde rufen, und sich durch sie Ruhe im Hofe zu verschaffen wissen würde. – Dem Roß-
25 händler schlug das Herz gegen den Wams. Es drängte ihn, den nichtswürdigen Dickwanst in den Kot* zu werfen, und den Fuß auf sein kupfernes Antlitz zu setzen. ⌜Doch sein Rechtgefühl, das einer Goldwaage glich, wankte noch⌝; er war, vor der Schranke seiner eigenen Brust, noch nicht ge-
30 wiß, ob eine Schuld seinen Gegner drücke; und während er, die Schimpfreden niederschluckend, zu den Pferden trat, und ihnen, in stiller Erwägung der Umstände, die Mähnen zurecht legte, fragte er mit gesenkter Stimme: um welchen Versehens* halber der Knecht denn aus der Burg entfernt
35 worden sei? Der Schloßvogt erwiderte: weil der Schlingel

Starke Verbitterung

Hier: Scherereien

(Straßen-) Schmutz

unbeabsichtigten Vergehens

trotzig im Hofe gewesen ist! Weil er sich gegen einen not-
wendigen Stallwechsel gesträubt, und verlangt hat, daß die
Pferde zweier Jungherren, die auf die Tronkenburg kamen,
um seiner Mähren willen, auf der freien Straße übernachten sollten! – ⌐Kohlhaas hätte den Wert der Pferde darum 5
gegeben⌐, wenn er den Knecht zur Hand gehabt, und dessen Aussage mit der Aussage dieses dickmäuligen* Burg-
vogts hätte vergleichen können. Er stand noch, und streifte
den Rappen die Zoddeln* aus, und sann, was in seiner Lage
zu tun sei, ⌐als sich die Szene plötzlich änderte⌐, und der 10
Junker Wenzel von Tronka, mit einem Schwarm von Rittern, Knechten und Hunden, von der Hasenhetze kom-
mend, in den Schloßplatz sprengte. Der Schloßvogt, als er
fragte, was vorgefallen sei, nahm sogleich das Wort, und
während die Hunde, beim Anblick des Fremden, von der 15
einen Seite, ein Mordgeheul gegen ihn anstimmten, und die
Ritter ihnen, von der andern, zu schweigen geboten, zeigte
er ihm, unter der gehässigsten Entstellung der Sache, an,
was dieser Roßkamm, weil seine Rappen ein wenig gebraucht worden wären, für eine Rebellion* verführe*. Er 20
sagte, mit Hohngelächter, daß er sich weigere, die Pferde
als die seinigen anzuerkennen. Kohlhaas rief: »⌐das *sind*
nicht meine Pferde⌐, gestrenger Herr! Das sind die *Pferde*
nicht, die dreißig Goldgülden wert waren! Ich will meine
wohlgenährten und gesunden Pferde wieder haben!« – Der 25
Junker, indem ihm eine flüchtige Blässe in's Gesicht trat,
stieg vom Pferde, und sagte: wenn der H… A…* die
Pferde nicht wiedernehmen will, so mag er es bleiben lassen. Komm, Günther! rief er – Hans! Kommt! ⌐indem er
sich den Staub mit der Hand von den Beinkleidern schüt- 30
telte⌐; und: schafft Wein! rief er noch, da er mit den Rittern
unter der Tür war; und ging in's Haus. Kohlhaas sagte, daß
er eher den ⌐Abdecker⌐ rufen, und die Pferde auf den
Schindanger* schmeißen lassen, als sie so, wie sie wären, in
seinen Stall zu Kohlhaasenbrück führen wolle. Er ließ die 35

Michael Kohlhaas

Gaule, ohne sich um sie zu bekümmern, auf dem Platz stehen, schwang sich, indem er versicherte, daß er ⌐sich Recht zu verschaffen⌐ wissen würde, auf seinen Braunen, und ritt davon.

5 Spornstreichs auf dem Wege nach Dresden war er schon, als er, bei dem Gedanken an den Knecht, und an die Klage, die man auf der Burg gegen ihn führte, schrittweis zu reiten anfing, sein Pferd, ehe er noch tausend Schritt gemacht hatte, wieder wandte, und zur vorgängigen* Vernehmung
10 des Knechts, wie es ihm klug und gerecht schien, nach Kohlhaasenbrück einbog. ⌐Denn ein richtiges, mit der gebrechlichen Einrichtung der Welt schon bekanntes Gefühl machte ihn, trotz der erlittenen Beleidigungen, geneigt, falls nur wirklich dem Knecht, wie der Schloßvogt behaup-
15 tete, eine Art von Schuld beizumessen sei, den Verlust der Pferde, als eine gerechte Folge davon, zu verschmerzen. Dagegen sagte ihm ein eben so vortreffliches Gefühl, und dies Gefühl faßte tiefere und tiefere Wurzeln, in dem Maße, als er weiter ritt, und überall, wo er einkehrte, von den
20 Ungerechtigkeiten hörte, die täglich auf der Tronkenburg gegen die Reisenden verübt wurden: daß wenn der ganze Vorfall, wie es allen Anschein habe, bloß abgekartet sein sollte, er mit seinen Kräften ⌐der Welt in der Pflicht verfallen sei, sich Genugtuung für die erlittene Kränkung, und
25 Sicherheit für zukünftige seinen Mitbürgern zu verschaffen⌐

Sobald er, bei seiner Ankunft in Kohlhaasenbrück, Lisbeth, sein treues Weib, umarmt, und seine Kinder, die um seine Knie frohlockten, geküßt hatte, fragte er gleich nach
30 Herse, dem Großknecht: und ob man nichts von ihm gehört habe? Lisbeth sagte: ja liebster Michael, dieser Herse! Denke dir, daß dieser unselige* Mensch, vor etwa vierzehn Tagen, auf das jämmerlichste zerschlagen, hier eintrifft; nein, so zerschlagen, daß er auch nicht frei atmen kann.
35 Wir bringen ihn zu Bett, wo er heftig Blut speit*, und ver-

vorhergehenden

to allow it

unglückliche

spuckt

nehmen, auf unsre wiederholten Fragen, eine Geschichte, die keiner versteht. Wie er von dir mit Pferden, denen man den Durchgang nicht verstattet, auf der Tronkenburg zurückgelassen worden sei, wie man ihn, durch die schändlichsten Mißhandlungen, gezwungen habe, die Burg zu verlassen, und wie es ihm unmöglich gewesen wäre, die Pferde mitzunehmen. So? sagte Kohlhaas, indem er den Mantel ablegte. Ist er denn schon wieder hergestellt? – Bis auf das Blutspeien, antwortete sie, halb und halb. Ich wollte sogleich einen Knecht nach der Tronkenburg schik- 10
ken, um die Pflege der Rosse, bis zu deiner Ankunft daselbst, besorgen zu lassen. Denn da sich der Herse immer wahrhaftig gezeigt hat, und so getreu uns, in der Tat wie kein Anderer, so kam es mir nicht zu, in seine Aussage, von so viel Merkmalen unterstützt, einen Zweifel zu setzen, 15
und etwa zu glauben, daß er der Pferde auf eine andere Art verlustig gegangen wäre. Doch er beschwört mich, Niemanden zuzumuten, sich in diesem Raubneste zu zeigen, und die Tiere aufzugeben, wenn ich keinen Menschen dafür aufopfern wolle. – Liegt er denn noch im Bette? fragte 20
Kohlhaas, indem er sich von der Halsbinde befreite. – Er geht, erwiderte sie, seit einigen Tagen schon wieder im Hofe umher. Kurz, du wirst sehen, fuhr sie fort, daß Alles seine Richtigkeit hat, und daß diese Begebenheit einer von den Freveln ist, die man sich seit Kurzem auf der Tronken- 25
burg gegen die Fremden erlaubt. – ⌜Das muß ich doch erst untersuchen⌝, erwiderte Kohlhaas. Ruf' ihn mir, Lisbeth, wenn er auf ist, doch her! Mit diesen Worten setzte er sich in den Lehnstuhl; und die Hausfrau, die sich über seine Gelassenheit sehr freute, ging, und holte den Knecht. 30
Was hast du in der Tronkenburg gemacht? fragte Kohlhaas, da Lisbeth mit ihm in das Zimmer trat. Ich bin nicht eben wohl mit dir zufrieden. – Der Knecht, auf dessen blassem Gesicht sich, bei diesen Worten, eine Röte fleckig zeigte, schwieg eine Weile; und: da habt ihr Recht, Herr! 35

antwortete er; denn einen Schwefelfaden, den ich durch
Gottes Fügung bei mir trug, um das Raubnest, aus dem ich
verjagt worden war, in Brand zu stecken, warf ich, als ich
ein Kind darin jammern hörte, in das Elbwasser, und
5 dachte: ⌜mag es Gottes Blitz einäschern; ich will's nicht!⌝ –
Kohlhaas sagte betroffen: wodurch aber hast du dir die
Verjagung aus der Tronkenburg zugezogen? Drauf Herse:
durch einen schlechten Streich, Herr; und trocknete sich
den Schweiß von der Stirn: Geschehenes ist aber nicht zu
10 ändern. Ich wollte die Pferde nicht auf der Feldarbeit zu
Grunde richten lassen, und sagte, daß sie noch jung wären
und nicht gezogen hätten. – Kohlhaas erwiderte, indem er
seine ⌜Verwirrung⌝ zu verbergen suchte, daß er hierin nicht
ganz die Wahrheit gesagt, indem die Pferde schon zu An-
15 fange des verflossenen Frühjahrs ein wenig im Geschirr
gewesen wären. Du hättest dich auf der Burg, fuhr er fort,
wo du doch eine Art von Gast warest, schon ein oder etliche Mal, wenn gerade, wegen schleuniger Einführung der
Ernte Not war, gefällig zeigen können. – Das habe ich auch
20 getan, Herr, sprach Herse. Ich dachte, da sie mir grämliche
Gesichter machten, es wird doch die Rappen just nicht kosten. Am dritten Vormittag spannt' ich sie vor, und drei
Fuhren Getreide führt' ich ein. Kohlhaas, dem das Herz
emporquoll, schlug die Augen zu Boden, und versetzte: da-
25 von hat man mir nichts gesagt, Herse! – Herse versicherte
ihn, daß es so sei. Meine Ungefälligkeit, sprach er, bestand
darin, daß ich die Pferde, als sie zu Mittag kaum ausge-
fressen hatten, nicht wieder in's Joch spannen wollte; und
daß ich dem Schloßvogt und dem Verwalter, als sie mir
30 vorschlugen frei Futter dafür anzunehmen, und das Geld,
das ihr mir für Futterkosten zurückgelassen hattet, in den
Sack zu stecken, antwortete – ich würde ihnen sonst was
tun; mich umkehrte und wegging. – Um* dieser Ungefällig-   Wegen
keit aber, sagte Kohlhaas, bist du von der Tronkenburg
35 nicht weggejagt worden. – Behüte Gott, rief der Knecht,

Gemeint ist eine Handlung, bei der man Gottes Gebote missachtet.

um eine gottvergessene Missetat*! Denn auf den Abend wurden die Pferde zweier Ritter, welche auf die Tronkenburg kamen, in den Stall geführt, und meine an die Stalltüre angebunden. Und da ich dem Schloßvogt, der sie daselbst einquartierte, die Rappen aus der Hand nahm, und fragte, wo die Tiere jetzo bleiben sollten, so zeigte er mir einen

Schweinestall

Schweinekoben* an, der von Latten und Brettern an der Schloßmauer aufgebaut war. – Du meinst, unterbrach ihn Kohlhaas, es war ein so schlechtes Behältnis für Pferde, daß es einem Schweinekoben ähnlicher war, als einem Stall. – Es war ein Schweinekoben, Herr, antwortete Herse; wirklich und wahrhaftig ein Schweinekoben, in welchem die Schweine aus- und einliefen, und ich nicht aufrecht stehen konnte. – Vielleicht war sonst kein Unterkommen für die Rappen aufzufinden, versetzte Kohlhaas; die Pferde der Ritter gingen, auf eine gewisse Art, vor. – Der Platz, erwi-

leiser sprach

derte der Knecht, indem er die Stimme fallen ließ*, war eng. Es hauseten jetzt in Allem ⌐sieben Ritter⌐ auf der Burg. Wenn ihr es gewesen wäret, ihr hättet die Pferde ein wenig zusammenrücken lassen. Ich sagte, ich wolle mir im Dorf einen Stall zu mieten suchen; doch der Schloßvogt versetzte, daß er die Pferde unter seinen Augen behalten müsse, und daß ich mich nicht unterstehen solle, sie vom Hofe wegzuführen. – Hm! sagte Kohlhaas. Was gabst du darauf an? – Weil der Verwalter sprach, die beiden Gäste würden bloß übernachten, und am andern Morgen weiter reiten, so führte ich die Pferde in den Schweinekoben hinein. Aber der folgende Tag verfloß, ohne daß es geschah; und als der dritte anbrach, hieß es, die Herren würden noch einige Wochen auf der Burg verweilen. – Am Ende wars nicht so schlimm, Herse, im Schweinekoben, sagte Kohlhaas, als es dir, da du zuerst die Nase hineinstecktest, vorkam. – S' ist wahr, erwiderte jener. Da ich den Ort ein Bissel ausfegte, gings an. Ich gab der Magd einen Groschen, daß sie die Schweine wo anders einstecke. Und den

Tag über bewerkstelligte ich auch, daß die Pferde aufrecht stehen konnten, indem ich die Bretter oben, wenn der Morgen dämmerte, von den Latten abnahm, und Abends wieder auflegte. Sie guckten nun, ⌈wie Gänse⌉, aus dem Dach
5 vor, und sahen sich nach Kohlhaasenbrück, oder sonst, wo es besser ist, um. – Nun denn, fragte Kohlhaas, warum also, in aller Welt, jagte man dich fort? – Herr, ich sags euch, versetzte der Knecht, weil man meiner los sein wollte. Weil sie die Pferde, so lange ich dabei war, nicht zu Grunde
10 richten konnten. Überall schnitten sie mir, im Hofe und in der Gesindestube*, widerwärtige Gesichter; und weil ich dachte, zieht ihr die Mäuler, daß sie verrenken, so brachen sie die Gelegenheit vom Zaune, und warfen mich vom Hofe herunter. – Aber die Veranlassung! rief Kohlhaas. Sie
15 werden doch irgend eine Veranlassung gehabt haben! – O allerdings, antwortete Herse, und die allergerechteste. Ich nahm, am Abend des zweiten Tages, den ich im Schweinekoben zugebracht, die Pferde, die sich darin doch zugesudelt hatten, und wollte sie zur Schwemme* reiten. Und
20 da ich eben unter dem Schloßtore bin, und mich wenden will, hör' ich den Vogt und den Verwalter, mit Knechten, Hunden und Prügeln, aus der Gesindestube, hinter mir herstürzen, und: halt, den Spitzbuben! rufen: halt, den Galgenstrick*! als ob sie besessen wären. Der Torwächter tritt
25 mir in den Weg; und da ich ihn und den rasenden Haufen, der auf mich anläuft, frage: was auch gibt's? was es gibt? antwortet der Schloßvogt; und greift meinen beiden Rappen in den Zügel. Wo will er hin mit den Pferden? fragt er, und packt mich an die Brust. Ich sage, wo ich hin will?
30 Himmeldonner! Zur Schwemme will ich reiten. Denkt er, daß ich –? Zur Schwemme? ruft der Schloßvogt. Ich will dich, Gauner, auf der Heerstraße, nach Kohlhaasenbrück schwimmen lehren! und schmeißt mich, mit einem hämischen Mordzug, er und der Verwalter, der mir das Bein
35 gefaßt hat, vom Pferd' herunter, daß ich mich, lang wie ich

Stube für Mägde und Knechte

Schwemmland, das auch zur Tränkung der Tiere diente

Ein zum Tod durch den Galgen vorbestimmter Mensch

bin, in den Kot messe. <u>Mord! Hagel!</u> ruf' ich, Sielzeug* und
Decken liegen, und ein Bündel Wäsche von mir, im Stall;
doch er und die Knechte, indessen der Verwalter die Pferde
wegführt, mit Füßen und Peitschen und Prügeln über mich
her, daß ich halbtot hinter dem Schloßtor niedersinke. Und
da ich sage: die Raubhunde! Wo führen sie mir die Pferde
hin? und mich erhebe: heraus aus dem Schloßhof! schreit
der Vogt, und: ⌐hetz, Kaiser! hetz, Jäger! erschallt es, und:
hetz, Spitz! und eine Koppel von mehr denn zwölf Hunden
fällt über mich her¬. Drauf brech' ich, war es eine Latte, ich
weiß nicht was, vom Zaune, und drei Hunde tot streck' ich
neben mir nieder; doch da ich, von jämmerlichen Zerfleischungen gequält, weichen muß: Flüt! gellt eine Pfeife; die
Hunde in den Hof, die Torflügel zusammen, der Riegel vor:
und auf der Straße ohnmächtig sink' ich nieder. – Kohlhaas

sagte, bleich im Gesicht, mit erzwungener Schelmerei*:
hast du auch nicht entweichen wollen, Herse? Und da dieser, mit dunkler Röte, vor sich niedersah: gesteh' mir's,
sagte er; es gefiel dir im Schweinekoben nicht; du dachtest,
im Stall zu Kohlhaasenbrück ist's doch besser. – Himmel-
schlag! rief Herse: Sielzeug und Decken ließ ich ja, und
einen Bündel Wäsche, im Schweinekoben zurück. Würd'
ich drei Reichsgülden nicht zu mir gesteckt haben, die ich,
im rotseidnen Halstuch, hinter der Krippe versteckt hatte?
Blitz, Höll' und Teufel! Wenn ihr so sprecht, so mögt' ich
nur gleich den Schwefelfaden, den ich wegwarf, wieder an-
zünden! ⌐Nun, nun! sagte der Roßhändler; es war eben
nicht böse gemeint! Was du gesagt hast, schau, Wort für
Wort, ich glaub' es dir; und das Abendmahl, wenn es zur
Sprache kommt, will ich selbst nun darauf nehmen.¬ Es tut
mir leid, daß es dir in meinen Diensten nicht besser ergan-
gen ist; geh, Herse, geh zu Bett, laß dir eine Flasche Wein
geben, und tröste dich: dir soll Gerechtigkeit widerfahren!
Und damit stand er auf, fertigte ein Verzeichnis der Sachen
an, die der Großknecht im Schweinekoben zurückgelassen;

spezifizierte den Wert derselben, fragte ihn auch, wie hoch er die Kurkosten anschlage; und ließ ihn, nachdem er ihm noch einmal die Hand gereicht, abtreten.

Hierauf erzählte er Lisbeth, seiner Frau, den ganzen Verlauf und inneren Zusammenhang der Geschichte, erklärte ihr, wie er entschlossen sei, die öffentliche Gerechtigkeit für sich aufzufordern*, und hatte die Freude, zu sehen, daß sie ihn, in diesem Vorsatz, aus voller Seele bestärkte. Denn sie sagte, daß noch mancher andre Reisende, vielleicht minder duldsam, als er, über jene Burg ziehen würde; daß es ein Werk Gottes wäre, Unordnungen, gleich diesen, Einhalt zu tun; und daß sie die Kosten, die ihm die Führung des Prozesses verursachen würde, schon beitreiben wolle. Kohlhaas nannte sie sein wackeres Weib, erfreute sich diesen und den folgenden Tag in ihrer und seiner Kinder Mitte, und brach, sobald es seine Geschäfte irgend zuließen, nach Dresden auf, um seine Klage vor Gericht zu bringen.

Hier verfaßte er, mit Hülfe* eines Rechtsgelehrten, den er kannte, eine Beschwerde, in welcher er, nach einer umständlichen* Schilderung des Frevels, den der Junker Wenzel von Tronka, an ihm sowohl, als an seinem Knecht Herse, verübt hatte, auf gesetzmäßige Bestrafung desselben, ⌐Wiederherstellung der Pferde in den vorigen Stand*⌐, und auf Ersatz des Schadens antrug, den er sowohl, als sein Knecht, dadurch erlitten hatten. ⌐Die Rechtssache war in der Tat klar.⌐ Der Umstand, daß die Pferde gesetzwidriger Weise festgehalten worden waren, warf ein entscheidendes Licht auf alles Übrige; und selbst wenn man hätte annehmen wollen, daß die Pferde durch ⌐einen bloßen Zufall⌐ erkrankt wären, so würde die Forderung des Roßkamms, sie ihm gesund wieder zuzustellen, noch gerecht gewesen sein. Es fehlte Kohlhaas auch, während er sich in der Residenz* umsah, keineswegs an Freunden, die seine Sache lebhaft zu unterstützen versprachen; der ausgebreitete

die öffentliche Gerichtsbarkeit anzurufen

Hilfe

alle Umstände einzeln aufführenden

vorherigen Zustand

Hauptstadt, Sitz der Regierung

Handel, den er mit Pferden trieb, hatte ihm die Bekannt-
schaft, und die Redlichkeit, mit welcher er dabei zu Werke
ging, ihm das Wohlwollen der bedeutendsten Männer des
Landes verschafft. Er speisete bei seinem Advokaten*, der
selbst ein ansehnlicher* Mann war, mehrere Mal heiter zu   5
Tisch; legte eine Summe Geldes, zur Bestreitung der Pro-
zeßkosten, bei ihm nieder; und kehrte, nach Verlauf einiger
Wochen, völlig von demselben über den Ausgang seiner
Rechtssache beruhigt, zu Lisbeth, seinem Weibe, nach
Kohlhaasenbrück zurück. Gleichwohl vergingen Monate,   10
und das Jahr war daran, abzuschließen, bevor er, von Sachsen aus, auch nur eine Erklärung über die Klage, die er
daselbst anhängig gemacht hatte, geschweige denn die Resolution* selbst, erhielt. Er fragte, nachdem er mehrere
Male von neuem bei dem Tribunal* eingekommen war, sei-   15
nen Rechtsgehülfen, in einem vertrauten* Briefe, was eine
so übergroße Verzögerung verursache; und erfuhr, daß die
Klage, auf eine höhere Insinuation*, bei dem Dresdner Ge-
richtshofe, gänzlich niedergeschlagen worden sei. – Auf die
befremdete Rückschrift des Roßkamms, worin dies seinen   20
Grund habe, meldete ihm jener: daß der Junker Wenzel von
Tronka mit zwei Jungherren, Hinz und Kunz von Tronka,
verwandt sei, deren Einer, bei der Person des Herrn,
Mundschenk, der Andre gar Kämmerer* sei. – Er riet ihm
noch, er mögte, ohne weitere Bemühungen bei der Rechts-   25
instanz, seiner, auf der Tronkenburg befindlichen, Pferde
wieder habhaft zu werden suchen; gab ihm zu verstehen,
daß der Junker, der sich jetzt in der Hauptstadt aufhalte,
seine Leute angewiesen zu haben scheine, sie ihm auszuliefern; und schloß mit dem Gesuch, ihn wenigstens, falls er   30
sich hiermit nicht beruhigen wolle, mit ferneren Aufträgen
in dieser Sache zu verschonen.

Kohlhaas befand sich um diese Zeit gerade in Brandenburg*, wo der Stadthauptmann, Heinrich von Geusau, unter dessen Regierungsbezirk Kohlhaasenbrück gehörte,   35

Rechtsanwalt

angesehener

Urteil

Gerichtshof

vertraulichen

Hier: geheime
Anordnung

Verwalter
der fürstl.
Einkünfte

Hier: Stadt
Brandenburg

Michael Kohlhaas

eben beschäftigt war, aus einem beträchtlichen Fonds, der
der Stadt zugefallen war, mehrere wohltätige Anstalten,
für Kranke und Arme, einzurichten. Besonders war er bemüht, einen mineralischen Quell, der auf einem Dorf in der
5 Gegend sprang, und von dessen Heilkräften man sich
mehr, als die Zukunft nachher bewährte*, versprach, für   bewahrheitete
den Gebrauch der Preßhaften* einzurichten; und da Kohl-   Bresthafte,
haas ihm, wegen manchen Verkehrs, in dem er, zur Zeit   d. h. körperlich
seines Aufenthalts am Hofe, mit demselben gestanden   Gebrechliche
10 hatte, bekannt war, so erlaubte er Hersen, dem Groß-   o. seelisch
knecht, dem ein Schmerz beim Atemholen über der Brust,   Kranke
seit jenem schlimmen Tage auf der Tronkenburg, zurückgeblieben war, die Wirkung der kleinen, mit Dach und Ein-
fassung versehenen, Heilquelle zu versuchen. Es traf sich,
15 daß der Stadthauptmann eben, am Rande des Kessels*, in   Vertiefung
welchen Kohlhaas den Herse gelegt hatte, gegenwärtig
war, um einige Anordnungen zu treffen, als jener, durch
einen Boten, den ihm seine Frau nachschickte, den nieder-
schlagenden Brief seines Rechtsgehülfen aus Dresden emp-
20 fing. Der Stadthauptmann, der, während er mit dem Arzte
sprach, bemerkte, daß Kohlhaas ⌜eine Träne auf den Brief,
den er bekommen und eröffnet hatte, fallen ließ⌝, näherte
sich ihm, auf eine freundliche und herzliche Weise, und
fragte ihn, was für ein Unfall ihn betroffen; und da der
25 Roßhändler ihm, ohne ihm zu antworten, den Brief überreichte: so klopfte dieser würdige Mann, dem die abscheu-
liche Ungerechtigkeit, die man auf der Tronkenburg an ihm
verübt hatte, und an deren Folgen Herse eben, vielleicht
auf die Lebenszeit, krank danieder lag, bekannt war, auf
30 die Schulter, und sagte ihm: er solle nicht mutlos sein; er
werde ihm zu seiner Genugtuung verhelfen! Am Abend, da
sich der Roßkamm, seinem Befehl gemäß, zu ihm auf's
Schloß begeben hatte, sagte er ihm, daß er nur eine Supplik*, mit einer kurzen Darstellung des Vorfalls, an den   Bittschrift
35 Kurfürsten von Brandenburg aufsetzen, den Brief des Ad-

vokaten beilegen, und wegen der Gewalttätigkeit, die man
sich, auf sächsischem Gebiet, gegen ihn erlaubt, den landesherrlichen Schutz aufrufen mögte. Er versprach ihm,
die Bittschrift, unter einem anderen Paket, das schon bereit
liege, in die Hände des Kurfürsten zu bringen, der seinet- 5
halb ⌐unfehlbar¬, wenn es die Verhältnisse zuließen, bei
dem Kurfürsten von Sachsen einkommen* würde; und

eine Bitte
vorbringen

mehr als eines solchen Schrittes bedürfe es nicht, um ihm
bei dem Tribunal in Dresden, den Künsten des Junkers und
seines Anhanges zum Trotz, Gerechtigkeit zu verschaffen. 10
Kohlhaas, lebhaft erfreut, dankte dem Stadthauptmann,
für diesen neuen Beweis seiner Gewogenheit, aufs herzlich-
ste; sagte, es tue ihm nur leid, daß er nicht, ohne irgend
Schritte in Dresden zu tun, seine Sache gleich in Berlin anhängig gemacht habe; und nachdem er, in der Schreiberei 15
des Stadtgerichts, die Beschwerde, ganz den Forderungen*

üblichen
Anforde-
rungen

gemäß, verfaßt, und dem Stadthauptmann übergeben
hatte, kehrte er, beruhigter über den Ausgang seiner Geschichte, als je, nach Kohlhaasenbrück zurück. Er hatte
aber schon, in wenig Wochen, den Kummer, durch einen 20

Vorsteher der
örtl. Gerichts-
barkeit

Gerichtsherrn*, der in Geschäften des Stadthauptmanns
nach Potsdam ging, zu erfahren, daß der Kurfürst die Sup-

Hoher
Beamter, für
die Ausferti-
gung v. Staats-
urkunden
zuständig

plik seinem Kanzler*, dem Grafen Kallheim, übergeben
habe, und daß dieser nicht unmittelbar, wie es zweckmäßig
schien, bei dem Hofe zu Dresden, um Untersuchung und 25
Bestrafung der Gewalttat, sondern um vorläufige, nähere
Information bei dem Junker von Tronka eingekommen
sei. Der Gerichtsherr, der, vor Kohlhaasens Wohnung, im
Wagen haltend, den Auftrag zu haben schien, dem Roßhändler diese Eröffnung zu machen, konnte ihm auf die 30
betroffene Frage: warum man also verfahren? keine befriedigende Auskunft geben. Er fügte nur noch hinzu: der
Stadthauptmann ließe ihm sagen, er mögte sich in Geduld
fassen; schien bedrängt, seine Reise fortzusetzen; und erst
am Schluß der kurzen Unterredung erriet Kohlhaas, aus 35

einigen hingeworfenen Worten, daß der Graf Kallheim mit
dem Hause derer von Tronka verschwägert sei. – Kohlhaas, der keine Freude mehr, weder an seiner Pferdezucht,
noch an Haus und Hof, kaum an Weib und Kind hatte,
5 durchharrte, in trüber Ahndung* der Zukunft, den nächsten Mond*; und ganz seiner Erwartung gemäß kam, nach
Verlauf dieser Zeit, Herse, dem das Bad einige Linderung
verschafft hatte, von Brandenburg zurück, mit einem, ein
größeres Reskript* begleitenden, Schreiben des Stadt-
10 hauptmanns, des Inhalts: es tue ihm leid, daß er nichts in
seiner Sache tun könne; er schicke ihm eine, an ihn ergangene, Resolution der Staatskanzlei, und rate ihm, die
Pferde, die er in der Tronkenburg zurückgelassen, wieder
abführen, und die Sache übrigens ruhen zu lassen. – Die
15 Resolution lautete: »er sei, nach dem Bericht des Tribunals
in Dresden, ein unnützer Querulant*; der Junker, bei dem
er die Pferde zurückgelassen, halte ihm dieselben, auf keine
Weise, zurück; er mögte nach der Burg schicken, und sie
holen, oder dem Junker wenigstens wissen lassen, wohin er
20 sie ihm senden solle; die Staatskanzlei aber, auf jeden Fall,
mit solchen Plackereien* und Stänkereien verschonen.«
Kohlhaas, dem es nicht um die Pferde zu tun war – er hätte
gleichen Schmerz empfunden, wenn es ein Paar Hunde ge-
golten hätte – Kohlhaas schäumte vor Wut, als er diesen
25 Brief empfing. Er sah, so oft sich ein Geräusch im Hofe
hören ließ, mit der widerwärtigsten Erwartung, die seine
Brust jemals bewegt hatte, nach dem Torwege, ob die Leute
des Jungherren erscheinen, und ihm, vielleicht gar mit einer
Entschuldigung, die Pferde, abgehungert und abgehärmt,
30 wieder zustellen würden; ⌐der einzige Fall, in welchem
seine von der Welt wohlerzogene Seele, auf nichts das ihrem Gefühl völlig entsprach gefaßt war⌐. Er hörte aber in
kurzer Zeit schon, durch einen Bekannten, der die Straße
gereiset war, daß die Gaule auf der Tronkenburg, nach wie
35 vor, den übrigen Pferden des Landjunkers gleich, auf dem

Ahnung

Monat

Amtl. Rück-
schreiben des
Landesherrn

Nörgler

Beschwerliche
Erpressungen

Felde gebraucht würden; und mitten durch den ⌈Schmerz, die Welt in einer so ungeheuren Unordnung zu erblicken, zuckte die innerliche Zufriedenheit empor, seine eigne Brust nunmehr in Ordnung zu sehen⌉. Er lud einen Amtmann*, seinen Nachbar, zu sich, der längst mit dem Plan umgegangen war, seine Besitzungen durch den Ankauf der, ihre Grenze berührenden, Grundstücke zu vergrößern, und fragte ihn, nachdem sich derselbe bei ihm niedergelassen, was er für seine Besitzungen, im Brandenburgischen und im Sächsischen, Haus und Hof, in Pausch und Bogen*, es sei nagelfest* oder nicht, geben wolle? Lisbeth, sein Weib, erblaßte bei diesen Worten. Sie wandte sich, und hob ihr Jüngstes auf, das hinter ihr auf dem Boden spielte, Blicke, in welchen sich der Tod malte, bei den roten Wangen des Knaben vorbei, der mit ihren Halsbändern spielte, auf den Roßkamm, und ein Papier werfend, das er in der Hand hielt. Der Amtmann fragte, indem er ihn befremdet ansah, was ihn plötzlich auf so sonderbare Gedanken bringe; worauf jener, mit so viel Heiterkeit, als er erzwingen konnte, erwiderte: der Gedanke, seinen Meierhof, an den Ufern der Havel, zu verkaufen, sei nicht allzuneu; sie hätten beide schon oft über diesen Gegenstand verhandelt; sein Haus in der Vorstadt in Dresden sei, im Vergleich damit, ein bloßer Anhang, der nicht in Erwägung komme; und kurz, wenn er ihm seinen Willen tun, und beide Grundstücke übernehmen wolle, so sei er bereit, den Kontrakt* darüber mit ihm abzuschließen. Er setzte, mit einem etwas erzwungenen Scherz hinzu, Kohlhaasenbrück sei ja nicht die Welt; es könne Zwecke geben, in Vergleich mit welchen, seinem Hauswesen, als ein ordentlicher Vater*, vorzustehen, untergeordnet und nichtswürdig* sei; und kurz, seine Seele, müsse er ihm sagen, sei auf große Dinge gestellt, von welchen er vielleicht bald hören werde. Der Amtmann, durch diese Worte beruhigt, sagte, auf eine lustige Art, zur Frau, die das Kind einmal über das andere küßte: er werde doch

In der Rechtspflege u. der öffentl. Sicherheit tätiger Beamter

im Ganzen gerechnet

Im Ggs. zur beweglichen Habe am Haus befestigt

Vertrag

Hier: ›Hausvater‹; Vorsteher eines Hauswesens

wert- u. bedeutungslos

nicht gleich Bezahlung verlangen? legte Hut und Stock, die
er zwischen den Knien gehalten hatte, auf den Tisch, und
nahm das Blatt, das der Roßkamm in der Hand hielt, um es
zu durchlesen. Kohlhaas, indem er demselben näher
5 rückte, erklärte ihm, daß es ein von ihm aufgesetzter even-
tueller in vier Wochen verfallener Kaufkontrakt sei; zeigte
ihm, daß darin nichts fehle, als die Unterschriften, und die
Einrückung der Summen, sowohl was den Kaufpreis
selbst, als auch den Reukauf*, d. h. die Leistung betreffe, zu

Betrag, der
bei Auflösung
eines Kaufver-
trags zu ent-
richten ist

10 der er sich, falls er binnen vier Wochen zurückträte, verstehen wolle; und forderte ihn noch einmal munter auf, ein
Gebot zu tun, indem er ihm versicherte, daß er billig sein,
und keine großen Umstände machen würde. Die Frau ging
in der Stube auf und ab; ihre Brust flog, daß das Tuch, an
15 welchem der Knabe gezupft hatte, ihr völlig von der Schulter herabzufallen drohte. Der Amtmann sagte, daß er ja
den Wert der Besitzung in Dresden keineswegs beurteilen
könne; worauf ihm Kohlhaas, Briefe, die bei ihrem Ankauf
gewechselt worden waren, hinschiebend, antwortete: daß
20 er sie zu 100 Goldgülden anschlage; obschon daraus hervorging, daß sie ihm fast um die Hälfte mehr gekostet
hatte. Der Amtmann, der den Kaufkontrakt noch einmal
überlas, und darin auch von seiner Seite, auf eine sonderbare* Art, die Freiheit stipuliert* fand, zurückzutreten,

besondere,
ungewöhn-
liche

vereinbart

25 sagte, schon halb entschlossen: daß er ja die Gestütpferde,
die in seinen Ställen wären, nicht brauchen könne; doch da
Kohlhaas erwiderte, daß er die Pferde auch gar nicht los-
zuschlagen willens sei, und daß er auch einige Waffen, die
in der Rüstkammer hingen, für sich behalten wolle, so –
30 zögerte jener noch und zögerte, und wiederholte endlich
ein Gebot, das er ihm vor kurzem schon einmal, halb im
Scherz, halb im Ernst, nichtswürdig gegen den Wert der
Besitzung, auf einem Spaziergange gemacht hatte. Kohlhaas schob ihm Tinte und Feder hin, um zu schreiben; und
35 da der Amtmann, der seinen Sinnen nicht traute, ihn noch

einmal gefragt hatte, ob es sein Ernst sei? und der Roßkamm ihm ein wenig empfindlich geantwortet hatte: ob er
glaube, daß er bloß seinen Scherz mit ihm treibe? so nahm
jener zwar, mit einem bedenklichen Gesicht, die Feder, und
schrieb; dagegen durchstrich er den Punkt, in welchem von
der Leistung, falls dem Verkäufer der Handel gereuen
sollte, die Rede war; verpflichtete sich, zu einem Darlehn

Grundstücks-
beleihung zur
Sicherung
einer Geldfor-
derung

von 100 Goldgülden, auf die Hypothek* des Dresdenschen
Grundstücks, das er auf keine Weise käuflich an sich bringen wollte; und ließ ihm, binnen zwei Monaten völlige
Freiheit, von dem Handel wieder zurückzutreten. Der
Roßkamm, von diesem Verfahren gerührt, schüttelte ihm
mit vieler Herzlichkeit die Hand; und nachdem sie noch,
welches eine Hauptbedingung war, übereingekommen waren, daß des Kaufpreises vierter Teil unfehlbar gleich bar,
und der Rest, in drei Monaten, in der Hamburger Bank,

Sitte des Wein-
kaufs: rechts-
gültige Besie-
gelung eines
Kaufs durch
einen gemein-
samen Wein-
umtrunk

gezahlt werden sollte, rief jener nach Wein*, um sich eines
so glücklich abgemachten Geschäfts zu erfreuen. Er sagte
einer Magd, die mit den Flaschen hereintrat, Sternbald, der
Knecht, solle ihm den Fuchs satteln; er müsse, gab er an,
nach der Hauptstadt reiten, wo er Verrichtungen habe; und
gab zu verstehen, daß er in Kurzem, wenn er zurückkehre,
sich offenherziger über das, was er jetzt noch für sich behalten müsse, auslassen würde. Hierauf, indem er die Gläser einschenkte, fragte er nach dem ⌜Pohlen und Türken,
die gerade damals mit einander im Streit lagen⌝; verwik-

Vermutungen

schließlich

kelte den Amtmann in mancherlei politische Konjekturen*
darüber; trank ihm schlüßlich* hierauf noch einmal das
Gedeihen ihres Geschäfts zu, und entließ ihn. – Als der
Amtmann das Zimmer verlassen hatte, fiel Lisbeth auf
Knien vor ihm nieder. Wenn du mich irgend, rief sie, mich
und die Kinder, die ich dir geboren habe, in deinem Herzen
trägst; wenn wir nicht im Voraus schon, um welcher Ursach willen, weiß ich nicht, verstoßen sind: so sage mir, was
diese entsetzlichen Anstalten zu bedeuten haben! Kohlhaas

sagte: liebstes Weib, nichts, das dich noch, so wie die Sachen stehn, beunruhigen dürfte. Ich habe eine Resolution erhalten, in welcher man mir sagt, daß meine Klage gegen den Junker Wenzel von Tronka eine nichtsnutzige Stänkerei sei. Und weil hier ein ⌐Mißverständnis⌐ obwalten muß: so habe ich mich entschlossen, meine Klage noch einmal, persönlich bei dem Landesherrn selbst, einzureichen. – Warum willst du dein Haus verkaufen? rief sie, indem sie mit einer verstörten Gebärde, aufstand. Der Roßkamm, indem er sie sanft an seine Brust drückte, erwiderte: weil ich in einem Lande, liebste Lisbeth, ⌐in welchem man mich, in meinen Rechten, nicht schützen will⌐, nicht bleiben mag. Lieber ein Hund sein, wenn ich von Füßen getreten werden soll, als ein Mensch! Ich bin gewiß, daß meine Frau hierin so denkt, als ich. – Woher weißt du, fragte jene wild, daß man dich in deinen Rechten nicht schützen wird? Wenn du dem Herrn bescheiden, wie es dir zukommt, mit deiner Bittschrift nahst: woher weißt du, daß sie bei Seite geworfen, oder mit Verweigerung, dich zu hören, beantwortet werden wird? – Wohlan, antwortete Kohlhaas, wenn meine Furcht hierin ungegründet ist, so ist auch mein Haus noch nicht verkauft. ⌐Der Herr selbst, weiß ich, ist gerecht; und wenn es mir nur gelingt, durch die, die ihn umringen*, bis an seine Person zu kommen, so zweifle ich nicht, ich verschaffe mir Recht⌐, und kehre fröhlich, noch ehe die Woche verstreicht, zu dir und meinen alten Geschäften zurück. Mögt' ich alsdann noch, setzt' er hinzu, indem er sie küßte, bis an das Ende meines Lebens bei dir verharren! – Doch ratsam ist es, fuhr er fort, daß ich mich auf jeden Fall gefaßt mache; und daher wünschte ich, daß du dich, auf einige Zeit, wenn es sein kann, entferntest, und mit den Kindern zu deiner Muhme* nach Schwerin gingst, die du überdies längst hast besuchen wollen. – Wie? rief die Hausfrau. Ich soll nach Schwerin gehen? Über die Grenze mit den Kindern, zu meiner Muhme nach Schwerin? ⌐Und das

umgeben

Tante, aber auch allg. nahe weibl. Verwandte

Entsetzen erstickte ihr die Sprache.⌐ – Allerdings, antwortete Kohlhaas, und das, wenn es sein kann, gleich, damit ich in den Schritten, die ich für meine Sache tun will, durch keine Rücksichten gestört werde. – »O! ich verstehe dich!« rief sie. »Du brauchst jetzt nichts mehr, als Waffen und Pferde; alles Andere kann nehmen, wer will!« Und damit wandte sie sich, warf sich auf einen Sessel nieder, und weinte. – Kohlhaas sagte betroffen: liebste Lisbeth, was machst du? Gott hat mich mit Weib und Kindern und Gütern gesegnet; soll ich heute zum Erstenmal wünschen, daß es anders wäre? – – – Er setzte sich zu ihr, die ihm, bei diesen Worten, errötend um den Hals gefallen war, freundlich nieder. – Sag' mir an, sprach er, indem er ihr die Locken von der Stirne strich: was soll ich tun? Soll ich meine Sache aufgeben? Soll ich nach der Tronkenburg gehen, und den Ritter bitten, daß er mir die Pferde wieder gebe, mich aufschwingen, und sie dir herreiten? – Lisbeth wagte nicht: ja! ja! ja! zu sagen – sie schüttelte weinend mit dem Kopf, sie drückte ihn heftig an sich, und überdeckte mit heißen Küssen seine Brust. »Nun also!« rief Kohlhaas. »Wenn du fühlst, daß mir, falls ich mein Gewerbe forttreiben soll, Recht werden muß: so gönne mir auch die Freiheit, die mir nötig ist, es mir zu verschaffen!« Und damit stand er auf, und sagte dem Knecht, der ihm meldete, daß der Fuchs gesattelt stünde: morgen müßten auch die Braunen eingeschirrt werden, um seine Frau nach Schwerin zu führen. Lisbeth sagte: sie habe einen Einfall! Sie erhob sich, wischte sich die Tränen aus den Augen, und fragte ihn, der sich an einem Pult niedergesetzt hatte: ob er ihr die Bittschrift geben, und sie, statt seiner, nach Berlin gehen lassen wolle, um sie dem Landesherrn zu überreichen. Kohlhaas, von dieser Wendung, um mehr als einer Ursach willen, gerührt, zog sie auf seinen Schoß nieder, und sprach: liebste Frau, das ist nicht wohl möglich! Der Landesherr ist vielfach umringt, mancherlei Verdrießlichkeiten ist der ausgesetzt, der ihm naht. Lisbeth versetzte, daß es in tausend Fällen einer Frau leichter sei, als einem Mann, ihm zu nahen. Gib mir die Bittschrift, wiederholte sie; und wenn du weiter nichts willst, als sie in seinen Händen wissen, so verbürge ich

5 mich dafür: er soll sie bekommen! Kohlhaas, der von ihrem Mut sowohl, als ihrer Klugheit, mancherlei Proben hatte, fragte, wie sie es denn anzustellen denke; worauf sie, indem sie verschämt vor sich niedersah, erwiderte: daß der Kastellan* des kurfürstlichen Schlosses, in früheren Zeiten, da er

10 zu Schwerin in Diensten gestanden, um sie geworben habe; daß derselbe zwar jetzt verheiratet sei, und mehrere Kinder habe; daß sie aber immer noch nicht ganz vergessen wäre; – und kurz, ⌐daß er es ihr nur überlassen mögte, aus diesem und manchem andern Umstand, der zu beschreiben zu

15 weitläufig wäre, Vorteil zu ziehen⌐. Kohlhaas küßte sie mit vieler Freude, sagte, daß er ihren Vorschlag annähme, belehrte sie, daß es weiter nichts bedürfe, als einer Wohnung bei der Frau desselben, um den Landesherrn, im Schlosse selbst, anzutreten*, gab ihr die Bittschrift, ließ die Braunen

20 anspannen, und schickte sie mit Sternbald, seinem treuen Knecht, wohleingepackt ab.

Diese Reise war aber von allen erfolglosen Schritten, die er in seiner Sache getan hatte, der allerunglücklichste. Denn schon nach wenig Tagen zog Sternbald in den Hof wieder

25 ein, Schritt vor Schritt den Wagen führend, in welchem die Frau, mit einer gefährlichen Quetschung an der Brust, ausgestreckt darnieder lag. Kohlhaas, der bleich an das Fuhrwerk trat, ⌐konnte nichts Zusammenhängendes über das, was dieses Unglück verursacht hatte, erfahren⌐. Der

30 Kastellan war, wie der Knecht sagte, nicht zu Hause gewesen; man war also genötigt worden, in einem Wirtshause, das in der Nähe des Schlosses lag, abzusteigen; dies Wirtshaus hatte Lisbeth am andern Morgen verlassen, und dem Knecht befohlen, bei den Pferden zurückzubleiben;

35 und eher nicht, als am Abend, sei sie, in diesem Zustand,

Burgvogt; Aufsichtsbeamter v. Schlössern u. öffentl. Gebäuden

Im Sinne von: zu jdm. treten, um ihn um etwas zu bitten

zurückgekommen. Es schien, sie hatte sich zu dreist an die Person des Landesherrn vorgedrängt, und, ohne Verschulden desselben, von dem bloßen rohen Eifer einer Wache, die ihn umringte, einen Stoß, mit dem Schaft einer Lanze, vor die Brust erhalten. Wenigstens berichteten die Leute so, die sie, in bewußtlosem Zustand, gegen Abend in den Gasthof brachten; denn sie selbst konnte, von aus dem Mund vorquellendem Blute gehindert, wenig sprechen. Die Bittschrift war ihr nachher durch einen Ritter abgenommen worden. Sternbald sagte, daß es sein Wille gewesen sei, sich gleich auf ein Pferd zu setzen, und ihm von diesem unglücklichen Vorfall Nachricht zu geben; doch sie habe, trotz der Vorstellungen des herbeigerufenen Wundarztes, darauf bestanden, ohne alle vorgängige Benachrichtigungen, zu ihrem Manne nach Kohlhaasenbrück abgeführt zu werden. Kohlhaas brachte sie, die von der Reise völlig zu Grunde gerichtet worden war, in ein Bett, wo sie, unter schmerzhaften Bemühungen, Atem zu holen, noch einige Tage lebte. ⌐Man versuchte vergebens, ihr das Bewußtsein wieder zu geben, um über das, was vorgefallen war, einige Aufschlüsse zu erhalten⌐; sie lag, mit starrem, schon gebrochenen Auge, da, und antwortete nicht. Nur kurz vor ihrem Tode kehrte ihr noch einmal die Besinnung wieder. ⌐Denn da ein Geistlicher lutherischer Religion (zu welchem eben damals aufkeimenden Glauben sie sich, nach dem Beispiel ihres Mannes, bekannt hatte) neben ihrem Bette stand, und ihr mit lauter und empfindlich-feierlicher Stimme, ein Kapitel aus der Bibel vorlas: so sah sie ihn plötzlich, mit einem finstern Ausdruck, an, nahm ihm, als ob ihr daraus nichts vorzulesen wäre, die Bibel aus der Hand, blätterte und blätterte, und schien etwas darin zu suchen; und zeigte dem Kohlhaas, der an ihrem Bette saß, mit dem Zeigefinger, den Vers: »Vergib deinen Feinden; tue wohl auch denen, die dich hassen.« – Sie drückte ihm dabei mit einem überaus seelenvollen Blick die Hand, und starb. –

Kohlhaas dachte: »so möge mir Gott nie vergeben, wie ich dem Junker vergebe!« küßte sie, indem ihm häufig* die Tränen flossen, drückte ihr die Augen zu, und verließ das Gemach.⌐ Er nahm die hundert Goldgülden, die ihm der

5 Amtmann schon, für die Ställe in Dresden, zugefertigt hatte, und bestellte ⌐ein Leichenbegängnis, das weniger für sie, als für eine Fürstin, angeordnet schien⌐: ein eichener Sarg, stark mit Metall beschlagen, Kissen von Seide, mit goldnen und silbernen Troddeln*, und ein Grab von acht

10 Ellen Tiefe, mit Feldsteinen gefüttert und Kalk. Er stand selbst, sein Jüngstes auf dem Arm, bei der Gruft, und sah der Arbeit zu. Als der Begräbnistag kam, ward die Leiche, weiß wie Schnee, in einen Saal aufgestellt, den er mit schwarzem Tuch hatte beschlagen lassen. Der Geistliche

15 hatte eben eine rührende Rede an ihrer Bahre vollendet, als ihm die landesherrliche Resolution auf die Bittschrift zugestellt ward, welche die Abgeschiedene übergeben hatte, des Inhalts: ⌐er solle die Pferde von der Tronkenburg abholen, und bei Strafe, in das Gefängnis geworfen zu werden, nicht

20 weiter in dieser Sache einkommen⌐. Kohlhaas steckte den Brief ein, und ließ den Sarg auf den Wagen bringen. Sobald der Hügel geworfen, das Kreuz darauf gepflanzt, und die Gäste, die die Leiche bestattet hatten, entlassen waren, warf er sich noch einmal vor ihrem, nun veröденeten Bette

25 nieder, und übernahm sodann das ⌐Geschäft der Rache⌐. Er setzte sich nieder und verfaßte einen Rechtsschluß*, in welchem er den Junker Wenzel von Tronka, ⌐kraft der ihm angeborenen Macht⌐, verdammte*, die Rappen, die er ihm abgenommen, und auf den Feldern zu Grunde gerichtet,

30 ⌐binnen drei Tagen nach Sicht⌐, nach Kohlhaasenbrück zu führen, und in Person in seinen Ställen dick zu füttern. Diesen Schluß sandte er durch einen reitenden Boten an ihn ab, und instruierte* denselben, flugs nach Übergabe des Papiers, wieder bei ihm in Kohlhaasenbrück zu sein. ⌐Da

35 die drei Tage, ohne Überlieferung der Pferde, verflossen⌐,

reichlich

Fadenbüschel, Quaste

Rechtl. Gutachten

verurteilte

belehrte, wies an

so rief er Hersen; eröffnete ihm, was er dem Jungherrn, die
Dickfütterung derselben anbetreffend, aufgegeben; fragte
ihn zweierlei, ob er mit ihm nach der Tronkenburg reiten
und den Jungherrn holen; auch, ob er über den Hergehol-
ten, wenn er bei Erfüllung des Rechtsschlusses, in den Stäl-   5
len von Kohlhaasenbrück, faul sei, die Peitsche führen
wolle? und da Herse, so wie er ihn nur verstanden hatte:
»Herr, heute noch!« aufjauchzte, und, indem er die Mütze
in die Höhe warf, versicherte: einen Riemen, mit zehn Kno-
ten, um ihm das Striegeln zu lehren, lasse er sich flechten!   10
so verkaufte Kohlhaas das Haus, schickte die Kinder, in
einen Wagen gepackt, über die Grenze; rief, bei Anbruch
der Nacht, auch die übrigen Knechte zusammen, sieben an
der Zahl, treu ihm jedweder, wie Gold; bewaffnete und

machte sie
beritten

beritt* sie, und brach nach der Tronkenburg auf.   15
Er fiel auch, mit diesem kleinen Haufen, schon, beim Einbruch der dritten Nacht, den Zollwärter und Torwächter,
die im Gespräch unter dem Tor standen, niederreitend, in
die Burg, und während, unter plötzlicher Aufprasselung
aller Baracken im Schloßraum, die sie mit Feuer bewarfen,   20

Wendeltreppe

Herse, über die Windeltreppe*, in den Turm der Vogtei
eilte, und den Schloßvogt und Verwalter, die, halb entkleidet, beim Spiel saßen, mit Hieben und Stichen überfiel,
stürzte Kohlhaas zum Junker Wenzel ins Schloß. ⸢Der Engel des Gerichts fährt also vom Himmel herab⸣; und der   25
Junker, der eben, unter vielem Gelächter, dem Troß junger
Freunde, der bei ihm war, den Rechtsschluß, den ihm der
Roßkamm übermacht hatte, vorlas, hatte nicht sobald dessen Stimme im Schloßhof vernommen: als er den Herren
schon, plötzlich leichenbleich: Brüder, rettet euch! zurief,   30
und verschwand. ⸢Kohlhaas, der, beim Eintritt in den Saal,
einen Junker Hans von Tronka, der ihm entgegen kam, bei
der Brust faßte, und in den Winkel des Saals schleuderte,
daß er sein Hirn an den Steinen versprützte, fragte, während die Knechte die anderen Ritter, die zu den Waffen   35

gegriffen hatten, überwältigten, und zerstreuten*: wo der Hier: trennten
Junker Wenzel von Tronka sei? Und da er, bei der Unwissenheit der betäubten Männer, die Türen zweier Gemächer, die in die Seitenflügel des Schlosses führten, mit ei-
5 nem Fußtritt sprengte, und in allen Richtungen, in denen er
das weitläufige Gebäude durchkreuzte, niemanden fand,
so stieg er fluchend in den Schloßhof hinab, um die Ausgänge besetzen zu lassen.⌐ Inzwischen war, vom Feuer der
Baracken ergriffen, nun schon das Schloß, mit allen Sei-
10 tengebäuden, starken Rauch gen Himmel qualmend, ange-
gangen, und während Sternbald, mit drei geschäftigen
Knechten, Alles, was ⟨nicht⟩* niet- und nagelfest war, zu- Ergänzung
zum Erstdruck
sammenschleppten, und zwischen den Pferden, als gute
Beute, umstürzten, flogen, unter dem Jubel Hersens, aus
15 den offenen Fenstern der Vogtei, die Leichen des Schloßvogts und Verwalters, mit Weib und Kindern, herab. Kohlhaas, dem sich, als er die Treppe vom Schloß niederstieg,
die alte, von der Gicht geplagte Haushälterin, die dem Junker die Wirtschaft führte, zu Füßen warf, fragte sie, indem
20 er auf der Stufe stehen blieb: wo der Junker Wenzel von
Tronka sei? und da sie ihm, mit schwacher, zitternder
Stimme, zur Antwort gab: sie glaube, er habe sich in die
Kapelle geflüchtet; so rief er zwei Knechte mit Fackeln,
ließ, in Ermangelung der Schlüssel, den Eingang mit Brech-
25 stangen und Beilen eröffnen, kehrte Altäre und Bänke um,
und fand gleichwohl, zu seinem grimmigen Schmerz, den
Junker nicht. Es traf sich, daß ein junger, zum Gesinde der
Tronkenburg gehöriger Knecht, in dem Augenblick, da
Kohlhaas aus der Kapelle zurückkam, herbeieilte, um aus
30 einem weitläufigen, steinernen Stall, den die Flamme be-
drohte, die Streithengste des Junkers herauszuziehen.
Kohlhaas, der, in eben diesem Augenblick, in einem kleinen, mit Stroh bedeckten Schuppen, seine beiden Rappen
erblickte, fragte den Knecht: warum er die Rappen nicht
35 rette? und da dieser, indem er den Schlüssel in die Stalltür

steckte, antwortete: der Schuppen stehe ja schon in Flammen; so warf Kohlhaas den Schlüssel, nachdem er ihn mit
Heftigkeit aus der Stalltüre gerissen, über die Mauer, trieb
den Knecht, mit hageldichten, flachen Hieben der Klinge*,
in den brennenden Schuppen hinein, und zwang ihn, unter 5
entsetzlichem Gelächter der Umstehenden, die Rappen zu
retten. Gleichwohl, als der Knecht schreckenblaß, wenige
Momente nachdem* der Schuppen hinter ihm zusammenstürzte, mit den Pferden, die er an der Hand hielt, daraus
hervortrat, fand er den Kohlhaas nicht mehr; und da er sich 10
zu den Knechten auf den Schloßplatz begab, und den Roßhändler, der ihm mehreremal den Rücken zukehrte, fragte:
was er mit den Tieren nun anfangen solle? – hob dieser
plötzlich, mit einer fürchterlichen Gebärde, den Fuß, daß
der Tritt, wenn er ihn getan hätte, sein Tod gewesen wäre: 15
bestieg, ohne ihm zu antworten, seinen Braunen, setzte sich
unter das Tor der Burg, und erharrte, inzwischen* die
Knechte ihr Wesen forttrieben, schweigend den* Tag.
Als der Morgen anbrach, war das ganze Schloß, bis auf die
Mauern, niedergebrannt, und niemand befand sich mehr 20
darin, als Kohlhaas und seine sieben Knechte. Er stieg vom
Pferde, und untersuchte noch einmal, beim hellen Schein
der Sonne, den ganzen, in allen seinen Winkeln jetzt von ihr
erleuchteten Platz, und da er sich, so schwer es ihm auch
ward, überzeugen mußte, daß die Unternehmung auf die 25
Burg fehlgeschlagen war, so schickte er, die Brust voll
Schmerz und Jammer, Hersen mit einigen Knechten aus,
um über die Richtung, die der Junker auf seiner Flucht
genommen, Nachricht einzuziehen. Besonders beunru-
higte ihn ein reiches Fräuleinstift*, Namens Erlabrunn, das 30
an den Ufern der Mulde* lag, und dessen Äbtissin, Antonia
von Tronka, als eine fromme, wohltätige und heilige Frau,
in der Gegend bekannt war; denn es schien dem unglücklichen Kohlhaas nur zu wahrscheinlich, daß der Junker
sich, entblößt von aller Notdurft*, wie er war, in dieses Stift 35

Schläge mit
der Seiten-
fläche der
Klinge

Richtigerweise:
›wenige
Momente
bevor‹; die
falsche tempo-
rale Angabe ist
hier Mittel der
Dramatisie-
rung

wartete,
während

auf den

Klösterl.
Stiftung für
unverheira-
tete, adlige
junge Damen

Nebenfluss
der Elbe

Im urspr. Sinn:
alles, was zur
Erhaltung des
Lebens zwin-
gend not-
wendig ist

geflüchtet hatte, indem die Äbtissin seine leibliche Tante und die Erzieherin seiner ersten Kindheit war. Kohlhaas, nachdem er sich von diesem Umstand unterrichtet hatte, bestieg den Turm der Vogtei, in dessen Innerem sich noch ein Zimmer, zur Bewohnung brauchbar, darbot, und verfaßte ein sogenanntes ⌜»Kohlhaasisches Mandat«⌝, worin er das Land aufforderte, dem Junker Wenzel von Tronka, mit dem er in einem ⌜gerechten Krieg⌝ liege, keinen Vorschub zu tun, vielmehr jeden Bewohner, seine Verwandten und Freunde nicht ausgenommen, verpflichtete, denselben bei Strafe Leibes und des Lebens, und unvermeidlicher Einäscherung alles dessen, was ein Besitztum heißen mag, an ihn auszuliefern. ⌜Diese Erklärung streute er, durch Reisende und Fremde, in der Gegend aus⌝; ja, er gab Waldmann, dem Knecht, eine Abschrift davon, mit dem bestimmten Auftrage, sie in die Hände der Dame Antonia nach Erlabrunn zu bringen. Hierauf besprach* er einige Tronkenburgische Knechte, die mit dem Junker unzufrieden waren, und von der Aussicht auf Beute gereizt, in seine Dienste zu treten wünschten; bewaffnete sie, nach Art des Fußvolks, mit Armbrüsten und Dolchen, und lehrte sie, hinter den berittenen Knechten aufsitzen; und nachdem er Alles, was der Troß zusammengeschleppt hatte, zu Geld gemacht und das Geld unter denselben verteilt hatte, ruhete er einige Stunden, unter dem Burgtor, von seinen jämmerlichen* Geschäften aus.

Gegen Mittag kam Herse und bestätigte ihm, was ihm ⌜sein Herz, immer auf die trübsten Ahnungen gestellt⌝, schon gesagt hatte: nämlich, daß der Junker in dem Stift zu Erlabrunn, bei der alten Dame Antonia von Tronka, seiner Tante, befindlich sei. Es schien, er hatte sich, durch eine Tür, die, an der hinteren Wand des Schlosses, in die Luft hinausging, über eine schmale, steinerne Treppe gerettet, die, unter einem kleinen Dach, zu einigen Kähnen in die Elbe hinablief. Wenigstens berichtete Herse, daß er, in ei-

sprach an

jammervollen

nem Elbdorf, zum Befremden der Leute, die wegen des
Brandes in der Tronkenburg versammelt gewesen, um Mit-
ternacht, in einem Nachen*, ohne Steuer und Ruder, angekommen, und mit einem Dorffuhrwerk nach Erlabrunn
weiter gereiset sei. – – – Kohlhaas seufzte bei dieser Nach- 5
richt tief auf; er fragte, ob die Pferde gefressen hätten? und
da man ihm antwortete: ja: so ließ er den Haufen aufsitzen,
und stand schon in drei Stunden vor Erlabrunn. Eben, unter dem Gemurmel eines entfernten Gewitters am Horizont, mit Fackeln, die er sich vor dem Ort angesteckt, zog 10
er mit seiner Schar in den Klosterhof ein, und Waldmann,
der Knecht, der ihm entgegen trat, meldete ihm, daß das
Mandat richtig abgegeben sei, als er die Äbtissin und den
Stiftsvogt, in einem verstörten Wortwechsel, unter das Portal des Klosters treten sah; und während jener, der Stifts- 15
vogt, ein kleiner, alter, schneeweißer Mann, grimmige
Blicke auf Kohlhaas schießend, sich den Harnisch anlegen
ließ, und den Knechten, die ihn umringten, mit dreister
Stimme zurief, die Sturmglocke zu ziehn: trat jene, die
Stiftsfrau, das silberne Bildnis des Gekreuzigten in der 20
Hand, bleich, wie Linnenzeug, von der Rampe herab, und
warf sich mit allen ihren Jungfrauen, vor Kohlhaasens
Pferd nieder. Kohlhaas, während Herse und Sternbald den
Stiftsvogt, der kein Schwert in der Hand hatte, überwältig-
ten, und als Gefangenen zwischen die Pferde führten, 25
fragte sie: wo der Junker Wenzel von Tronka sei? und da
sie, einen großen Ring mit Schlüsseln von ihrem Gurt los-
lösend: in Wittenberg, Kohlhaas, würdiger Mann! antwortete, und, mit bebender Stimme, hinzusetzte: fürchte
Gott und tue kein Unrecht! – so wandte Kohlhaas, in die 30
Hölle unbefriedigter Rache zurückgeschleudert, das Pferd,
und war im Begriff: steckt an! zu rufen, als ein ungeheurer
Wetterschlag, dicht neben ihm, zur Erde niederfiel. Kohlhaas, indem er sein Pferd zu ihr zurückwandte, fragte sie:
ob sie sein Mandat erhalten? und da die Dame mit schwa- 35

cher, kaum hörbarer Stimme, antwortete: eben jetzt! –
»Wann?« – Zwei Stunden, so wahr mir Gott helfe, nach des
Junkers, meines Vetters, bereits vollzogener Abreise! – – –
und Waldmann, der Knecht, zu dem Kohlhaas sich, unter
5 finsteren Blicken, umkehrte, stotternd diesen Umstand bestätigte, indem er sagte, daß die Gewässer der Mulde, vom
Regen geschwellt*, ihn verhindert hätten, früher, als eben   angeschwollen
jetzt, einzutreffen: so sammelte sich Kohlhaas; ein plötzlich
furchtbarer Regenguß, der die Fackeln verlöschend, auf
10 das Pflaster des Platzes niederrauschte, löste den Schmerz
in seiner unglücklichen Brust; er wandte, indem er kurz den
Hut vor der Dame rückte, sein Pferd, drückte ihm, mit den
Worten: ⌈folgt mir meine Brüder⌉; der Junker ist in Wittenberg! die Sporren* ein, und verließ das Stift.   Sporen
15 Er kehrte, da die Nacht einbrach, in einem Wirtshause auf
der Landstraße ein, wo er, wegen großer Ermüdung der
Pferde, einen Tag ausruhen mußte, und da er wohl einsah,
daß er mit einem Haufen von zehn Mann (denn so stark
war er jetzt), einem Platz wie Wittenberg war, nicht trotzen
20 konnte, so verfaßte er ein zweites Mandat, worin er, nach
einer kurzen Erzählung dessen, was ihm im Lande begegnet, »jeden guten Christen«, wie er sich ausdrückte, »unter
Angelobung eines Handgelds* und anderer kriegerischen   Sicherheit
Vorteile«, aufforderte »seine Sache gegen den Junker von   für einen
25 Tronka, als dem allgemeinen Feind aller Christen, zu er-   geschlossenen
greifen.« In einem anderen Mandat, das bald darauf er-   Vertrag
schien, nannte er sich: »einen ⌈Reichs- und Weltfreien⌉,
Gott allein unterworfenen Herrn;« ⌈eine Schwärmerei
krankhafter und mißgeschaffener Art⌉, die ihm gleichwohl,
30 bei dem Klang seines Geldes und der Aussicht auf Beute,
unter dem Gesindel, das der Friede mit Pohlen außer Brot
gesetzt hatte, Zulauf in Menge verschaffte: dergestalt, daß
er in der Tat dreißig und etliche Köpfe zählte, als er sich, zur
Einäscherung von Wittenberg, auf die rechte Seite der Elbe
35 zurückbegab. Er lagerte sich, mit Pferden und Knechten,

Scheune einer
Ziegelei, in der
die gebrann-
ten Ziegeln
verwahrt
wurden

unter dem Dache einer alten verfallenen Ziegelscheune*, in
der Einsamkeit eines finstern Waldes, der damals diesen
Platz umschloß, und hatte nicht sobald durch Sternbald,
den er, mit dem Mandat, verkleidet in die Stadt schickte,
erfahren, daß das Mandat daselbst schon bekannt sei, als
er auch mit seinen Haufen schon, ⌜am heiligen Abend vor
Pfingsten⌝, aufbrach, und den Platz, während die Bewohner im tiefsten Schlaf lagen, an mehreren Ecken zugleich, in
Brand steckte. Dabei klebte er, während die Knechte in der
Vorstadt plünderten, ein Blatt an den Türpfeiler einer Kirche an, des Inhalts: »er, Kohlhaas, habe die Stadt in Brand
gesteckt, und werde sie, wenn man ihm den Junker nicht
ausliefere, dergestalt einäschern, daß er,« wie er sich ausdrückte, »hinter keiner Wand werde zu sehen brauchen,
um ihn zu finden.« – Das Entsetzen der Einwohner, über
diesen unerhörten Frevel, war unbeschreiblich; und die
Flamme, die bei einer zum Glück ziemlich ruhigen Som-
mernacht, zwar nicht mehr als neunzehn Häuser, worunter
gleichwohl eine Kirche war, in den Grund gelegt hatte, war

Unter
einer Fahne
zusammen-
geschlossener
Truppenteil

zu verhaften

nicht sobald, gegen Anbruch des Tages, einigermaßen ge-
dämpft worden, als der alte Landvogt, Otto von Gorgas,
bereits ein Fähnlein* von funfzig Mann aussandte, um den
entsetzlichen Wüterich aufzuheben*. Der Hauptmann
aber, der es führte, Namens Gerstenberg, benahm sich so
schlecht dabei, daß die ganze Expedition Kohlhaasen, statt
ihn zu stürzen, vielmehr zu einem höchst gefährlichen kriegerischen Ruhm verhalf; denn da dieser Kriegsmann sich in
mehrere Abteilungen auflösete, um ihn, wie er meinte, zu
umzingeln und zu erdrücken, ward er von Kohlhaas, der
seinen Haufen zusammenhielt, auf vereinzelten Punkten,
angegriffen und geschlagen, dergestalt, daß schon, am
Abend des nächstfolgenden Tages, kein Mann mehr von
dem ganzen Haufen, auf den die Hoffnung des Landes ge-

richtet war, gegen ihm im Felde stand*. Kohlhaas, der
durch diese Gefechte einige Leute eingebüßt hatte, steckte

die Stadt, am Morgen des nächsten Tages, von neuem in
Brand, und seine mörderischen Anstalten waren so gut,
daß wiederum eine Menge Häuser, und fast alle Scheunen
der Vorstadt, in die Asche gelegt wurden. Dabei plackte* er
5 das bewußte Mandat wieder, und zwar an die Ecken des
Rathauses selbst, an, und fügte eine Nachricht über das
Schicksal des, von dem Landvogt abgeschickten und von
ihm zu Grunde gerichteten, Hauptmanns von Gerstenberg
bei. Der Landvogt, von diesem Trotz aufs Äußerste entrü-
10 stet, setzte sich selbst, mit mehreren Rittern, an die Spitze
eines Haufens von hundert und funfzig Mann. Er gab dem
Junker Wenzel von Tronka, auf seine schriftliche Bitte, eine
Wache, die ihn vor der Gewalttätigkeit des Volks, das ihn
platterdings* aus der Stadt entfernt wissen wollte, schützte;
15 und nachdem er, auf allen Dörfern in der Gegend, Wachen
ausgestellt, auch die Ringmauer der Stadt, um sie vor einem Überfall zu decken, mit Posten besetzt hatte, zog er,
⌐am Tage des heiligen Gervasius⌐, selbst aus, ⌐um den Drachen, der das Land verwüstete⌐, zu fangen. Diesen Haufen
20 war der Roßkamm klug genug, zu vermeiden; und nachdem er den Landvogt, durch geschickte Märsche, fünf Mei-
len von der Stadt hinweggelockt, und vermittelst mehrerer
Anstalten, die er traf, zu dem Wahn verleitet hatte, daß er
sich, von der Übermacht gedrängt, ins Brandenburgische
25 werfen würde: wandte er sich plötzlich, beim Einbruch der
dritten Nacht, kehrte, in einem Gewaltritt, nach Wittenberg zurück, und steckte die Stadt zum drittenmal in
Brand. Herse, der sich verkleidet in die Stadt schlich, führte
dieses entsetzliche Kunststück aus; und die Feuersbrunst
30 war, wegen eines scharf wehenden Nordwindes, so ver-
derblich und um sich fressend, daß, in weniger als drei
Stunden, zwei und vierzig Häuser, zwei Kirchen, mehrere
Klöster und Schulen, und das Gebäude der kurfürstlichen
Landvogtei selbst, in Schutt und Asche lagen. Der Land-
35 vogt, der seinen Gegner, beim Anbruch des Tages, im Bran-

denburgischen glaubte, fand, als er von dem, was vorgefallen, benachrichtigt, in bestürzten Märschen zurück-
kehrte, die Stadt in allgemeinem Aufruhr; das Volk hatte
sich zu Tausenden vor dem, mit Balken und Pfählen ver-
rammelten, Hause des Junkers gelagert, und forderte, mit 5
rasendem Geschrei, seine Abführung aus der Stadt. Zwei
Bürgermeister, Namens Jenkens und Otto, die in Amts-
kleidern an der Spitze des ganzen Magistrats* gegenwärtig
waren, bewiesen* vergebens, daß man platterdings die
Rückkehr eines Eilboten abwarten müsse, den man wegen 10
Erlaubnis den Junker nach Dresden bringen zu dürfen, wohin er selbst aus mancherlei Gründen abzugehen wünsche,
an den Präsidenten der Staatskanzlei geschickt habe; der
unvernünftige, mit Spießen und Stangen bewaffnete Haufen gab auf diese Worte nichts, und eben war man, unter 15
Mißhandlung* einiger zu kräftigen Maßregeln auffordern-
den Räte, im Begriff das Haus worin der Junker war zu
stürmen, und der Erde gleich zu machen, als der Landvogt,
Otto von Gorgas, an der Spitze seines Reuterhaufens*, in
der Stadt erschien. Diesem würdigen Herrn, der schon 20
durch seine bloße Gegenwart dem Volk Ehrfurcht und Gehorsam einzuflößen gewohnt war, war es, gleichsam zum
Ersatz für die fehlgeschlagene Unternehmung, von welcher
er zurückkam, gelungen, dicht vor den Toren der Stadt drei
zersprengte Knechte von der Bande des Mordbrenners auf- 25
zufangen; und da er, inzwischen* die Kerle vor dem Angesicht des Volks mit Ketten belastet wurden, den Magistrat
in einer klugen Anrede versicherte, den Kohlhaas selbst
denke er in kurzem, indem er ihm auf die Spur sei, gefesselt
einzubringen: so glückte es ihm, durch die Kraft aller dieser 30
beschwichtigenden Umstände, die Angst des versammelten
Volks zu entwaffnen, und über die Anwesenheit des Junkers, bis zur Zurückkunft des Eilboten aus Dresden, einigermaßen zu beruhigen. Er stieg, in Begleitung einiger Ritter, vom Pferde, und verfügte sich, nach Wegräumung der 35

Palisaden und Pfähle, in das Haus, wo er den Junker, der aus einer Ohnmacht in die andere fiel, unter den Händen zweier Ärzte fand, die ihn mit Essenzen und Irritanzen* wieder ins Leben zurück zu bringen suchten; und da Herr Otto von Gorgas wohl fühlte, daß dies der Augenblick nicht war, wegen der Aufführung, die er sich zu Schulden kommen lasse, Worte mit ihm zu wechseln: so sagte er ihm bloß, mit einem Blick stiller Verachtung, daß er sich ankleiden, und ihm, zu seiner eigenen Sicherheit, in die Gemächer der Ritterhaft* folgen mögte. Als man dem Junker ein Wams angelegt, und einen Helm aufgesetzt hatte, und er, die Brust, wegen Mangels an Luft, noch halb offen, am Arm des Landvogts und seines Schwagers, des Grafen von Gerschau, auf der Straße erschien, stiegen gotteslästerliche und entsetzliche Verwünschungen gegen ihn zum Himmel auf. Das Volk, von den Landsknechten nur mühsam zurückgehalten, nannte ihn einen Blutigel*, einen elenden Landplager und Menschenquäler, den Fluch der Stadt Wittenberg, und das Verderben von Sachsen; und nach einem jämmerlichen Zuge durch die in Trümmern liegende Stadt, während welchem er mehreremal, ohne ihn zu vermissen, den Helm verlor, den ihm ein Ritter von hinten wieder aufsetzte, erreichte man endlich das Gefängnis, wo er in einem Turm, unter dem Schutz einer starken Wache, verschwand. Mittlerweile setzte die Rückkehr des Eilboten, mit der kurfürstlichen Resolution, die Stadt in neue Besorgnis. Denn die Landesregierung, bei welcher die Bürgerschaft von Dresden, in einer dringenden Supplik, unmittelbar eingekommen war, wollte, vor Überwältigung des Mordbrenners, von dem Aufenthalt des Junkers in der Residenz nichts wissen; vielmehr verpflichtete sie den Landvogt, denselben da, wo er sei, weil er irgendwo sein müsse, mit der Macht, die ihm zu Gebote stehe, zu beschirmen: wogegen sie der guten Stadt Wittenberg, zu ihrer Beruhigung, meldete, daß bereits ein Heerhaufen von fünf-

Geruchs- u. Reizmittel

Ausschließlich Adligen vorbehaltenes Gefängnis

Blutegel

hundert Mann, unter Anführung des Prinzen Friedrich von Meißen im Anzuge sei, um sie vor den ferneren Belästigungen desselben zu beschützen. Der Landvogt, der wohl einsah, daß eine Resolution dieser Art, das Volk keinesweges beruhigen konnte: denn nicht nur, daß mehrere kleinen Vorteile, die der Roßhändler, an verschiedenen Punkten, vor der Stadt erfochten, über die Stärke, zu der er herangewachsen, äußerst unangenehme Gerüchte verbreiteten; ⌐der Krieg, den er, in der Finsternis der Nacht, durch verkleidetes Gesindel, mit Pech, Stroh und Schwefel führte, hätte, unerhört und beispiellos, wie er war¬, selbst einen größeren Schutz, als mit welchem der Prinz von Meißen heranrückte, unwirksam machen können: der Landvogt, nach einer kurzen Überlegung, entschloß sich, die Resolution, die er empfangen, ganz und gar zu unterdrücken. Er plackte bloß einen Brief, in welchem ihm der Prinz von Meißen seine Ankunft meldete, an die Ecken der Stadt an; ein verdeckter Wagen, der, beim Anbruch des Tages, aus dem Hofe des ⌐Herrenzwingers¬ kam, fuhr, von vier schwer bewaffneten Reutern begleitet, auf die Straße nach Leipzig hinaus, wobei die Reuter, auf eine unbestimmte Art verlauten ließen, daß es nach der Pleißenburg* gehe; und da das Volk über den heillosen Junker, an dessen Dasein* Feuer und Schwert gebunden, dergestalt beschwichtigt war, brach er selbst, mit einem Haufen von dreihundert Mann, auf, um sich mit dem Prinzen Friedrich von Meißen zu vereinigen. Inzwischen war Kohlhaas in der Tat, durch die sonderbare* Stellung, die er in der Welt einnahm, auf hundert und neun Köpfe herangewachsen; und da er auch in Jassen einen Vorrat an Waffen aufgetrieben, und seine Schar, auf das Vollständigste, damit ausgerüstet hatte: so faßte er, von dem doppelten Ungewitter, das auf ihn heranzog, benachrichtigt, den Entschluß, demselben, mit der Schnelligkeit des Sturmwinds, ehe es über ihn zusammenschlüge, zu begegnen. Demnach griff er schon, Tags darauf,

5

10

15

20

25

30

35

Burg am Fluss Pleiße, Teil der Leipziger Stadtbefestigung

Anwesenheit

besondere

den Prinzen von Meißen, in einem nächtlichen Überfall, bei ⌜Mühlberg⌝ an; bei welchem Gefechte er zwar, zu seinem großen Leidwesen, den Herse einbüßte, der gleich durch die ersten Schüsse an seiner Seite zusammenstürzte: durch
5 diesen Verlust erbittert aber, in einem drei Stunden langen Kampfe, den Prinzen, unfähig sich in dem Flecken* zu sammeln, so zurichtete, daß er beim Anbruch des Tages, mehrerer schwerer Wunden, und einer gänzlichen Unordnung seines Haufens wegen, genötigt war, den Rückweg nach
10 Dresden einzuschlagen. Durch diesen Vorteil tollkühn gemacht, wandte er sich, ehe derselbe noch davon unterrichtet sein konnte, zu dem Landvogt zurück, fiel ihn bei dem Dorfe Damerow, am hellen Mittag, auf freiem Felde an, und schlug sich, unter mörderischem Verlust zwar, aber
15 mit gleichen Vorteilen, bis in die sinkende Nacht mit ihm herum. Ja, er würde den Landvogt, der sich in den Kirchhof zu Damerow geworfen hatte, am andern Morgen unfehlbar mit dem Rest seines Haufens wieder angegriffen haben, wenn derselbe nicht durch Kundschafter von der Nieder-
20 lage, die der Prinz bei Mühlberg erlitten, benachrichtigt worden wäre, und somit für ratsamer gehalten hätte, gleichfalls, bis auf einen besseren Zeitpunkt, nach Wittenberg zurückzukehren. Fünf Tage, nach Zersprengung dieser beiden Haufen, stand er vor Leipzig, und steckte die
25 Stadt an drei Seiten in Brand. – Er nannte sich in dem Mandat, das er, bei dieser Gelegenheit, ausstreute, »einen ⌜Statthalter Michaels, des Erzengels⌝, der gekommen sei, an Allen, die in dieser Streitsache des Junkers Partei ergreifen würden, mit Feuer und Schwert, ⌜die Arglist, in welcher die
30 ganze Welt versunken sei, zu bestrafen.« Dabei rief er, von dem Lützner* Schloß aus, das er überrumpelt, und worin sich festgesetzt hatte, das Volk auf, sich, zur Errichtung einer besseren Ordnung der Dinge, an ihn anzuschließen; und das Mandat war, ⌜mit einer Art von Verrückung⌝, un-
35 terzeichnet: »Gegeben auf dem Sitz unserer ⌜provisori-

Ort in der Größe zw. Dorf u. Stadt; gemeint ist Mühlberg

Lützen ist eine kleine Stadt südwestl. v. Leipzig.

schen <u>Weltregierung</u>⌐, dem Erzschlosse zu Lützen.« Das
Glück der Einwohner von Leipzig wollte, daß das Feuer,
⌐wegen eines anhaltenden Regens der vom Himmel fiel⌐,
nicht um sich griff, dergestalt, daß bei der Schnelligkeit der
bestehenden Löschanstalten, nur einige Kramläden, die   5
um die Pleißenburg lagen, in Flammen aufloderten. Gleich-

Hier erneut:
Anwesenheit

wohl war die Bestürzung in der Stadt, über das Dasein* des
rasenden Mordbrenners, und den Wahn*, in welchem der-

Im Sinne von:
Irrtum

selbe stand, daß der <u>Junker in Leipzig sei,</u> unaussprechlich;

Hier: Soldaten
zu Pferde

und da ein <u>Haufen von hundert und achtzig Reisigen</u>*, den   10
man gegen ihn ausschickte, zersprengt in die Stadt zurückkam: so blieb dem Magistrat, der den Reichtum der Stadt

aufs Spiel
setzen

nicht aussetzen* wollte, nichts anderes übrig, als die Tore
gänzlich zu sperren, und die Bürgerschaft Tag und Nacht,
außerhalb der Mauern, wachen zu lassen. Vergebens ließ   15
der Magistrat, auf den Dörfern der umliegenden Gegend,

Schriftl.
Erklärungen

Deklarationen* anheften, mit der bestimmten Versicherung, daß der Junker nicht in der Pleißenburg sei; der Roßkamm, in ähnlichen Blättern, bestand darauf, daß er in der
Pleißenburg sei, und erklärte, daß, wenn derselbe nicht   20
darin befindlich wäre, er mindestens verfahren würde, als
ob er darin wäre, bis man ihm den Ort, mit Namen ge-
nannt, werde angezeigt haben, worin er befindlich sei. Der
Kurfürst, durch einen Eilboten, von der Not, in welcher
sich die Stadt Leipzig befand, benachrichtigt, erklärte, daß   25
er bereits einen Heerhaufen von zweitausend Mann zu-
sammenzöge, und sich selbst an dessen Spitze setzen
würde, um den Kohlhaas zu fangen. Er erteilte dem Herrn
Otto von Gorgas einen schweren Verweis, wegen der zweideutigen und unüberlegten List, die er angewendet, um des   30
Mordbrenners aus der Gegend von Wittenberg loszuwer-
den; und niemand beschreibt die Verwirrung, die ganz
Sachsen und insbesondere die Residenz ergriff, als man daselbst erfuhr, daß, auf den Dörfern bei Leipzig, man wußte
nicht von wem, eine Deklaration an den Kohlhaas ange-   35

Michael Kohlhaas

schlagen worden sei, des Inhalts: »Wenzel, der Junker, befinde sich bei seinen Vettern Hinz und Kunz, in Dresden.«

Unter diesen Umständen übernahm der ⌐Doktor Martin Luther⌐ das Geschäft, den Kohlhaas, durch die Kraft beschwichtigender Worte, von dem Ansehn, das ihm seine Stellung in der Welt gab, unterstützt, in den Damm der menschlichen Ordnung zurückzudrücken, und auf ein tüchtiges* Element in der Brust des Mordbrenners bauend, erließ er ein Plakat folgenden Inhalts an ihn, das in allen Städten und Flecken des Kurfürstentums angeschlagen ward:

»Kohlhaas, der du dich gesandt zu sein vorgibst, das Schwert der Gerechtigkeit zu handhaben, was unterfängst du dich, Vermessener, im Wahnsinn stockblinder Leidenschaft, du, den Ungerechtigkeit selbst, vom Wirbel bis zur Sohle* erfüllt? Weil der Landesherr dir, dem du untertan bist, dein Recht verweigert hat, dein Recht in dem Streit um ein nichtiges Gut, erhebst du dich, Heilloser, mit Feuer und Schwert, und brichst, wie der Wolf der Wüste, in die friedliche Gemeinheit*, die er beschirmt. Du, der die Menschen mit dieser Angabe*, voll Unwahrhaftigkeit und Arglist, verführt: meinst du, Sünder, vor Gott dereinst, an dem Tage, der in die Falten aller Herzen scheinen wird, damit auszukommen? Wie kannst du sagen, daß dir dein Recht verweigert worden ist, du, dessen grimmige Brust, vom Kitzel schnöder Selbstrache* gereizt, ⌐nach den ersten, leichtfertigen Versuchen, die dir gescheitert, die Bemühung gänzlich aufgegeben hat, es dir zu verschaffen⌐? Ist eine Bank voll Gerichtsdienern und Schergen, die einen Brief, der gebracht wird, unterschlagen, oder ein Erkenntnis*, das sie abliefern sollen, zurückhalten, deine ⌐Obrigkeit⌐? Und muß ich dir sagen, Gottvergessener, daß deine Obrigkeit von deiner Sache nichts weiß – was sag ich? daß der

tugendhaftes

von Kopf
bis Fuß

Gemeinschaft

Gemeint ist
Kohlhaas'
Behauptung,
er sei gesandt,
um das
Schwert der
Gerechtigkeit
zu führen

Selbstjustiz

Urteil

Landesherr, gegen den du dich auflehnst, auch deinen Namen nicht kennt, dergestalt, daß wenn dereinst du vor Gottes Thron trittst, in der Meinung, ihn anzuklagen, er, heiteren Antlitzes, wird sprechen können: diesem Mann, Herr, tat ich kein Unrecht, denn sein Dasein ist meiner Seele fremd? Das Schwert, wisse, das du führst, ist das Schwert des Raubes und der Mordlust, ein Rebell* bist du und kein Krieger des gerechten Gottes, und dein Ziel auf Erden ist ⌐Rad und Galgen⌐, und jenseits die Verdammnis, die über die Missetat und die Gottlosigkeit verhängt ist.

Wittenberg, u. s. w.   *Martin Luther.*«

Kohlhaas wälzte eben, auf dem Schlosse zu Lützen, einen neuen Plan, Leipzig einzuäschern, in seiner zerrissenen Brust herum: – denn auf die, in den Dörfern angeschlagene Nachricht, daß der Junker Wenzel in Dresden sei, gab er nichts, weil sie von Niemand, geschweige denn vom Magistrat, wie er verlangt hatte, unterschrieben war: – als Sternbald und Waldmann das Plakat, das, zur Nachtzeit, an den Torweg des Schlosses, angeschlagen worden war, zu ihrer großen Bestürzung, bemerkten. Vergebens hofften sie, durch mehrere Tage, daß Kohlhaas, den sie nicht gern deshalb antreten* wollten, es erblicken würde; finster und in sich gekehrt, in der Abendstunde erschien er zwar, aber bloß, um seine kurzen Befehle zu geben, und sah nichts: dergestalt, daß sie an einem Morgen, da er ein Paar Knechte, die in der Gegend, wider seinen Willen, geplündert hatten, aufknüpfen lassen wollte, den Entschluß faßten, ihn darauf aufmerksam zu machen. Eben kam er, während das Volk von beiden Seiten schüchtern auswich, in dem Aufzuge, der ihm, seit seinem letzten Mandat, gewöhnlich war, von dem Richtplatz zurück: ein großes ⌐Cherubsschwert⌐, auf einem rotledernen Kissen, mit Quasten* von Gold verziert, ward ihm vorangetragen, und ⌐zwölf Knechte⌐, mit brennenden Fackeln folgten ihm: da traten die beiden Männer, ihre Schwerter unter dem Arm, so, daß es ihn befremden mußte, um den Pfeiler, an welchen das Plakat angeheftet war, herum. Kohlhaas, als er, mit auf dem Rücken zusammengelegten Händen, in Gedanken vertieft, unter das Portal kam, schlug die Augen auf und stutzte; und da die Knechte, bei seinem Anblick, ehrerbietig auswichen: so trat er, indem er sie zerstreut ansah, mit einigen raschen Schritten, an den Pfeiler heran. Aber wer beschreibt, was in seiner Seele vorging, als er das Blatt, dessen Inhalt ihn der Ungerechtigkeit zieh, daran erblickte: unterzeichnet von dem teuersten und verehrungswürdigsten Namen, den er kannte, von dem Namen Martin Luthers! Eine dunkle Röte stieg in sein Antlitz empor; er durchlas es, indem er den Helm abnahm, zweimal von Anfang bis zu Ende; wandte sich, mit ungewissen Blicken, mitten unter die Knechte zurück, als ob er etwas sagen wollte, und sagte nichts; löste das Blatt von der Wand los, durchlas es noch einmal; und rief: Waldmann! laß mir mein Pferd satteln! sodann: Sternbald! folge mir ins Schloß! und verschwand. Mehr als dieser wenigen Worte bedurfte es nicht, um ihn, in der ganzen Verderblichkeit*, in der er dastand, plötzlich zu entwaffnen. Er warf sich in die Verkleidung eines thüringischen Landpächters; sagte Sternbald, daß ein Geschäft, von bedeutender Wichtigkeit, ihn nach Wittenberg zu reisen nötige; übergab ihm, in Gegenwart einiger der vorzüglichsten Knechte, die Anführung des in Lützen zurückbleibenden Haufens; und zog, unter der Versicherung, daß er in drei Tagen, binnen welcher Zeit kein Angriff zu fürchten sei, wieder zurück sein werde, nach Wittenberg ab.

Er kehrte, unter einem fremden Namen, in ein Wirtshaus ein, wo* er, sobald die Nacht angebrochen war, in seinem Mantel, und mit einem Paar Pistolen versehen, die er in der Tronkenburg erbeutet hatte, zu Luthern ins Zimmer trat. ⌜Luther, der unter Schriften und Büchern an seinem Pulte

Verderben bringenden Macht

Das »wo« als Wohnsitz Luthers bezieht sich nicht auf das Wirtshaus, sondern auf Wittenberg.

saß, und den fremden, besonderen* Mann die Tür öffnen und hinter sich verriegeln sah, fragte ihn: wer er sei? und was er wolle? und der Mann, der seinen Hut ehrerbietig in der Hand hielt, hatte nicht sobald, mit dem schüchternen Vorgefühl des Schreckens, den er verursachen würde, erwidert: daß er Michael Kohlhaas, der Roßhändler sei; als Luther schon: ⌈weiche fern hinweg!⌉ ausrief, und indem er, vom Pult erstehend*, nach einer Klingel eilte, hinzusetzte: dein Odem ist Pest und deine Nähe Verderben! Kohlhaas, indem er, ohne sich vom Platz zu regen, sein Pistol zog, sagte: Hochwürdiger Herr, dies Pistol, wenn ihr die Klingel rührt, streckt mich leblos zu euren Füßen nieder! Setzt euch und hört mich an; unter den Engeln, deren Psalmen ihr aufschreibt, seid ihr nicht sicherer, als bei mir. Luther, indem er sich niedersetzte, fragte: was willst du? Kohlhaas erwiderte: eure Meinung von mir, daß ich ein ungerechter Mann sei, widerlegen! Ihr habt mir in eurem Plakat gesagt, daß meine Obrigkeit* von meiner Sache nichts weiß: wohlan, verschafft mir ⌈freies Geleit⌉, so gehe ich nach Dresden, und lege sie ihr vor. »Heilloser und entsetzlicher Mann!« rief Luther, durch diese Worte verwirrt zugleich und beruhigt: »wer gab dir das Recht, den Junker von Tronka, in Verfolg eigenmächtiger Rechtsschlüsse, zu überfallen, und da du ihn auf seiner Burg nicht fandst mit Feuer und Schwert die ganze Gemeinschaft heimzusuchen, die ihn beschirmt?« Kohlhaas erwiderte: hochwürdiger Herr, niemand, fortan! Eine Nachricht, die ich aus Dresden erhielt, hat mich getäuscht, mich verführt! Der Krieg, den ich mit der Gemeinheit* der Menschen führe, ist eine Missetat, sobald ich aus ihr nicht, wie ihr mir die Versicherung gegeben habt, verstoßen war! Verstoßen! rief Luther, indem er ihn ansah. Welch eine Raserei der Gedanken ergriff dich? Wer hätte dich aus der Gemeinschaft des Staats, in welchem du lebtest, verstoßen? Ja, wo ist, so lange Staaten bestehen, ein Fall, daß jemand, wer es auch

sonderbaren

aufstehend

Gemeint ist
der sächs.
Kurfürst.

Gemeinschaft

sei, daraus verstoßen worden wäre? – ⌜Verstoßen, antwortete Kohlhaas, indem er die Hand zusammendrückte, nenne ich den, dem der <u>Schutz der Gesetze versagt ist!</u> Denn dieses Schutzes, zum Gedeihen meines friedlichen Gewerbes, bedarf ich; ja, er ist es, dessenhalb ich mich, mit dem Kreis dessen, was ich erworben, in diese Gemeinschaft flüchte; und wer mir ihn versagt, der stößt mich zu den <u>Wilden der Einöde hinaus; er gibt mir, wie wollt ihr das leugnen, die Keule, die mich selbst schützt, in die Hand.</u>⌝ – Wer hat dir den Schutz der Gesetze versagt? rief Luther. Schrieb ich dir nicht, daß die Klage, die du eingereicht, dem Landesherrn, dem du sie eingereicht, fremd ist? Wenn Staatsdiener hinter seinem Rücken Prozesse unterschlagen, oder sonst seines geheiligten Namens, in seiner Unwissenheit, spotten; wer anders als Gott darf ihn wegen der Wahl solcher Diener zur Rechenschaft ziehen, und bist du, gottverdammter und entsetzlicher Mensch, befugt, ihn deshalb zu richten? – Wohlan, versetzte Kohlhaas, wenn mich der Landesherr nicht verstößt, so kehre ich auch wieder in die Gemeinschaft, die er beschirmt, zurück. Verschafft mir, ich wiederhol' es, freies Geleit nach Dresden: so lasse ich den Haufen, den ich im Schloß zu Lützen versammelt, auseinander gehen, und bringe die Klage, mit der ich abgewiesen worden bin, noch einmal bei dem Tribunal des Landes vor. – Luther, mit einem verdrießlichen Gesicht, warf die Papiere, die auf seinem Tisch lagen, übereinander, und schwieg. ⌜Die trotzige Stellung, die dieser seltsame Mensch im Staat einnahm, verdroß ihn⌝; und den Rechtsschluß, den er, von Kohlhaasenbrück aus, an den Junker erlassen, erwägend, fragte er: was er denn von dem Tribunal zu Dresden verlange? Kohlhaas antwortete: Bestrafung des Junkers, den Gesetzen gemäß; Wiederherstellung der Pferde in den vorigen Stand; und Ersatz des Schadens, den ich sowohl, als mein bei Mühlberg gefallener Knecht Herse, durch die Gewalttat, die man an uns verübte, erlitten. – Luther rief:

Ersatz des Schadens! Summen zu Tausenden, bei Juden und
Christen, auf Wechseln* und Pfändern*, hast du, zur Bestreitung deiner wilden Selbstrache, aufgenommen. Wirst
du den Wert auch, auf der Rechnung, wenn es zur Nach-
frage kommt, ansetzen? – Gott behüte! erwiderte Kohlhaas. Haus und Hof, und den Wohlstand, den ich besessen,
fordere ich nicht zurück; so wenig als die Kosten des Be-
gräbnisses meiner Frau! Hersens alte Mutter wird eine Be-
rechnung der Heilkosten, und eine Spezifikation dessen,
was ihr Sohn in der Tronkenburg eingebüßt, beibringen;
und den Schaden, den ich wegen Nichtverkaufs der Rappen erlitten, mag die Regierung durch einen Sachverstän-
digen abschätzen lassen. – Luther sagte: ⌜rasender, unbegreiflicher und entsetzlicher Mensch!⌝ und sah ihn an.
Nachdem dein Schwert sich, an dem Junker, Rache, die
grimmigste, genommen, die sich erdenken läßt: was treibt
dich, auf ein Erkenntnis* gegen ihn zu bestehen, dessen
Schärfe, wenn es zuletzt fällt, ihn mit einem Gewicht von so
geringer Erheblichkeit nur trifft? – Kohlhaas erwiderte, indem ihm eine Träne über die Wangen rollte: hochwürdiger
Herr! ⌜es hat mich meine Frau gekostet; Kohlhaas will der
Welt zeigen, daß sie in keinem ungerechten Handel umgekommen ist⌝. Fügt euch in diesen Stücken meinem Willen,
und laßt den Gerichtshof sprechen; in allem Anderen, was
sonst noch streitig sein mag, füge ich mich euch. – Luther
sagte: schau her, was du forderst, wenn anders die Umstände so sind, wie die öffentliche Stimme hören läßt, ist
gerecht; und hättest du den Streit, bevor du eigenmächtig
zur Selbstrache geschritten, zu des Landesherrn Entscheidung zu bringen gewußt, so wäre dir deine Forderung,
zweifle ich nicht, Punkt vor Punkt bewilligt worden. Doch
hättest du nicht, Alles wohl erwogen, besser getan, du hättest, um deines Erlösers willen, dem Junker vergeben, die
Rappen, dürre und abgehärmt, wie sie waren, bei der Hand
genommen, dich aufgesetzt, und zur Dickfütterung in dei-

Schuldschein
Gegenstand
als Sicherheit
für eine
Forderung

ein richterl.
Urteil

nen Stall nach Kohlhaasenbrück heimgeritten? – Kohlhaas
antwortete: kann sein! indem er ans Fenster trat: kann sein,
auch nicht! Hätte ich gewußt, daß ich sie mit Blut aus dem
Herzen meiner lieben Frau würde auf die Beine bringen
5 müssen: kann sein, ich hätte getan, wie ihr gesagt, hochwürdiger Herr, und einen Scheffel Hafer nicht gescheut!
Doch, weil sie mir einmal so teuer zu stehen gekommen
sind, so habe es denn, meine ich, seinen Lauf: laßt das Erkenntnis, wie es mir zukömmt, sprechen, und den Junker
10 mir die Rappen auffüttern. – – Luther sagte, indem er, unter mancherlei Gedanken, wieder zu seinen Papieren griff:
er wolle mit dem Kurfürsten seinethalben in Unterhandlung treten. Inzwischen mögte er sich, auf dem Schlosse zu
Lützen, still halten; wenn der Herr ihm freies Geleit be-
15 willige, so werde man es ihm auf dem Wege öffentlicher
Anplackung bekannt machen. – Zwar, fuhr er fort, da
Kohlhaas sich herabbog, um seine Hand zu küssen: ob der
Kurfürst Gnade für Recht ergehen lassen wird, weiß ich
nicht; denn einen Heerhaufen, vernehm' ich, zog er zusam-
20 men, und steht im Begriff, dich im Schlosse zu Lützen aufzuheben*: inzwischen, wie ich dir schon gesagt habe, an
meinem Bemühen soll es nicht liegen. Und damit stand er
auf, und machte Anstalt, ihn zu entlassen. Kohlhaas
meinte, daß seine Fürsprache ihn über diesen Punkt völlig
25 beruhige; worauf Luther ihn mit der Hand grüßte, jener
aber plötzlich ein Knie vor ihm senkte und sprach: er habe
noch eine Bitte auf seinem Herzen. Zu Pfingsten nämlich,
wo er an den Tisch des Herrn zu gehen pflege, habe er die
Kirche, dieser seiner kriegerischen Unternehmung wegen,
30 versäumt; ob er die Gewogenheit haben wolle, ohne weitere Vorbereitung, seine Beichte zu empfangen, und ihm,
zur Auswechselung dagegen, die Wohltat des heiligen Sa-
kraments zu erteilen? Luther, nach einer kurzen Besinnung, indem er ihn scharf ansah, sagte: ja, Kohlhaas, das
35 will ich tun! Der Herr aber, dessen Leib du begehrst, ver-

gefangen
zu nehmen

gab seinem Feind. – ⌐Willst du, setzte er, da jener ihn betreten ansah, hinzu, dem Junker, der dich beleidigt hat,
gleichfalls vergeben: nach der Tronkenburg gehen, dich
auf deine Rappen setzen, und sie zur Dickfütterung nach
Kohlhaasenbrück heimreiten?⌐ – »Hochwürdiger Herr,«   5
sagte Kohlhaas errötend, indem er seine Hand ergriff, –
nun? – »der Herr auch vergab allen seinen Feinden nicht.
Laßt mich den Kurfürsten, meinen beiden Herren, dem
Schloßvogt und Verwalter, den Herren Hinz und Kunz,
und wer mich sonst in dieser Sache gekränkt haben mag,   10
vergeben: den Junker aber, wenn es sein kann, nötigen,
daß er mir die Rappen wieder dick füttere.« – Bei diesen
Worten kehrte ihm Luther, mit einem mißvergnügten
Blick, den Rücken zu, und zog die Klingel. Kohlhaas, während, dadurch herbeigerufen, ein Famulus* sich mit Licht   15
in dem Vorsaal meldete, stand betreten, indem er sich die
Augen trocknete, vom Boden auf; und da der Famulus vergebens, weil der Riegel vorgeschoben war, an der Türe
wirkte, Luther aber sich wieder zu seinen Papieren niedergesetzt hatte: so machte Kohlhaas dem Mann die Türe auf.   20
Luther, mit einem kurzen, auf den fremden Mann gerichteten Seitenblick, sagte dem Famulus: leuchte! worauf dieser, über den Besuch, den er erblickte, ein wenig befremdet, den Hausschlüssel von der Wand nahm, und sich, auf
die Entfernung desselben wartend, unter die halboffene   25
Tür des Zimmers zurückbegab. – Kohlhaas sprach, indem
er seinen Hut bewegt zwischen beide Hände nahm: und so
kann ich, hochwürdigster Herr, der Wohltat versöhnt zu
werden, die ich mir von euch erbat, nicht teilhaftig werden? Luther antwortete kurz: deinem Heiland, nein; dem   30
Landesherrn, – das bleibt einem Versuch, wie ich dir versprach, vorbehalten! Und damit winkte er dem Famulus,
das Geschäft, das er ihm aufgetragen, ohne weiteren Aufschub, abzumachen. Kohlhaas legte, mit dem Ausdruck
schmerzlicher Empfindung, seine beiden Hände auf die   35

(lat.) Diener

Brust; folgte dem Mann, der ihm die Treppe hinunter leuchtete, und verschwand.

Am anderen Morgen erließ Luther ein ⌜Sendschreiben⌝ an den Kurfürsten von Sachsen, worin er, nach einem bitteren Seitenblick auf die seine Person umgebenden Herren Hinz und Kunz, Kämmerer und Mundschenk von Tronka, welche die Klage, wie allgemein bekannt war, untergeschlagen* hatten, dem Herrn, mit der Freimütigkeit, die ihm eigen war, eröffnete, daß bei so ärgerlichen Umständen, nichts Anderes zu tun übrig sei, als den Vorschlag des Roßhändlers anzunehmen, und ihm des Vorgefallenen wegen, zur Erneuerung seines Prozesses, ⌜Amnestie⌝ zu erteilen. Die öffentliche Meinung, bemerkte er, sei auf eine höchst gefährliche Weise, auf dieses Mannes Seite, dergestalt, daß selbst in dem dreimal von ihm eingeäscherten Wittenberg, eine Stimme zu seinem Vorteil spreche; und da er sein Anerbieten, falls er damit abgewiesen werden sollte, unfehlbar, unter gehässigen Bemerkungen, zur Wissenschaft* des Volks bringen würde, so könne dasselbe leicht in dem Grade verführt werden, daß mit der Staatsgewalt gar nichts mehr gegen ihn auszurichten sei. Er schloß, daß man, in diesem außerordentlichen Fall, über die Bedenklichkeit, mit einem Staatsbürger, der die Waffen ergriffen, in Unterhandlung zu treten, hinweggehen müsse; daß derselbe in der Tat durch das Verfahren, das man gegen ihn beobachtet, auf gewisse Weise außer der Staatsverbindung gesetzt worden sei; und kurz, daß man ihn, um aus dem Handel zu kommen, mehr als eine fremde, in das Land gefallene Macht, wozu er sich auch, da er ein Ausländer sei, gewissermaßen qualifiziere, als einen Rebellen, der sich gegen den Thron auflehne, betrachten müsse⌝. – Der Kurfürst erhielt diesen Brief ⌜eben, als⌝ der Prinz Christiern* von Meißen, Generalissimus* des Reichs, Oheim* des bei Mühlberg geschlagenen und an seinen Wunden noch daniederliegenden Prinzen Friedrich von Meißen; der Groß-

unterschlagen

Wissen, Kenntnis

Dän. Form v. ›Christian‹

Oberster Befehlshaber

Onkel

kanzler des Tribunals, Graf Wrede; Graf Kallheim, Präsident der Staatskanzlei; und die beiden Herren Hinz und Kunz von Tronka, dieser Kämmerer, jener Mundschenk, die Jugendfreunde und Vertrauten des Herrn, in dem Schlosse gegenwärtig waren. Der Kämmerer, Herr Kunz, der, in der Qualität* eines Geheimenrats, des Herrn geheime Korrespondenz*, mit der Befugnis, sich seines Namens und Wappens zu bedienen, besorgte, nahm zuerst das Wort, und nachdem er noch einmal weitläufig auseinander gelegt hatte, daß er die Klage, die der Roßhändler gegen den Junker, seinen Vetter, bei dem Tribunal eingereicht, nimmermehr durch eine eigenmächtige Verfügung niedergeschlagen haben würde, wenn er sie nicht, durch falsche Angaben verführt, für eine völlig grundlose und nichtsnutzige Plackerei gehalten hätte, kam er auf die gegenwärtige Lage der Dinge. Er bemerkte, daß, weder nach göttlichen noch menschlichen Gesetzen, der Roßkamm, um dieses Mißgriffs willen, befugt gewesen wäre, eine so ungeheure Selbstrache, als er sich erlaubt, auszuüben; schilderte den Glanz, der durch eine Verhandlung mit demselben, als einer rechtlichen Kriegsgewalt, auf sein gottverdammtes Haupt falle; und die Schmach, die dadurch auf die geheiligte Person des Kurfürsten zurückspringe, schien ihm so unerträglich, daß er, im ⌜Feuer der Beredsamkeit⌝, lieber das Äußerste erleben, den Rechtsschluß des rasenden Rebellen erfüllt, und den Junker, seinen Vetter, zur Dickfütterung der Rappen nach Kohlhaasenbrück abgeführt sehen, als den Vorschlag, den der Doktor Luther gemacht, angenommen wissen wollte. Der Großkanzler des Tribunals, Graf Wrede, äußerte, halb zu ihm gewandt, sein Bedauern, daß eine so zarte Sorgfalt, als er, bei der Auflösung dieser allerdings mißlichen Sache, für den Ruhm des Herrn zeige, ihn nicht, bei der ersten Veranlassung derselben, erfüllt hätte. Er stellte dem Kurfürsten sein Bedenken vor, die Staatsgewalt, zur Durchsetzung einer offenbar unrechtli-

Hier: Eigenschaft

Zum ›Heim‹, also zum Herrscherhaus gehöriger persönl. Briefverkehr

chen Maßregel*, in Anspruch zu nehmen; bemerkte, mit Maßnahme
einem bedeutenden Blick* auf den Zulauf, den der Roß- mit einem
händler fortdauernd im Lande fand, daß der Faden der bedeutsamen Hinweis
Freveltaten sich auf diese Weise ins Unendliche fortzuspin-
nen drohe, und erklärte, daß nur ein schlichtes Rechttun,
indem man unmittelbar und rücksichtslos den Fehltritt,
den man sich zu Schulden kommen lassen, wieder gut
machte, ihn abreißen und die Regierung glücklich aus diesem häßlichen Handel herausziehen könne. Der Prinz
Christiern von Meißen, auf die Frage des Herrn, was er
davon halte? äußerte, mit Verehrung gegen den Großkanzler gewandt: die Denkungsart, die er an den Tag lege, er-
fülle ihn zwar mit dem größesten Respekt; indem er aber
dem Kohlhaas zu seinem Recht verhelfen wolle, bedenke er
nicht, daß er Wittenberg und Leipzig, und das ganze durch
ihn mißhandelte Land, in seinem gerechten Anspruch auf
Schadenersatz, oder wenigstens Bestrafung, beeinträch-
tige. ⌜Die Ordnung des Staats sei, in Beziehung auf diesen
Mann, so verrückt, daß man sie schwerlich durch einen
Grundsatz, aus der Wissenschaft des Rechts entlehnt,
werde einrenken können.⌝ Daher stimme er, nach der Meinung des Kämmerers, dafür, das Mittel, das für solche
Fälle eingesetzt sei, ins Spiel zu ziehen: einen Kriegshaufen,
von hinreichender Größe zusammenzuraffen, und den
Roßhändler, der in Lützen ⌜aufgepflanzt⌝ sei, damit aufzuheben oder zu erdrücken. Der Kämmerer, indem er für ihn
und den Kurfürsten Stühle von der Wand nahm, und auf
eine verbindliche Weise ins Zimmer setzte, sagte: er freue
sich, daß ein Mann von seiner Rechtschaffenheit und Einsicht mit ihm in dem Mittel, diese Sache zweideutiger Art
beizulegen, übereinstimme. Der Prinz, indem er den Stuhl,
ohne sich zu setzen, in der Hand hielt, und ihn ansah, versicherte ihn: daß er gar nicht Ursache hätte sich deshalb zu
freuen, indem die damit verbundene Maßregel notwendig
die wäre, einen Verhaftsbefehl vorher gegen ihn zu erlas-

sen, und wegen Mißbrauchs des landesherrlichen Namens den Prozeß zu machen. Denn wenn Notwendigkeit erfordere, den Schleier vor dem Thron der Gerechtigkeit niederzulassen, über eine Reihe von Freveltaten, die unabsehbar wie sie sich forterzeugt, vor den Schranken desselben zu erscheinen, nicht mehr Raum fänden*, so gelte das nicht von der ersten, die sie veranlaßt; und allererst seine Anklage auf Leben und Tod könne den Staat zur Zermalmung des Roßhändlers bevollmächtigen, dessen Sache, wie bekannt, sehr gerecht sei, und dem man das Schwert, das er führe, selbst in die Hand gegeben. Der Kurfürst, den der Junker bei diesen Worten betroffen ansah, wandte sich, indem er über das ganze Gesicht rot ward, und trat ans Fenster. Der Graf Kallheim, nach einer verlegenen Pause von allen Seiten, sagte, daß man auf diese Weise aus dem Zauberkreise, in dem man befangen, nicht herauskäme. Mit demselben Rechte könne seinem Neffen, dem Prinzen Friedrich, der Prozeß gemacht werden; denn auch er hätte, auf dem Streifzug sonderbarer Art, den er gegen den Kohlhaas unternommen, seine Instruktion* auf mancherlei Weise überschritten: dergestalt, daß wenn man nach der weitläufigen Schar derjenigen frage, die die Verlegenheit, in welcher man sich befinde, veranlaßt, er gleichfalls unter die Zahl derselben würde benannt, und von dem Landesherrn wegen dessen was bei Mühlberg vorgefallen, zur Rechenschaft gezogen werden müssen. Der Mundschenk, Herr Hinz von Tronka, während der Kurfürst mit ungewissen Blicken an seinen Tisch trat, nahm das Wort und sagte: er begriffe nicht, wie der Staatsbeschluß, der zu fassen sei, Männern von solcher Weisheit, als hier versammelt wären, entgehen könne. Der Roßhändler habe, seines Wissens, gegen ⌜bloß freies Geleit⌝ nach Dresden, und erneuerte Untersuchung seiner Sache, versprochen, den Haufen, mit dem er in das Land gefallen, auseinander gehen zu lassen. Daraus aber folge nicht, daß man ihm, wegen dieser fre-

nicht mehr
verhandelt
werden
könnten

Anordnung

Michael Kohlhaas

velhaften Selbstrache, Amnestie erteilen müsse: zwei
Rechtsbegriffe, die der Doktor Luther sowohl, als auch der
Staatsrat zu verwechseln scheine. Wenn, fuhr er fort, indem
er den Finger an die Nase legte, bei dem Tribunal zu Dresden, gleichviel wie, das Erkenntnis der Rappen wegen gefallen ist; so hindert nichts, den Kohlhaas auf den Grund
seiner Mordbrennereien und Räubereien einzustecken:
⌐eine staatskluge Wendung⌐, die die Vorteile der Ansichten
beider Staatsmänner vereinigt, und des Beifalls der Welt
und Nachwelt gewiß ist. – Der Kurfürst, da der Prinz sowohl als der Großkanzler dem Mundschenk, Herrn Hinz,
auf diese Rede mit einem bloßen Blick antworteten, und
die Verhandlung mithin geschlossen schien, sagte: daß er
die verschiedenen Meinungen, die sie ihm vorgetragen, bis
zur nächsten Sitzung des Staatsrats bei sich selbst überle-
gen würde. – Es schien, die Präliminar-Maßregel*, deren
der Prinz gedacht, hatte seinem für Freundschaft sehr emp-
fänglichen Herzen die Lust benommen, den Heereszug gegen den Kohlhaas, zu welchem schon Alles vorbereitet
war, auszuführen. Wenigstens behielt er den Großkanzler,
Grafen Wrede, dessen Meinung ihm die zweckmäßigste
schien, bei sich zurück; und da dieser ihm Briefe vorzeigte,
aus welchen hervorging, daß der Roßhändler in der Tat
schon zu einer Stärke von vierhundert Mann herangewachsen sei; ja, ⌐bei der allgemeinen Unzufriedenheit, die
wegen der Unziemlichkeiten des Kämmerers im Lande
herrschte⌐, in kurzem auf eine doppelte und dreifache
Stärke rechnen könne: so entschloß sich der Kurfürst, ohne
weiteren Anstand, den Rat, den ihm der Doktor Luther
erteilt, anzunehmen. Dem gemäß übergab er dem Grafen
Wrede die ganze Leitung der Kohlhaasischen Sache; und
schon nach wenigen Tagen erschien ein Plakat, das wir*,
dem Hauptinhalt nach, folgendermaßen mitteilen:
»Wir etc. etc.* Kurfürst von Sachsen, erteilen, in besonders gnädiger Rücksicht auf die an Uns ergangene Für-

Anklage gg.
Kunz als
einleitende
Maßnahme u.
Voraussetzung
für eine
spätere
Anklage gg.
Kohlhaas

Erstmals nennt
sich der Erzäh-
ler hier selbst.

Gewöhnliche
Abk. für die
vielen Namen
u. Titel eines
Fürsten

sprache des Doktors Martin Luther, dem Michael Kohlhaas, Roßhändler aus dem Brandenburgischen, unter
der Bedingung, binnen drei Tagen nach Sicht die Waffen,

zum Zweck

die er ergriffen, niederzulegen, Behufs* einer erneuerten
Untersuchung seiner Sache, freies Geleit nach Dresden; 5
dergestalt zwar, daß, ⌐wenn derselbe, wie nicht zu er-
warten, bei dem Tribunal zu Dresden mit seiner Klage,
der Rappen wegen, abgewiesen werden sollte⌐, gegen
ihn, seines eigenmächtigen Unternehmens wegen, sich
selbst Recht zu verschaffen, mit der ganzen Strenge des 10
Gesetzes verfahren werden solle; im entgegengesetzten
Fall aber, ihm mit seinem ganzen Haufen, Gnade für
Recht bewilligt, und völlige Amnestie, seiner in Sachsen
ausgeübten Gewalttätigkeiten wegen, zugestanden sein
solle.» 15

Kohlhaas hatte nicht sobald, durch den Doktor Luther, ein
Exemplar dieses in allen Plätzen des Landes angeschlage-
nen Plakats erhalten, als er, so bedingungsweise auch die
darin geführte Sprache war, seinen ganzen Haufen schon,
mit Geschenken, Danksagungen und zweckmäßigen Er- 20
mahnungen auseinander gehen ließ. Er legte Alles, was er
an Geld, Waffen und Gerätschaften erbeutet haben mogte,
bei den Gerichten zu Lützen, als kurfürstliches Eigentum,
nieder; und nachdem er den Waldmann mit Briefen, wegen
Wiederkaufs seiner Meierei, wenn es möglich sei, an den 25
Amtmann nach Kohlhaasenbrück, und den Sternbald zur
Abholung seiner Kinder, die er wieder bei sich zu haben
wünschte, nach Schwerin geschickt hatte, verließ er das
Schloß zu Lützen, und ging, unerkannt, mit dem Rest seines kleinen Vermögens, das er in Papieren bei sich trug, 30
nach Dresden.

Der Tag brach eben an, und die ganze Stadt schlief noch, als

Kleists
Dresdener
Wohnort von
1807 bis 1809

er an die Tür der kleinen, in der Pirnaischen Vorstadt* ge-
legenen Besitzung, die ihm durch die Rechtschaffenheit des
Amtmanns übrig geblieben war, anklopfte, und Thomas, 35

dem alten, die Wirtschaft führenden Hausmann*, der ihm
mit Erstaunen und Bestürzung aufmachte, sagte: er mögte
dem Prinzen von Meißen auf dem Gubernium* melden,
daß er, Kohlhaas der Roßhändler, da wäre. Der Prinz von
5 Meißen, der auf diese Meldung für zweckmäßig hielt, augenblicklich sich selbst von dem Verhältnis, in welchem
man mit diesem Mann stand, zu unterrichten, fand, als er
mit einem Gefolge von Rittern und Troßknechten* bald
darauf erschien, in den Straßen, die zu Kohlhaasens Woh-
10 nung führten, schon eine unermeßliche Menschenmenge
versammelt. Die Nachricht, daß der Würgengel da sei, der
die Volksbedrücker mit Feuer und Schwert verfolge, hatte
ganz Dresden, Stadt und Vorstadt, auf die Beine gebracht;
man mußte die Haustür vor dem Andrang des neugierigen
15 Haufens verriegeln, und die Jungen kletterten an den Fenstern heran, um den Mordbrenner, der darin frühstückte,
in Augenschein zu nehmen. Sobald der Prinz, mit Hülfe der
ihm Platz machenden Wache, ins Haus gedrungen, und
in Kohlhaasens Zimmer getreten war, fragte er diesen,
20 welcher halb entkleidet an einem Tische stand: ob er Kohlhaas, der Roßhändler, wäre? worauf Kohlhaas, indem er
eine Brieftasche mit mehreren über sein Verhältnis lautenden Papieren aus seinem Gurt nahm, und ihm ehrerbietig
überreichte, antwortete: ja! und hinzusetzte: er finde sich
25 nach Auflösung seines Kriegshaufens, der ihm erteilten
landesherrlichen Freiheit* gemäß, in Dresden ein, um seine
Klage, der Rappen wegen, gegen den Junker Wenzel von
Tronka vor Gericht zu bringen. Der Prinz, nach einem
flüchtigen Blick, womit er ihn von Kopf zu Fuß über-
30 schaute, durchlief die in der Brieftasche befindlichen Papiere; ließ sich von ihm erklären, was es mit einem von dem
Gericht zu Lützen ausgestellten Schein, den er darin fand,
über die zu Gunsten des kurfürstlichen Schatzes gemachte
Deposition* für eine Bewandtnis habe; und nachdem er die
35 Art des Mannes noch, durch Fragen mancherlei Gattung,

nach seinen Kindern, seinem Vermögen und der Lebensart die er künftig zu führen denke, geprüft, und überall so, daß man wohl seinetwegen ruhig sein konnte, befunden hatte, gab er ihm die Briefschaften wieder, und sagte: daß seinem Prozeß nichts im Wege stünde, und daß er sich nur unmit- 5 telbar, um ihn einzuleiten, an den Großkanzler des Tribu- nals, Grafen Wrede, selbst wenden mögte. Inzwischen, sagte der Prinz, nach einer Pause, indem er ans Fenster trat, und mit großen Augen das Volk, das vor dem Hause ver- sammelt war, überschaute: du wirst auf die ersten Tage 10 eine Wache annehmen müssen, die dich, in deinem Hause sowohl, als wenn du ausgehst, schütze! – – Kohlhaas sah betroffen vor sich nieder, und schwieg. Der Prinz sagte: »gleichviel!« indem er das Fenster wieder verließ. »Was daraus entsteht, du hast es dir selbst beizumessen;« und 15 damit wandte er sich wieder nach der Tür, in der Absicht, das Haus zu verlassen. Kohlhaas, der sich besonnen hatte, sprach: Gnädigster Herr! tut, was ihr wollt! Gebt mir euer Wort, die Wache, sobald ich es wünsche, wieder aufzuhe- ben: so habe ich gegen diese Maßregel nichts einzuwenden! 20 Der Prinz erwiderte: das bedürfe der Rede nicht; und nach-

Einfache Soldaten

dem er drei Landsknechten*, die man ihm zu diesem Zweck vorstellte, bedeutet hatte: daß der Mann, in dessen Hause sie zurückblieben, frei wäre, und daß sie ihm bloß zu sei- nem Schutz, wenn er ausginge, folgen sollten, grüßte er den 25 Roßhändler mit einer herablassenden Bewegung der Hand, und entfernte sich.

Gegen Mittag begab sich Kohlhaas, von seinen drei Lands- knechten begleitet, unter dem Gefolge einer unabsehbaren Menge, die ihm aber auf keine Weise, weil sie durch die 30 Polizei gewarnt war, etwas zu Leide tat, zu dem Großkanz- ler des Tribunals, Grafen Wrede. Der Großkanzler, der ihn mit Milde und Freundlichkeit in seinem Vorgemach emp- fing, unterhielt sich während zwei ganzer Stunden mit ihm, und nachdem er sich den ganzen Verlauf der Sache, von 35

Anfang bis zu Ende, hatte erzählen lassen, wies er ihn, zur unmittelbaren Abfassung und Einreichung der Klage, an einen, bei dem Gericht angestellten, berühmten Advokaten der Stadt. Kohlhaas, ohne weiteren Verzug, verfügte sich in
5 dessen Wohnung; und nachdem die Klage, ganz der ersten niedergeschlagenen gemäß, auf Bestrafung des Junkers nach den Gesetzen, Wiederherstellung der Pferde in den vorigen Stand, und Ersatz *seines* Schadens sowohl, als auch dessen, den sein bei Mühlberg gefallener Knecht Herse er-
10 litten hatte, zu Gunsten der alten Mutter desselben, aufge-setzt war, begab er sich wieder, unter Begleitung des ihn immer noch angaffenden Volks, nach Hause zurück, wohl entschlossen, es anders nicht, als nur wenn notwendige Geschäfte ihn riefen, zu verlassen.
15 Inzwischen war auch der Junker seiner Haft in Wittenberg entlassen, und nach Herstellung von einer gefährlichen Rose*, die seinen Fuß entzündet hatte, von dem Landes-gericht unter peremtorischen Bedingungen* aufgefordert worden, sich zur Verantwortung auf die von dem Roß-
20 händler Kohlhaas gegen ihn eingereichte Klage, wegen wi-derrechtlich abgenommener und zu Grunde gerichteter Rappen, in Dresden zu stellen. Die Gebrüder Kämmerer und Mundschenk von Tronka, Lehnsvettern* des Junkers, in deren Hause er abtrat*, empfingen ihn mit der größesten
25 Erbitterung und Verachtung; sie nannten ihn einen Elen-den und Nichtswürdigen, der Schande und Schmach über die ganze Familie bringe, kündigten ihm an, daß er seinen Prozeß nunmehr unfehlbar verlieren würde, und forderten ihn auf, nur gleich zur Herbeischaffung der Rappen, zu
30 deren Dickfütterung er, zum Hohngelächter der Welt, ver-dammt werden werde, Anstalt zu machen. Der Junker sagte, mit schwacher, zitternder Stimme: er sei der bejam-mernswürdigste Mensch von der Welt. Er verschwor sich, daß er von dem ganzen verwünschten Handel, der ihn ins
35 Unglück stürze, nur wenig gewußt, und daß der Schloß-

Stark schmerz-hafte Virusin-fektion

Gemeint ist die Klagean-sprüche aufhebende Einrede bei Gericht.

Vettern als Erben eines v. Landesherrn verliehenen Grundbesitzes

abstieg

vogt und der Verwalter an Allem Schuld wären, indem sie die Pferde, ohne sein entferntestes Wissen und Wollen, bei der Ernte gebraucht, und durch unmäßige Anstrengungen, zum Teil auf ihren eigenen Feldern, zu Grunde gerichtet hätten. Er setzte sich, indem er dies sagte, und bat ihn nicht durch Kränkungen und Beleidigungen in das Übel, von dem er nur so eben erst erstanden sei, mutwillig zurückzustürzen. Am andern Tage schrieben die Herren Hinz und Kunz, die in der Gegend der eingeäscherten Tronkenburg Güter besaßen, auf Ansuchen des Junkers, ihres Vetters, weil doch nichts anders übrig blieb, an ihre dort befindlichen Verwalter und Pächter, um ⌐Nachricht über die an jenem unglücklichen Tage abhanden gekommenen und seitdem gänzlich verschollenen Rappen einzuziehn⌐. Aber Alles, was sie bei der gänzlichen Verwüstung des Platzes, und der Niedermetzelung fast aller Einwohner, erfahren konnten, war, daß ein Knecht sie, von den flachen Hieben des Mordbrenners getrieben, aus dem brennenden Schuppen, in welchem sie standen, gerettet, nachher aber auf die Frage, wo er sie hinführen, und was er damit anfangen solle, von dem grimmigen Wüterich einen Fußtritt zur Antwort erhalten habe. Die alte, von der Gicht geplagte Haushälterin des Junkers, die sich nach Meißen geflüchtet hatte, versicherte demselben, auf eine schriftliche Anfrage, daß der Knecht sich, am Morgen jener entsetzlichen Nacht, mit den Pferden nach der brandenburgischen Grenze gewandt habe; doch alle Nachfragen, die man daselbst anstellte, waren vergeblich, und es schien dieser Nachricht ein Irrtum zum Grunde zu liegen, indem der Junker keinen Knecht hatte, der im Brandenburgischen, oder auch nur auf der Straße dorthin, zu Hause war. Männer aus Dresden, die wenige Tage nach dem Brande der Tronkenburg in Wilsdruf* gewesen waren, sagten aus, daß um die benannte Zeit ein Knecht mit zwei an der Halfter gehenden Pferden dort angekommen, und die Tiere, weil sie sehr elend ge-

Ort westl. v. Dresden

66   Michael Kohlhaas

wesen wären, und nicht weiter fort gekonnt hätten, im Kuhstall eines Schäfers, der sie wieder hätte aufbringen* wollen, stehen gelassen hätte. Es schien mancherlei Gründe wegen sehr wahrscheinlich, daß dies die in Untersuchung

5 stehenden Rappen waren; aber der Schäfer aus Wilsdruf hatte sie, wie Leute, die dorther kamen, versicherten, schon wieder, man wußte nicht an wen, verhandelt*; und ein drittes Gerücht, dessen Urheber unentdeckt blieb, sagte gar aus, daß die Pferde bereits in Gott verschieden, und in der

10 Knochengrube zu Wilsdruf begraben wären. Die Herren Hinz und Kunz, denen diese Wendung der Dinge, wie man leicht begreift, die erwünschteste war, indem sie dadurch, bei des Junkers ihres Vetters Ermangelung eigener Ställe, der Notwendigkeit, die Rappen in den ihrigen aufzufüt-

15 tern, überhoben waren, wünschten gleichwohl, völliger Sicherheit wegen, diesen Umstand zu bewahrheiten. Herr Wenzel von Tronka erließ demnach, als Erb-, Lehns- und Gerichtsherr, ein Schreiben an die Gerichte zu Wilsdruf, worin er dieselben, nach einer weitläufigen Beschreibung

20 der Rappen, die, wie er sagte, ihm anvertraut und durch einen Unfall abhanden gekommen wären, dienstfreundlichst* ersuchte, den dermaligen* Aufenthalt derselben zu erforschen, und den Eigner*, wer er auch sei, aufzufordern und anzuhalten, sie, gegen reichliche Wiedererstattung al-

25 ler Kosten, in den Ställen des Kämmerers, Herrn Kunz, zu Dresden abzuliefern. Dem gemäß erschien auch wirklich, wenige Tage darauf, der Mann an den sie der Schäfer aus Wilsdruf verhandelt hatte, und führte sie, dürr und wankend, an die Runge* seines Karrens gebunden, auf den

30 Markt der Stadt; das Unglück aber Herrn Wenzels, und noch mehr des ehrlichen Kohlhaas wollte, daß es der ⌜Abdecker⌝ aus Döbbeln* war.

Sobald Herr Wenzel, in Gegenwart des Kämmerers, seines Vetters, durch ein unbestimmtes Gerücht vernommen

35 hatte, daß ein Mann mit zwei schwarzen aus dem Brande

auf die Beine bringen

verkauft

mit freundlicher Bitte, ihm diesen Dienst zu erweisen

gegenwärtigen

Eigentümer

Stange zw. Achse u. Wagenseite

Stadt westl. v. Meißen

der Tronkenburg entkommenen Pferden in der Stadt ange-
langt sei, begaben sich beide, in Begleitung einiger aus dem
Hause zusammengerafften Knechte, auf den Schloßplatz,
wo er stand, um sie demselben, falls es die dem Kohlhaas
zugehörigen wären, gegen Erstattung der Kosten abzuneh-   5
men, und nach Hause zu führen. Aber wie betreten waren
die Ritter, als sie bereits einen, von Augenblick zu Augenblick sich vergrößernden Haufen von Menschen, den das
Schauspiel herbeigezogen, um den zweirädrigen Karren,
an dem die Tiere befestigt waren, erblickten; unter unend-   10
lichem Gelächter einander zurufend, daß die Pferde schon,

Abdecker

um derenthalben der Staat wanke, an den Schinder* gekommen wären! Der Junker, der um den Karren herum-
gegangen war, und die jämmerlichen Tiere, die alle Augenblicke sterben zu wollen schienen, betrachtet hatte, sagte   15
verlegen: das wären die Pferde nicht, die er dem Kohlhaas
abgenommen; doch Herr Kunz, der Kämmerer, einen Blick
sprachlosen Grimms voll auf ihn werfend, der, wenn er von
Eisen gewesen wäre, ihn zerschmettert hätte, trat, indem er
seinen Mantel, Orden und Kette entblößend, zurück-   20
schlug, zu dem Abdecker heran, und fragte ihn: ob das die
Rappen wären, die der Schäfer von Wilsdruf an sich gebracht, und der Junker Wenzel von Tronka, dem sie gehör-

Hier:
angefordert

ten, bei den Gerichten daselbst requiriert* hätte? Der Abdecker, der, einen Eimer Wasser in der Hand, beschäftigt   25
war, einen dicken, wohlbeleibten Gaul, der seinen Karren
zog, zu tränken, sagte: »die schwarzen?« – Er streifte dem
Gaul, nachdem er den Eimer niedergesetzt, das Gebiß aus
dem Maul, und sagte: »die Rappen, die an die Runge ge-

Ort südl. v.
Döbbeln u.
südwestl. v.
Wilsdruff

bunden wären, hätte ihm der Schweinehirte von Haini-   30
chen* verkauft. Wo der sie her hätte, und ob sie von dem
Wilsdrufer Schäfer kämen, das wisse er nicht. Ihm hätte,«
sprach er, während er den Eimer wieder aufnahm, und zwischen Deichsel und Knie anstemmte: »ihm hätte der Ge-
richtsbote aus Wilsdruf gesagt, daß er sie nach Dresden in   35

das Haus derer von Tronka bringen solle; aber der Junker, an den er gewiesen sei, heiße Kunz.« Bei diesen Worten wandte er sich mit dem Rest des Wassers, den der Gaul im Eimer übrig gelassen hatte, und schüttete ihn auf das Pfla-
5 ster der Straße aus. Der Kämmerer, der, von den Blicken der hohnlachenden Menge umstellt, den Kerl, der mit empfindungslosem Eifer seine Geschäfte betrieb, nicht bewegen konnte, daß er ihn ansah, sagte: daß er der Kämmerer, Kunz von Tronka, wäre; die Rappen aber, die er an sich
10 bringen solle, müßten dem Junker, seinem Vetter, gehören; von einem Knecht, der bei Gelegenheit des Brandes aus der Tronkenburg entwichen, an den Schäfer zu Wilsdruf gekommen, und ursprünglich zwei dem Roßhändler Kohlhaas zugehörige Pferde sein! Er fragte den Kerl, der mit
15 gespreizten Beinen dastand, und sich die Hosen in die Höhe zog: ob er davon nichts wisse? Und ob sie der Schweinehirte von Hainichen nicht vielleicht, auf welchen Umstand Alles ankomme, von dem Wilsdrufer Schäfer, ⌈oder von einem Dritten⌉, der sie seinerseits von demselben ge-
20 kauft, erstanden hätte? – Der Abdecker, der sich an den Wagen gestellt und sein Wasser abgeschlagen hatte*, sagte: uriniert hatte
»er wäre mit den Rappen nach Dresden bestellt, um in dem Hause derer von Tronka sein Geld dafür zu empfangen. Was er da vorbrächte, verstände er nicht; und ob sie, vor
25 dem Schweinehirten aus Hainichen, ⌈Peter oder Paul⌉ besessen hätte, oder der Schäfer aus Wilsdruf, gelte ihm, da sie nicht gestohlen wären, gleich.« Und damit ging er, die Peitsche quer über seinen breiten Rücken, nach einer Kneipe, die auf dem Platze lag, in der Absicht, hungrig wie
30 er war, ein Frühstück einzunehmen. Der Kämmerer, der auf der Welt Gottes nicht wußte, was er mit Pferden, die der Schweinehirte von Hainichen an den Schinder in Döbbeln verkauft, machen solle, falls es nicht diejenigen wären, auf welchen der Teufel durch Sachsen ritt, forderte den Junker
35 auf, ein Wort zu sprechen; doch da dieser ⌈mit bleichen,⌉

bebenden Lippen⌐ erwiderte: das Ratsamste wäre, daß man die Rappen kaufe, sie mögten dem Kohlhaas gehören oder nicht: so trat der Kämmerer, Vater und Mutter, die ihn geboren, verfluchend, indem er sich den Mantel zurückschlug, ⌐gänzlich unwissend, was er zu tun oder zu lassen habe⌐, aus dem Haufen des Volks zurück. Er rief den Freiherrn von Wenk, einen Bekannten, der über die Straße ritt, zu sich heran, und trotzig, den Platz nicht zu verlassen, eben weil das Gesindel höhnisch auf ihn einblickte, und, mit vor dem Mund zusammengedrückten Schnupftüchern, nur auf seine Entfernung zu warten schien, um loszuplatzen, bat er ihn, bei dem Großkanzler, Grafen Wrede, abzusteigen, und durch dessen Vermittelung den Kohlhaas zur Besichtigung der Rappen herbeizuschaffen. Es traf sich, daß Kohlhaas eben, durch einen Gerichtsboten herbeigerufen, in dem Gemach des Großkanzlers, gewisser, die Deposition in Lützen betreffenden Erläuterungen wegen, die man von ihm bedurfte, gegenwärtig war, als der Freiherr, in der eben erwähnten Absicht, zu ihm ins Zimmer trat; und während der Großkanzler sich mit einem verdrießlichen Gesicht vom Sessel erhob, und den Roßhändler, dessen Person jenem unbekannt war, mit den Papieren, die er in der Hand hielt, zur Seite stehen ließ, stellte der Freiherr ihm die Verlegenheit, in welcher sich die Herren von Tronka befanden, vor. Der Abdecker von Döbbeln sei, auf mangelhafte Requisition* der Wilsdrufer Gerichte, mit Pferden erschienen, deren ⌐Zustand so heillos⌐ beschaffen wäre, daß der Junker Wenzel anstehen* müsse, sie für die dem Kohlhaas gehörigen anzuerkennen; dergestalt, daß, falls man sie gleichwohl dem Abdecker abnehmen solle, um in den Ställen der Ritter, zu ihrer Wiederherstellung, einen Versuch zu machen, vorher eine Okular-Inspektion* des Kohlhaas, um den besagten Umstand außer Zweifel zu setzen, notwendig sei. »Habt demnach die Güte«, schloß er, »den Roßhändler durch eine Wache aus seinem Hause abholen und auf den Markt, wo die Pferde stehen, hinführen zu lassen.« Der Großkanzler, indem er sich eine Brille von der Nase nahm, sagte: daß er in einem doppelten Irrtum stünde; einmal, wenn er glaube, daß der in Rede stehende Umstand anders nicht, als durch eine Okular-Inspektion des Kohlhaas auszumitteln sei; und dann, wenn er sich einbilde, er, der Kanzler, sei befugt, den Kohlhaas durch eine Wache, wohin es dem Junker beliebe, abführen zu lassen. Dabei stellte er ihm den Roßhändler, der hinter ihm stand, vor, und bat ihn, indem er sich niederließ und seine Brille wieder aufsetzte, sich in dieser Sache an ihn selbst zu wenden. – Kohlhaas, der mit keiner Miene, was in seiner Seele vorging, zu erkennen gab, sagte: daß er bereit wäre, ihm zur Besichtigung der Rappen, die der Abdecker in die Stadt gebracht, auf den Markt zu folgen. Er trat, während der Freiherr sich betroffen zu ihm umkehrte, wieder an den Tisch des Großkanzlers heran, und nachdem er demselben noch, aus den Papieren seiner Brieftasche, mehrere, die Deposition in Lützen betreffende Nachrichten gegeben hatte, beurlaubte* er sich von ihm; der Freiherr, der, über das ganze Gesicht rot, ans Fenster getreten war, empfahl sich ihm gleichfalls; und beide gingen, begleitet von den drei durch den Prinzen von Meißen eingesetzten Landsknechten, unter dem Troß einer Menge von Menschen, nach dem Schloßplatz hin. Der Kämmerer, Herr Kunz, der inzwischen den Vorstellungen mehrerer Freunde, die sich um ihn eingefunden hatten, zum Trotz, seinen Platz, dem Abdecker von Döbbeln gegenüber, unter dem Volke behauptet hatte, trat, sobald der Freiherr mit dem Roßhändler erschien, an den letzteren heran, und fragte ihn, indem er sein Schwert, mit Stolz und Ansehen, unter dem Arm hielt: ob die Pferde, die hinter dem Wagen stünden, die seinigen wären? Der Roßhändler, nachdem er, mit einer bescheidenen Wendung gegen den die Frage an ihn richtenden Herrn, den er nicht kannte, den Hut gerückt

verabschiedete

hatte, trat, ohne ihm zu antworten, im Gefolge sämtlicher
Ritter, an den Schinderkarren heran; und die Tiere, die, auf
wankenden Beinen, die Häupter zur Erde gebeugt, dastan-
den, und von dem Heu, das ihnen der Abdecker vorgelegt
hatte, nicht fraßen, flüchtig, aus einer Ferne von zwölf   5
Schritt, in welcher er stehen blieb, betrachtet: gnädigster
Herr! wandte er sich wieder zu dem Kämmerer zurück, der
Abdecker hat ganz Recht; ⌜die Pferde, die an seinen Karren
gebunden sind, gehören mir⌝! Und damit, indem er sich in
dem ganzen Kreise der Herren umsah, rückte er den Hut   10
noch einmal, und begab sich, von seiner Wache begleitet,
wieder von dem Platz hinweg. Bei diesen Worten trat der
Kämmerer, mit einem raschen, seinen Helmbusch* er-
schütternden Schritt zu dem Abdecker heran, und warf
ihm einen Beutel mit Geld zu; und während dieser sich, den 15
Beutel in der Hand, mit einem bleiernen Kamm die Haare
über die Stirn zurückkämmte, und das Geld betrachtete,
befahl er einem Knecht, die Pferde abzulösen und nach
Hause zu führen! Der Knecht, der auf den Ruf des Herrn,
einen Kreis von Freunden und Verwandten, die er unter   20
dem Volke besaß, verlassen hatte, trat auch, in der Tat, ein
wenig rot im Gesicht, über eine große Mistpfütze, die sich
zu ihren Füßen gebildet hatte, zu den Pferden heran; doch
kaum hatte er ihre Halftern erfaßt, um sie loszubinden, als
ihn Meister Himboldt, sein Vetter, schon beim Arm ergriff, 25
und mit den Worten: du rührst die Schindmähren nicht an!
von dem Karren hinwegschleuderte. Er setzte, indem er
sich mit ungewissen Schritten über die Mistpfütze wieder
zu dem Kämmerer, der über diesen Vorfall sprachlos dastand, zurück wandte, hinzu: daß er sich einen Schinder-   30
knecht anschaffen müsse, um ihm einen solchen Dienst zu
leisten! Der Kämmerer, der, vor Wut schäumend, den
Meister auf einen Augenblick betrachtet hatte, kehrte sich
um, und rief über die Häupter der Ritter, die ihn umringten, hinweg, nach der Wache; und sobald, auf die Bestel-   35

Verzierung
am Helm

lung des Freiherrn von Wenk, ein Offizier mit einigen kurfürstlichen Trabanten*, aus dem Schloß erschienen war,
forderte er denselben unter einer kurzen Darstellung der
schändlichen Aufhetzerei, die sich die Bürger der Stadt er-
5 laubten, auf, den Rädelsführer, Meister Himboldt, in Ver-
haft zu nehmen*. Er verklagte den Meister, indem er ihn bei
der Brust faßte: daß er seinen, die Rappen auf seinen Befehl
losbindenden Knecht von dem Karren hinweggeschleudert
und mißhandelt hätte. Der Meister, indem er den Käm-
10 merer mit einer geschickten Wendung, die ihn befreite,
zurückwies, sagte: gnädigster Herr! einem Burschen von
zwanzig Jahren bedeuten, was er zu tun hat, heißt nicht,
ihn verhetzen! Befragt ihn, ob er sich gegen Herkommen
und Schicklichkeit mit den Pferden, die an die Karre ge-
15 bunden sind, befassen will; will er es, nach dem, was ich
gesagt, tun: sei's! Meinethalb mag er sie jetzt abludern*
und häuten! Bei diesen Worten wandte sich der Kämmerer
zu dem Knecht herum, und fragte ihn: ob er irgend Anstand nähme*, seinen Befehl zu erfüllen, und die Pferde, die
20 dem Kohlhaas gehörten, loszubinden, und nach Hause zu
führen? und da dieser schüchtern, indem er sich unter die
Bürger mischte, erwiderte: die Pferde müßten erst ⌐ehrlich
gemacht⌐ werden, bevor man ihm das zumute; so folgte
ihm der Kämmerer von hinten, riß ihm den Hut ab, der mit
25 seinem Hauszeichen geschmückt war, zog, nachdem er den
Hut mit Füßen getreten, von Leder*, und jagte den Knecht
mit wütenden Hieben der Klinge augenblicklich vom Platz
weg und aus seinen Diensten. Meister Himboldt rief:
schmeißt den Mordwüterich doch gleich zu Boden! und
30 während die Bürger, von diesem Auftritt empört, zusam-
mentraten, und die Wache hinwegdrängten, warf er den
Kämmerer von hinten nieder, riß ihm Mantel, Kragen und
Helm ab, wand ihm das Schwert aus der Hand, und schleuderte es, in einem grimmigen Wurf, weit über den Platz
35 hinweg. Vergebens rief der Junker Wenzel, indem er sich

Hier: Soldaten der Leibwache

zu verhaften

abdecken, ihnen das Fleisch ablösen

Bedenken trage

zog das Schwert aus der Leder-scheide

aus dem Tumult rettete, den Rittern zu, seinem Vetter beizuspringen; ehe sie noch einen Schritt dazu getan hatten,
waren sie schon von dem Andrang des Volks zerstreut, dergestalt, daß der Kämmerer, der sich den Kopf beim Fallen
verletzt hatte, der ganzen Wut der Menge Preis gegeben   5
war. Nichts, als die Erscheinung eines Trupps berittener
Landsknechte, die zufällig über den Platz zogen, und die
der Offizier der kurfürstlichen Trabanten zu seiner Unterstützung herbeirief, konnte den Kämmerer retten. Der Offizier, nachdem er den Haufen verjagt, ergriff den wüten-   10
den Meister, und während derselbe durch einige Reuter
nach dem Gefängnis gebracht ward, hoben zwei Freunde
den unglücklichen mit Blut bedeckten Kämmerer vom Boden auf, und führten ihn nach Hause. Einen so heillosen
Ausgang nahm der wohlgemeinte und redliche Versuch,   15
dem Roßhändler wegen des Unrechts, das man ihm zugefügt, Genugtuung zu verschaffen. Der Abdecker von Döbbeln, dessen Geschäft abgemacht war, und der sich nicht
länger aufhalten wollte, band, da sich das Volk zu zerstreuen anfing, die Pferde an einen Laternenpfahl, wo sie,   20
den ganzen Tag über, ohne daß sich jemand um sie beküm-
merte, ein Spott der Straßenjungen und Tagediebe, stehen
blieben; dergestalt, daß in Ermangelung aller Pflege und
Wartung die Polizei sich ihrer annehmen mußte, und gegen
Einbruch der Nacht den Abdecker von Dresden herbeirief,   25
um sie, bis auf weitere Verfügung, auf der Schinderei vor
der Stadt zu besorgen.
Dieser Vorfall, so wenig der Roßhändler ihn in der Tat
verschuldet hatte, erweckte gleichwohl, auch bei den Ge-
mäßigtern und Besseren, eine, dem Ausgang seiner   30
Streitsache höchst gefährliche Stimmung im Lande. Man
fand das Verhältnis desselben zum Staat ganz unerträglich,
und in Privathäusern und auf öffentlichen Plätzen, erhob
sich die Meinung, daß es besser sei, ein offenbares Unrecht
an ihm zu verüben, und die ganze Sache von Neuem nie-   35

derzuschlagen, als ihm Gerechtigkeit, durch Gewalttaten
ertrotzt, in einer so nichtigen Sache, zur bloßen Befriedi-
gung seines rasenden Starrsinns, zukommen zu lassen.
Zum völligen Verderben des armen Kohlhaas mußte der
Großkanzler selbst, aus übergroßer Rechtlichkeit, und einem davon herrührenden Haß gegen die Familie von
Tronka, beitragen, diese Stimmung zu befestigen und zu
verbreiten. Es war höchst unwahrscheinlich, daß die
Pferde, die der Abdecker von Dresden jetzt besorgte, jemals wieder in den Stand, wie sie aus dem Stall zu Kohlhaasenbrück gekommen waren, hergestellt werden wür-
den; doch gesetzt, daß es durch Kunst* und anhaltende   tierärztl. Kunst
Pflege möglich gewesen wäre: die Schmach, die zu Folge
der bestehenden Umstände, dadurch auf die Familie des
Junkers fiel, war so groß, daß bei dem staatsbürgerlichen
Gewicht, den* sie, als eine der ersten und edelsten, im   Fehlerhaft für:
›Gewicht, das‹
Lande hatte, nichts billiger und zweckmäßiger schien, als
eine Vergütigung der Pferde* in Geld einzuleiten. Gleich-   Vergütung für
die Pferde
wohl, auf einen Brief, in welchem der Präsident, Graf Kallheim, im Namen des Kämmerers, den seine Krankheit ab-
hielt, dem Großkanzler, einige Tage darauf, diesen Vorschlag machte, erließ derselbe zwar ein Schreiben an den
Kohlhaas, worin er ihn ermahnte, einen solchen Antrag,
wenn er an ihn ergehen sollte, nicht von der Hand zu weisen; den Präsidenten selbst aber bat er, in einer kurzen,
wenig verbindlichen Antwort, ihn mit Privataufträgen in
dieser Sache zu verschonen, und forderte den Kämmerer
auf, sich an den Roßhändler selbst zu wenden, den er ihm
als einen sehr billigen und bescheidenen Mann schilderte.
⌜Der Roßhändler, dessen Wille, durch den Vorfall, der sich
auf dem Markt zugetragen, in der Tat gebrochen war⌝,
wartete auch nur, dem Rat des Großkanzlers gemäß, auf
eine Eröffnung von Seiten des Junkers, oder seiner Ange-
hörigen, um ihnen mit völliger Bereitwilligkeit und Vergebung alles Geschehenen, entgegenzukommen; doch eben

diese Eröffnung war den stolzen Rittern zu tun empfindlich; und schwer erbittert über die Antwort, die sie von dem
Großkanzler empfangen hatten, zeigten sie dieselbe dem
Kurfürsten, der, am Morgen des nächstfolgenden Tages,
den Kämmerer krank, wie er an seinen Wunden danieder 5
lag, in seinem Zimmer besucht hatte. Der Kämmerer, mit
einer, durch seinen Zustand, schwachen und rührenden
Stimme, fragte ihn, ob er, nachdem er sein Leben daran
gesetzt, um diese Sache, seinen Wünschen gemäß, beizulegen, auch noch seine Ehre dem Tadel der Welt aussetzen, 10
und mit einer Bitte um Vergleich und Nachgiebigkeit, vor
einem Manne erscheinen solle, der alle nur erdenkliche
Schmach und Schande über ihn und seine Familie gebracht
habe. Der Kurfürst, nachdem er den Brief gelesen hatte,
fragte den Grafen Kallheim verlegen: ob das Tribunal nicht 15
befugt sei, ohne weitere Rücksprache mit dem Kohlhaas,
auf den Umstand, daß die Pferde nicht wieder herzustellen
wären, zu fußen, und dem gemäß das Urteil, gleich, als ob
sie tot wären, auf bloße Vergütigung derselben in Geld ab-
zufassen? Der Graf antwortete: »gnädigster Herr, ⌜sie *sind* 20
tot: sind in staatsrechtlicher Bedeutung tot, weil sie keinen
Wert haben, und werden es physisch sein, bevor man sie,
aus der Abdeckerei, in die Ställe der Ritter gebracht hat⌝;«
worauf der Kurfürst, indem er den Brief einsteckte, sagte,
daß er mit dem Großkanzler selbst darüber sprechen wolle, 25
den Kämmerer, der sich halb aufrichtete und seine Hand
dankbar ergriff, beruhigte, und nachdem er ihm noch emp-
fohlen hatte, für seine Gesundheit Sorge zu tragen, mit vieler Huld sich von seinem Sessel erhob, und das Zimmer
verließ. 30
So standen die Sachen in Dresden, als sich über den armen
Kohlhaas, noch ein anderes, bedeutenderes Gewitter, von
Lützen her, zusammenzog, dessen Strahl die arglistigen
Ritter geschickt genug waren, auf das unglückliche Haupt
desselben herabzuleiten. ⌜Johann Nagelschmidt⌝ nämlich, 35

wil{ Gelt/Macht haben

Michael Kohlhaas

Einer von den durch den Roßhändler zusammengebrachten, und nach Erscheinung der kurfürstlichen Amnestie wieder abgedankten Knechten, hatte für gut befunden, wenige Wochen nachher, an der böhmischen Grenze, einen Teil dieses zu allen Schandtaten aufgelegten Gesindels von neuem zusammenzuraffen, und das Gewerbe, auf dessen Spur ihn Kohlhaas geführt hatte, auf seine eigne Hand fortzusetzen. Dieser nichtsnutzige Kerl nannte sich, teils um den Häschern* von denen er verfolgt ward, Furcht einzuflößen, teils um das Landvolk, auf die gewohnte Weise, zur Teilnahme an seinen Spitzbübereien zu verleiten, einen Statthalter des Kohlhaas; sprengte mit einer seinem Herrn abgelernten Klugheit aus, daß die Amnestie an mehreren, in ihre Heimat ruhig zurückgekehrten Knechten nicht gehalten, ja der Kohlhaas selbst, mit himmelschreiender Wortbrüchigkeit, bei seiner Ankunft in Dresden eingesteckt*, und einer Wache übergeben worden sei; dergestalt, daß in Plakaten, die den Kohlhaasischen ganz ähnlich waren, sein Mordbrennerhaufen als ein zur bloßen Ehre Gottes aufgestandener Kriegshaufen erschien, bestimmt, über die Befolgung der ihnen von dem Kurfürsten angelobten Amnestie zu wachen; Alles, wie schon gesagt, keineswegs zur Ehre Gottes, noch aus Anhänglichkeit an den Kohlhaas, dessen Schicksal ihnen völlig gleichgültig war, sondern um unter dem Schutz solcher Vorspiegelungen desto ungestrafter und bequemer zu sengen und zu plündern. Die Ritter, sobald die ersten Nachrichten davon nach Dresden kamen, konnten ihre Freude über diesen, dem ganzen Handel eine andere Gestalt gebenden Vorfall nicht unterdrükken. Sie erinnerten mit weisen und mißvergnügten Seitenblicken an den Mißgriff, den man begangen, indem man dem Kohlhaas, ihren dringenden und wiederholten Warnungen zum Trotz, Amnestie erteilt, gleichsam als hätte man die Absicht gehabt Bösewichtern aller Art dadurch, zur Nachfolge auf seinem Wege, das Signal zu geben; und

Gerichts-knechten

ins Gefängnis gesteckt, verhaftet

nicht zufrieden, dem Vorgeben des Nagelschmidt, zur bloßen Aufrechthaltung und Sicherheit seines unterdrückten
Herrn die Waffen ergriffen zu haben, Glauben zu schen-
ken, äußerten sie sogar die bestimmte Meinung, daß die
ganze Erscheinung desselben nichts, als ein von dem Kohl-   5
haas angezetteltes Unternehmen sei, um die Regierung in
Furcht zu setzen, und den Fall des Rechtsspruchs, Punkt
vor Punkt, seinem rasenden Eigensinn gemäß, durchzusetzen und zu beschleunigen. Ja, der Mundschenk, Herr Hinz,
ging so weit, einigen Jagdjunkern* und Hofherren, die sich   10
nach der Tafel im Vorzimmer des Kurfürsten um ihn versammelt hatten, die Auflösung des Räuberhaufens in Lützen als eine verwünschte Spiegelfechterei darzustellen; und
indem er sich über die Gerechtigkeitsliebe des Großkanzlers sehr lustig machte, erwies er aus mehreren witzig* zu-   15
sammengestellten Umständen, daß der Haufen, nach wie
vor, noch in den Wäldern des Kurfürstentums vorhanden
sei, und nur auf den Wink des Roßhändlers warte, um daraus von neuem mit Feuer und Schwert hervorzubrechen.
Der Prinz Christiern von Meißen, über diese Wendung der   20
Dinge, die seines Herrn Ruhm auf die empfindlichste Weise
zu beflecken drohete, sehr mißvergnügt, begab sich sogleich zu demselben aufs Schloß; und das Interesse der Ritter, den Kohlhaas, wenn es möglich wäre, auf den Grund
neuer Vergehungen zu stürzen, wohl durchschauend, bat er   25
sich von demselben die Erlaubnis aus, unverzüglich ein
Verhör über den Roßhändler anstellen zu dürfen. Der Roßhändler, nicht ohne Befremden, durch einen Häscher in das
Gubernium abgeführt, erschien, den ⌈Heinrich und Leo-
pold⌉, seine beiden kleinen Knaben auf dem Arm; denn   30
Sternbald, der Knecht, war Tags zuvor mit seinen fünf Kindern aus dem Mecklenburgischen, wo sie sich aufgehalten
hatten, bei ihm angekommen, und Gedanken mancherlei
Art, die zu entwickeln zu weitläuftig sind, bestimmten ihn,
die Jungen, die ihn bei seiner Entfernung unter dem Erguß   35

Michael Kohlhaas

kindischer* Tränen darum baten, aufzuheben, und in das kindlicher
Verhör mitzunehmen. Der Prinz, nachdem er die Kinder,
die Kohlhaas neben sich niedergesetzt hatte, wohlgefällig
betrachtet und auf eine freundliche Weise nach ihrem Alter
5 und Namen gefragt hatte, eröffnete ihm, was der Nagelschmidt, sein ehemaliger Knecht, sich in den Tälern des
Erzgebirges für Freiheiten herausnehme; und indem er ihm
die sogenannten Mandate desselben überreichte, forderte
er ihn auf, dagegen vorzubringen, was er zu seiner Recht-
10 fertigung vorzubringen wüßte. Der Roßhändler, so schwer Hier: hinterlistigen, verlogenen
er auch in der Tat über diese schändlichen und verräteri-
schen* Papiere erschrak, hatte gleichwohl, einem so rechtschaffenen Manne, als der Prinz war, gegenüber, wenig
Mühe, die Grundlosigkeit der gegen ihn auf die Bahn ge-
15 brachten Beschuldigungen, befriedigend aus einander zu
legen. Nicht nur, daß zufolge seiner Bemerkung er, so wie
die Sachen standen, überhaupt noch zur Entscheidung seines, im besten Fortgang begriffenen Rechtsstreits, ⌜keiner
Hülfe von Seiten eines Dritten⌝ bedürfte: aus einigen Brief-
20 schaften, die er bei sich trug, und die er dem Prinzen vorzeigte, ging sogar eine Unwahrscheinlichkeit ganz eigner
Art hervor, daß das Herz des Nagelschmidts gestimmt sein
sollte, ihm dergleichen Hülfe zu leisten, indem er den Kerl,
wegen auf dem platten Lande verübter Notzucht und an-
25 derer Schelmereien*, kurz vor Auflösung des Haufens in Betrügereien
Lützen hatte hängen lassen wollen; dergestalt, daß nur die
Erscheinung der kurfürstlichen Amnestie, indem sie das
ganze Verhältnis aufhob, ihn gerettet hatte, und beide Tags
darauf, als Todfeinde auseinander gegangen waren. Kohl-
30 haas, auf seinen von dem Prinzen angenommenen Vorschlag, setzte sich nieder, und erließ ein Sendschreiben an
den Nagelschmidt, worin er das Vorgeben desselben zur
Aufrechthaltung der an ihm und seinen Haufen gebrochenen Amnestie aufgestanden zu sein, für eine schändli-
35 che und ruchlose Erfindung erklärte; ihm sagte, daß er bei

seiner Ankunft in Dresden weder eingesteckt, noch einer
Wache übergeben, auch seine Rechtssache ganz so, wie er
es wünsche, im Fortgange sei; und ihn wegen der, nach
Publikation der Amnestie im Erzgebirge ausgeübten
Mordbrennereien, zur Warnung des um ihn versammelten 5
Gesindels, der ganzen Rache der Gesetze preis gab. Dabei
wurden einige Fragmente der Kriminalverhandlung, die
der Roßhändler auf dem Schlosse zu Lützen, in Bezug auf
die oben erwähnten Schändlichkeiten, über ihn hatte anstellen lassen, zur Belehrung des Volks über diesen nichts- 10
nutzigen, schon damals dem Galgen bestimmten, und, wie
schon erwähnt, nur durch das Patent* das der Kurfürst
erließ, geretteten Kerl, angehängt. Dem gemäß beruhigte
der Prinz den Kohlhaas über den Verdacht, den man ihm,
durch die Umstände notgedrungen, in diesem Verhör habe 15
äußern müssen; versicherte ihn, daß so lange Er in Dresden
wäre, die ihm erteilte Amnestie auf keine Weise gebrochen
werden solle; reichte den Knaben noch einmal, indem er sie
mit Obst, das auf seinem Tische stand, beschenkte, die
Hand, grüßte den Kohlhaas und entließ ihn. Der Groß- 20
kanzler, der gleichwohl die Gefahr, die über den Roßhändler schwebte, erkannte, tat sein Äußerstes, um die Sache
desselben, bevor sie durch neue Ereignisse verwickelt und
verworren würde, zu Ende zu bringen; das aber wünschten
und bezweckten die staatsklugen Ritter eben, und statt, 25
wie zuvor, mit stillschweigendem Eingeständnis der
Schuld, ihren Widerstand auf ein bloß gemildertes Rechtserkenntnis einzuschränken, fingen sie jetzt an, in Wendungen arglistiger und rabulistischer Art*, diese Schuld selbst
gänzlich zu leugnen. Bald gaben sie vor, daß die Rappen 30
des Kohlhaas, in Folge eines bloß eigenmächtigen Verfahrens des Schloßvogts und Verwalters, von welchem der
Junker nichts oder nur Unvollständiges gewußt, auf der
Tronkenburg zurückgehalten worden seien; bald versicherten sie, daß die Tiere schon, bei ihrer Ankunft daselbst, 35

Michael Kohlhaas

an einem heftigen und gefährlichen Husten krank gewesen
wären, und beriefen sich deshalb auf Zeugen, die sie herbeizuschaffen sich anheischig machten*; und als sie mit die- sich anboten
sen Argumenten, nach weitläuftigen Untersuchungen und
5 Auseinandersetzungen, aus dem Felde geschlagen waren,
brachten sie gar ein kurfürstliches Edikt* bei, worin, vor Erlass
einem Zeitraum von zwölf Jahren, einer Viehseuche wegen, die Einführung der Pferde aus dem Brandenburgischen ins Sächsische, in der Tat verboten worden war: zum
10 sonnenklaren Beleg nicht nur der Befugnis, sondern sogar
der Verpflichtung des Junkers, die von dem Kohlhaas über
die Grenze gebrachten Pferde anzuhalten. – Kohlhaas, der
inzwischen von dem wackern Amtmann zu Kohlhaasenbrück seine Meierei, gegen eine geringe Vergütigung des
15 dabei gehabten Schadens, käuflich wieder erlangt hatte,
wünschte, wie es scheint wegen gerichtlicher Abmachung
dieses Geschäfts, Dresden auf einige Tage zu verlassen, und
in diese seine Heimat zu reisen; ein Entschluß, an welchem
gleichwohl, wie wir nicht zweifeln, weniger das besagte
20 Geschäft, so dringend es auch in der Tat, wegen Bestellung
der Wintersaat, sein mogte, als die Absicht unter so sonderbaren und bedenklichen Umständen seine Lage zu prüfen, Anteil hatte: zu welchem vielleicht auch noch Gründe
anderer Art mitwirkten, die wir jedem, der in seiner Brust
25 Bescheid weiß, zu erraten überlassen wollen. Demnach
verfügte er sich, mit Zurücklassung der Wache, die ihm
zugeordnet war, zum Großkanzler, und eröffnete ihm, die
Briefe des Amtmanns in der Hand: daß er Willens sei, falls
man seiner, wie es den Anschein habe, bei dem Gericht
30 nicht notwendig bedürfe, die Stadt zu verlassen, und auf
einen Zeitraum von acht oder zwölf Tagen, binnen welcher
Zeit er wieder zurück zu sein versprach, nach dem Brandenburgischen zu reisen. Der Großkanzler, indem er mit
einem mißvergnügten und bedenklichen Gesichte zur Erde
35 sah, versetzte: er müsse gestehen, daß seine Anwesenheit

grade jetzt notwendiger sei als jemals, indem das Gericht wegen arglistiger und winkelziehender* Einwendungen der Gegenpart*, seiner Aussagen und Erörterungen, in tausenderlei nicht vorherzusehenden Fällen, bedürfe; doch da Kohlhaas ihn auf seinen, von dem Rechtsfall wohl unterrichteten Advokaten verwies, und mit bescheidener Zudringlichkeit, indem er sich auf acht Tage einzuschränken versprach, auf seine Bitte beharrte, so sagte der Großkanzler nach einer Pause kurz, indem er ihn entließ: »er hoffe, daß er sich deshalb Pässe, bei dem Prinzen Christiern von Meißen, ausbitten würde.« – – Kohlhaas, der sich auf das Gesicht des Großkanzlers gar wohl verstand, setzte sich, in seinem Entschluß nur bestärkt, auf der Stelle nieder, und bat, ohne irgend einen Grund anzugeben, den Prinzen von Meißen, als Chef des Guberniums, um Pässe auf acht Tage nach Kohlhaasenbrück, und zurück. Auf dieses Schreiben erhielt er eine, von dem Schloßhauptmann, Freiherrn Siegfried von Wenk, unterzeichnete Gubernial-Resolution*,

des Inhalts: »sein Gesuch um Pässe nach Kohlhaasenbrück werde des Kurfürsten Durchlaucht vorgelegt werden, auf dessen höchster Bewilligung, sobald sie eingine, ihm die Pässe zugeschickt werden würden.« Auf die Erkundigung Kohlhaasens bei seinem Advokaten, wie es zuginge, daß die Gubernial-Resolution von einem Freiherrn Siegfried von Wenk, und nicht von dem Prinzen Christiern von Meißen, an den er sich gewendet, unterschrieben sei, erhielt er zur Antwort: daß der Prinz vor drei Tagen auf seine Güter

Dies kommt
dem Bruch
der Kohlhaas
zugesagten
Amnestie
gleich.

gereist*, und die Gubernialgeschäfte während seiner Abwesenheit dem Schloßhauptmann Freiherrn Siegfried von Wenk, einem Vetter des oben erwähnten Herren gleiches Namens, übergeben worden wären. – Kohlhaas, dem das Herz unter allen diesen Umständen unruhig zu klopfen anfing, harrte durch mehrere Tage auf die Entscheidung seiner, der Person des Landesherrn mit befremdender Weitläuftigkeit vorgelegten Bitte; doch es verging eine Woche,

und es verging mehr, ohne daß weder diese Entscheidung
einlief, noch auch das Rechtserkenntnis, so bestimmt man
es ihm auch verkündigt hatte, bei dem Tribunal gefällt
ward: dergestalt, daß er am zwölften Tage, fest entschlossen, die Gesinnung der Regierung gegen ihn, sie möge sein,
welche man wolle, zur Sprache zu bringen, sich niedersetzte, und das Gubernium von neuem in einer dringenden
Vorstellung um die erforderten Pässe bat. Aber wie betreten war er, als er am Abend des folgenden, gleichfalls ohne
die erwartete Antwort verstrichenen Tages, mit einem
Schritt, den er gedankenvoll, in Erwägung seiner Lage, und
besonders der ihm von dem Doktor Luther ausgewirkten
Amnestie, an das Fenster seines Hinterstübchens tat, in
dem kleinen, auf dem Hofe befindlichen Nebengebäude,
das er ihr zum Aufenthalte angewiesen hatte, die Wache
nicht erblickte, die ihm bei seiner Ankunft der Prinz von
Meißen eingesetzt hatte. Thomas, der alte Hausmann, den
er herbeirief und fragte: was dies zu bedeuten habe? antwortete ihm seufzend: Herr! es ist nicht alles wie es sein
soll; die Landsknechte, deren heute mehr sind wie gewöhnlich, haben sich bei Einbruch der Nacht um das ganze Haus
verteilt; zwei stehen, mit Schild und Spieß, an der vordern
Tür auf der Straße; zwei an der hintern im Garten: und
noch zwei andere liegen im Vorsaal auf ein Bund Stroh,
und sagen, daß sie daselbst schlafen würden. Kohlhaas, der
seine Farbe verlor, wandte sich und versetzte: »es wäre
gleichviel, wenn sie nur da wären; und er mögte den Landsknechten, sobald er auf den Flur käme, Licht hinsetzen,
damit sie sehen könnten.« Nachdem er noch, unter dem
Vorwande, ein Geschirr* auszugießen, den vordern Fen-   Nachttopf
sterladen eröffnet, und sich von der Wahrheit des Umstands, den ihm der Alte entdeckt, überzeugt hatte: denn
eben ward sogar in geräuschloser Ablösung die Wache erneuert, an welche Maßregel bisher, so lange die Einrichtung bestand, noch niemand gedacht hatte: so legte er sich,

wenig schlaflustig allerdings, zu Bette, und sein Entschluß war für den kommenden Tag sogleich gefaßt. Denn nichts mißgönnte er der Regierung, mit der er zu tun hatte mehr, als den Schein der Gerechtigkeit, während sie in der Tat die Amnestie, die sie ihm angelobt hatte, an ihm brach; und ⌜falls er wirklich ein Gefangener sein sollte, wie es keinem Zweifel mehr unterworfen war⌝, wollte er derselben auch die bestimmte und unumwundene Erklärung, daß es so sei, abnötigen. Demnach ließ er, sobald der Morgen des nächsten Tages anbrach, durch Sternbald, seinen Knecht, den Wagen anspannen und vorführen, um wie er vorgab, zu dem Verwalter nach Lockewitz* zu fahren, der ihn, als ein alter Bekannter, einige Tage zuvor in Dresden gesprochen und eingeladen hatte, ihn einmal mit seinen Kindern zu besuchen. Die Landsknechte, welche mit zusammengesteckten Köpfen, die dadurch veranlaßten Bewegungen im Hause wahrnahmen, schickten Einen aus ihrer Mitte heimlich in die Stadt, worauf binnen wenigen Minuten ein Gubernialoffiziant* an der Spitze mehrerer Häscher erschien, und sich, als ob er daselbst ein Geschäft hätte, in das gegenüberliegende Haus begab. Kohlhaas, der mit der Ankleidung seiner Knaben beschäftigt, diese Bewegungen gleichfalls bemerkte, und den Wagen absichtlich länger, als eben nötig gewesen wäre, vor dem Hause halten ließ, trat, sobald er die Anstalten der Polizei vollendet sah, mit seinen Kindern, ohne darauf Rücksicht zu nehmen, vor das Haus hinaus; und während er dem Troß der Landsknechte, die unter der Tür standen, im Vorübergehen sagte, daß sie nicht nötig hätten, ihm zu folgen, hob er die Jungen in den Wagen und küßte und tröstete die kleinen weinenden Mädchen, die, seiner Anordnung gemäß, bei der Tochter des alten Hausmanns zurückbleiben sollten. Kaum hatte er selbst den Wagen bestiegen, als der Gubernial-Offiziant mit seinem Gefolge von Häschern, aus dem gegenüberliegenden Hause, zu ihm herantrat, und ihn fragte: wohin er

Vorort v.
Dresden

Regierungs-
beamter

wolle? Auf die Antwort Kohlhaasens: »daß er zu seinem Freund, dem Amtmann nach Lockewitz fahren wolle, der ihn vor einigen Tagen mit seinen beiden Knaben zu sich aufs Land geladen,« antwortete der Gubernial-Offiziant: daß er in diesem Fall einige Augenblicke warten müsse, indem einige berittene Landsknechte, dem Befehl des Prinzen von Meißen gemäß, ihn begleiten würden. Kohlhaas fragte lächelnd von dem Wagen herab: »ob er glaube, daß seine Person in dem Hause eines Freundes, der sich erboten, ihn auf einen Tag an seiner Tafel zu bewirten, nicht sicher sei?« Der Offiziant erwiderte auf eine heitere und angenehme Art: daß die Gefahr allerdings nicht groß sei; wobei er hinzusetzte: daß ihm die Knechte auch auf keine Weise zur Last fallen sollten. Kohlhaas versetzte ernsthaft: »daß ihm der Prinz von Meißen, bei seiner Ankunft in Dresden, freigestellt, ob er sich der Wache bedienen wolle oder nicht;« und da der Offiziant sich über diesen Umstand wunderte, und sich mit vorsichtigen Wendungen auf den Gebrauch, während der ganzen Zeit seiner Anwesenheit, berief: so erzählte der Roßhändler ihm den Vorfall, der die Einsetzung der Wache in seinem Hause veranlaßt hatte. Der Offiziant versicherte ihn, daß die Befehle des Schloßhauptmanns, Freiherrn von Wenk, der in diesem Augenblick Chef der Polizei sei, ihm die unausgesetzte Beschützung seiner Person zur Pflicht mache; und bat ihn, falls er sich die Begleitung nicht gefallen lassen wolle, selbst auf das Gubernium zu gehen, um den Irrtum, der dabei obwalten müsse, zu berichtigen. Kohlhaas, mit einem sprechenden Blick, den er auf den Offizianten warf, sagte, entschlossen die Sache zu beugen oder zu brechen: »daß er dies tun wolle;« stieg mit klopfendem Herzen von dem Wagen, ließ die Kinder durch den Hausmann in den Flur tragen, und verfügte sich, während der Knecht mit dem Fuhrwerk vor dem Hause halten blieb, mit dem Offizianten und seiner Wache in das Gubernium. Es traf sich, daß der Schloßhauptmann, Freiherr Wenk eben mit der Besichtigung einer Bande, am Abend zuvor eingebrachter Nagelschmidtscher Knechte, die man in der Gegend von Leipzig aufgefangen hatte, beschäftigt war, und die Kerle über manche Dinge, die man gern von ihnen gehört hätte, von den Rittern, die bei ihm waren, befragt wurden, als der Roßhändler mit seiner Begleitung zu ihm in den Saal trat. Der Freiherr, sobald er den Roßhändler erblickte, ging, während die Ritter plötzlich still wurden, und mit dem Verhör der Knechte einhielten, auf ihn zu, und fragte ihn: was er wolle? und da der Roßkamm ihm auf ehrerbietige Weise sein Vorhaben, bei dem Verwalter in Lockewitz zu Mittag zu speisen, und den Wunsch, die Landsknechte deren er dabei nicht bedürfe zurücklassen zu dürfen, vorgetragen hatte, antwortete der Freiherr, die Farbe im Gesicht wechselnd, indem er eine andere Rede zu verschlucken schien: »er würde wohl tun, wenn er sich still in seinem Hause hielte, und den Schmaus bei dem Lockewitzer Amtmann vor der Hand noch aussetzte.« – Dabei wandte er sich, das ganze Gespräch zerschneidend, dem Offizianten zu, und sagte ihm: »daß es mit dem Befehl, den er ihm, in Bezug auf den Mann gegeben, sein Bewenden hätte*, und daß derselbe anders nicht, als in Begleitung sechs berittener Landsknechte die Stadt verlassen dürfe.« – Kohlhaas fragte: ob er ein Gefangener wäre, und ob er glauben solle, daß die ihm feierlich, vor den Augen der ganzen Welt <u>angelobte Amnestie gebrochen sei?</u> worauf der Freiherr sich plötzlich glutrot im Gesichte zu ihm wandte, und, indem er dicht vor ihn trat, und ihm in das Auge sah, antwortete: <u>ja! ja! ja!</u> – ihm den Rücken zukehrte, ihn stehen ließ, und wieder zu den Nagelschmidtschen Knechten ging. Hierauf verließ Kohlhaas den Saal, und ob er schon einsah, daß er sich das einzige Rettungsmittel, das ihm übrig blieb, die Flucht, durch die Schritte die er getan, sehr erschwert hatte, so lobte er sein Verfahren gleichwohl, weil er sich nunmehr

dabeibleiben solle

auch seinerseits von der Verbindlichkeit den Artikeln der Amnestie nachzukommen, befreit sah. Er ließ, da er zu Hause kam, die Pferde ausspannen, und begab sich, in Begleitung des Gubernial-Offizianten, sehr traurig und erschüttert in sein Zimmer; und während dieser Mann auf eine dem Roßhändler Ekel* erregende Weise, versicherte, daß ⌐alles nur auf einem Mißverständnis beruhen müsse⌐, das sich in Kurzem lösen würde, verriegelten die Häscher, auf seinen Wink, alle Ausgänge der Wohnung die auf den Hof führten; wobei der Offiziant ihm versicherte, daß ihm der vordere Haupteingang nach wie vor, zu seinem beliebigen Gebrauch offen stehe.

Widerwillen

Inzwischen war der Nagelschmidt in den Wäldern des Erzgebirgs, durch Häscher und Landsknechte von allen Seiten so gedrängt* worden, daß er bei dem gänzlichen Mangel an Hülfsmitteln, eine Rolle der Art, wie er sie übernommen, durchzuführen, auf den Gedanken verfiel, den Kohlhaas in der Tat ins Interesse zu ziehen; und da er von der Lage seines Rechtsstreits in Dresden durch einen Reisenden, der die Straße zog, mit ziemlicher Genauigkeit unterrichtet war: so glaubte er, der offenbaren Feindschaft, die unter ihnen bestand, zum Trotz, den Roßhändler bewegen zu können, eine neue Verbindung mit ihm einzugehen. Demnach schickte er einen Knecht, mit einem, ⌐in kaum leserlichem Deutsch abgefaßten Schreiben⌐ an ihn ab, des Inhalts: »Wenn er nach dem Altenburgischen kommen, und die Anführung des Haufens, der sich daselbst, aus Resten des aufgelösten zusammengefunden, wieder übernehmen wolle, so sei er erbötig, ihm zur Flucht aus seiner Haft in Dresden mit Pferden, Leuten und Geld an die Hand zu gehen; wobei er ihm versprach, künftig gehorsamer und überhaupt ordentlicher und besser zu sein, als vorher, und sich zum Beweis seiner Treue und Anhänglichkeit anheischig machte*, selbst in die Gegend von Dresden zu kommen, um seine Befreiung aus seinem Kerker zu bewirken.«

bedrängt

sich verpflichtete, sich anbot

Nun hatte der, mit diesem Brief beauftragte Kerl das ⌜Unglück⌝, in einem Dorf dicht vor Dresden, in Krämpfen häßlicher Art*, denen er von Jugend auf unterworfen war, niederzusinken; bei welcher Gelegenheit der Brief, den er im Brustlatz trug, von Leuten, die ihm zu Hülfe kamen, gefunden, er selbst aber, sobald er sich erholt, arretiert, und durch eine Wache unter Begleitung vielen Volks, auf das Gubernium transportiert ward. Sobald der Schloßhauptmann von Wenk diesen Brief gelesen hatte, verfügte er sich unverzüglich zum Kurfürsten aufs Schloß, wo er die Herren Kunz und Hinz, welcher Ersterer von seinen Wunden wieder hergestellt war, und den Präsidenten der Staatskanzlei, Grafen Kallheim, gegenwärtig fand. Die Herren waren der Meinung, daß der Kohlhaas ohne Weiteres arretiert, und ihm, auf den Grund geheimer Einverständnisse mit dem Nagelschmidt, der Prozeß gemacht werden müsse; indem sie bewiesen*, daß ein solcher Brief nicht, ohne daß frühere auch von Seiten des Roßhändlers vorangegangen, und ohne daß überhaupt eine frevelhafte und verbrecherische Verbindung, zu Schmiedung neuer Greuel, unter ihnen statt finden sollte, geschrieben sein könne. Der Kurfürst weigerte sich standhaft, auf den Grund bloß dieses Briefes, dem Kohlhaas das freie Geleit, das er ihm angelobt, zu brechen; er war vielmehr der Meinung, daß eine Art von Wahrscheinlichkeit aus dem Briefe des Nagelschmidt hervorgehe, daß keine frühere Verbindung zwischen ihnen statt gefunden habe; und Alles, wozu er sich, um hierüber auf's Reine zu kommen, auf den Vorschlag des Präsidenten, obschon nach großer Zögerung entschloß, war, den Brief durch den von dem Nagelschmidt abgeschickten Knecht, gleichsam als ob derselbe nach wie vor frei sei, an ihn abgeben zu lassen, und zu prüfen, ob er ihn beantworten würde. Dem gemäß ward der Knecht, den man in ein Gefängnis gesteckt hatte, am andern Morgen auf das Gubernium geführt, wo der Schloßhauptmann ihm den Brief

Michael Kohlhaas

wieder zustellte, und ihn unter dem Versprechen, daß er frei sein, und die Strafe die er verwirkt*, ihm erlassen sein solle, aufforderte, das Schreiben, als sei nichts vorgefallen, dem Roßhändler zu übergeben; zu welcher List schlechter
5 Art sich dieser Kerl auch ohne Weiteres gebrauchen ließ, und auf scheinbar geheimnisvolle Weise, unter dem Vorwand, daß er Krebse zu verkaufen habe, womit ihn der Gubernial-Offiziant, auf dem Markte, versorgt hatte, zu Kohlhaas ins Zimmer trat. Kohlhaas, der den Brief, wäh-
10 rend die Kinder mit den Krebsen spielten, las, würde den Gauner gewiß unter andern Umständen beim Kragen genommen, und den Landsknechten, die vor seiner Tür standen, überliefert haben; doch da bei der Stimmung der Gemüter auch selbst dieser Schritt noch einer gleichgültigen*
15 Auslegung fähig war, und er sich vollkommen überzeugt hatte, daß nichts auf der Welt ihn aus dem Handel, in dem er verwickelt war, retten konnte: so sah er dem Kerl, mit einem traurigen Blick, in sein ihm wohlbekanntes Gesicht, fragte ihn, wo er wohnte, und beschied ihn, in einigen Stun-
20 den, wieder zu sich, wo er ihm, in Bezug auf seinen Herrn, seinen Beschluß eröffnen wolle. Er hieß dem Sternbald, der zufällig in die Tür trat, dem Mann, der im Zimmer war, etliche Krebse abkaufen; und nachdem dies Geschäft abgemacht war, und beide sich ohne einander zu kennen*, ent-
25 fernt hatten, setzte er sich nieder und schrieb einen Brief folgenden Inhalts an den Nagelschmidt: »Zuvörderst daß er seinen Vorschlag, die Oberanführung seines Haufens im Altenburgischen betreffend, annähme; daß er dem gemäß, zur Befreiung aus der vorläufigen* Haft, in welcher er, mit
30 seinen fünf Kindern gehalten werde, ihm einen Wagen mit zwei Pferden nach der Neustadt bei Dresden schicken solle; daß er auch, rascheren Fortkommens wegen, noch eines Gespannes von zwei Pferden auf der Straße nach Wittenberg bedürfe, auf welchem Umweg er allein, aus Gründen,
35 die anzugeben zu weitläufig wären, zu ihm kommen

durch gesetzwidrige Handlungen verdient

gleichermaßen gültigen

ohne zu zeigen, dass sie einander kennen

gegenwärtigen

könne; daß er die Landsknechte, die ihn bewachten, zwar durch Bestechung gewinnen zu können glaube, für den Fall aber daß Gewalt nötig sei, ein Paar beherzte, gescheute und wohlbewaffnete Knechte, in der Neustadt bei Dresden gegenwärtig wissen wolle; daß er ihm zur Bestreitung der mit allen diesen Anstalten verbundenen Kosten, eine Rolle von zwanzig Goldkronen durch den Knecht zuschicke, über deren Verwendung er sich, nach abgemachter Sache, mit ihm berechnen* wolle; daß er sich übrigens, weil sie unnötig sei, seine eigne Anwesenheit bei seiner Befreiung in Dresden verbitte, ja ihm vielmehr den bestimmten Befehl erteile, zur einstweiligen Anführung der Bande, die nicht ohne Oberhaupt sein könne, im Altenburgischen zurückzubleiben.« – Diesen Brief, als der Knecht gegen Abend kam, überlieferte er ihm*; beschenkte ihn selbst reichlich, und schärfte ihm ein, denselben wohl in Acht zu nehmen. – ⌜Seine Absicht war mit seinen fünf Kindern nach Hamburg zu gehen, und sich von dort nach der Levante* oder nach Ostindien, oder so weit der Himmel über andere Menschen, als die er kannte, blau war, einzuschiffen: denn die Dickfütterung der Rappen hatte seine, von Gram sehr gebeugte Seele auch unabhängig von dem Widerwillen, mit dem Nagelschmidt deshalb gemeinschaftliche Sache zu machen, aufgegeben.⌝ – Kaum hatte der Kerl diese Antwort dem Schloßhauptmann überbracht, als der Großkanzler abgesetzt, der Präsident, Graf Kallheim, an dessen Stelle, zum Chef des Tribunals ernannt, und Kohlhaas, durch einen Kabinettsbefehl des Kurfürsten arretiert*, und schwer mit Ketten beladen in die Stadttürme gebracht ward. ⌜Man machte ihm auf den Grund dieses Briefes, der an alle Ecken der Stadt angeschlagen ward, den Prozeß; und da er vor den Schranken des Tribunals auf die Frage, ob er die Handschrift anerkenne, dem Rat, der sie ihm vorhielt, antwortete: »ja!«⌝ zur Antwort aber auf die Frage, ob er zu seiner Verteidigung etwas vorzubringen wisse, indem er den Blick

abrechnen

händigte er ihm aus

Die östl. Mittelmeerländer (Griechenland, Syrien, Arabien, Ägypten)

verhaftet

zur Erde schlug, erwiderte, »nein!« so ward er verurteilt, ⌐mit glühenden Zangen von Schinderknechten gekniffen, gevierteilt, und sein Körper, zwischen Rad und Galgen, verbrannt zu werden⌐.

5 ⌐So standen die Sachen für den armen Kohlhaas in Dresden, als der ⌐Kurfürst von Brandenburg⌐ zu seiner Rettung aus den Händen der Übermacht und Willkür auftrat⌐, und ihn, in einer bei der kurfürstlichen Staatskanzlei daselbst eingereichten Note*, als brandenburgischen Untertan re-
10 klamierte. Denn der wackere Stadthauptmann, Herr Heinrich von Geusau, hatte ihn, auf einem Spaziergange an den Ufern der Spree, von der Geschichte dieses sonderbaren und nicht verwerflichen Mannes unterrichtet, bei welcher Gelegenheit er von den Fragen des erstaunten Herrn ge-
15 drängt, nicht umhin konnte, der Schuld zu erwähnen, die durch die Unziemlichkeiten seines Erzkanzlers, des Grafen Siegfried von Kallheim, seine eigene Person drückte: worüber der Kurfürst schwer entrüstet, den Erzkanzler, nachdem er ihn zur Rede gestellt und befunden, daß die Ver-
20 wandtschaft desselben mit dem Hause derer von Tronka an allem Schuld sei, ohne Weiteres, mit mehreren Zeichen seiner Ungnade entsetzte, und den Herrn Heinrich von Geusau zum Erzkanzler ernannte.

Es traf sich aber, daß die Krone Pohlen grade damals, in-
25 dem sie mit dem Hause Sachsen, um welchen Gegenstandes willen wissen wir nicht, im Streit lag, den Kurfürsten von Brandenburg, in wiederholten und dringenden Vorstellungen anging, sich mit ihr in gemeinschaftlicher Sache gegen das Haus Sachsen zu verbinden; dergestalt, daß der
30 Erzkanzler, Herr Geusau, der in solchen Dingen nicht ungeschickt war, wohl hoffen durfte, den Wunsch seines Herrn, dem Kohlhaas, es koste was es wolle, Gerechtigkeit zu verschaffen, zu erfüllen, ohne die Ruhe des Ganzen auf eine mißlichere Art, als die Rücksicht auf einen Einzelnen
35 erlaubt, aufs Spiel zu setzen. Demnach forderte der Erz-

Schriftl. Mitteilung zw. Regierungsbehörden

kanzler nicht nur wegen gänzlich willkürlichen, Gott und Menschen mißgefälligen Verfahrens, die unbedingte und ungesäumte Auslieferung des Kohlhaas, um denselben, falls ihn eine Schuld drücke, nach brandenburgischen Gesetzen, auf Klageartikel, die der Dresdner Hof deshalb durch einen Anwalt in Berlin anhängig machen könne, zu richten; sondern er begehrte sogar selbst Pässe für einen Anwalt, den der Kurfürst nach Dresden zu schicken Willens sei, um dem Kohlhaas, wegen der ihm auf sächsischem Grund und Boden abgenommenen Rappen und anderer himmelschreienden Mißhandlungen und Gewalttaten halber, gegen den <u>Junker Wenzel von Tronka,</u> Recht zu verschaffen. Der Kämmerer, Herr Kunz, der bei der Veränderung der Staatsämter in Sachsen zum Präsidenten der Staatskanzlei ernannt worden war, und der aus mancherlei Gründen den Berliner Hof, in der Bedrängnis in der er sich befand, nicht verletzen wollte, antwortete im Namen seines über die eingegangene Note sehr niedergeschlagenen Herrn: »daß man sich über die Unfreundschaftlichkeit und Unbilligkeit wundere, mit welcher man dem Hofe zu Dresden das Recht abspräche, den Kohlhaas wegen Verbrechen, die er im Lande begangen, den Gesetzen gemäß zu richten, da doch weltbekannt sei, daß derselbe ein beträchtliches Grundstück in der Hauptstadt besitze, und sich selbst in der Qualität als sächsischen Bürger gar nicht verleugne.« Doch da die Krone Pohlen bereits zur Ausfechtung ihrer Ansprüche einen Heerhaufen von fünftausend Mann an der Grenze von Sachsen zusammenzog, und der Erzkanzler, Herr Heinrich von Geusau, erklärte: »daß ⌜Kohlhaasenbrück, der Ort, nach welchem der Roßhändler heiße, im Brandenburgischen liege⌝, und daß man die Vollstreckung des über ihn ausgesprochenen Todesurteils für ⌜eine Verletzung des Völkerrechts⌝ halten würde:« so rief der Kurfürst, auf den Rat des Kämmerers, Herrn Kunz selbst, der sich aus diesem Handel zurückzuziehen

wünschte, den Prinzen Christiern von Meißen von seinen
Gütern herbei, und entschloß sich, auf wenige Worte dieses
verständigen Herrn, den Kohlhaas, der Forderung gemäß,
an den Berliner Hof auszuliefern. Der Prinz, der obschon
5 mit den Unziemlichkeiten die vorgefallen waren, wenig zufrieden, die Leitung der Kohlhaasischen Sache auf den
Wunsch seines bedrängten Herrn, übernehmen mußte,
fragte ihn, auf welchen Grund er nunmehr den Roßhändler
bei dem ⌐Kammergericht zu Berlin⌐ verklagt wissen wolle;
10 und da man sich auf den leidigen Brief desselben an den
Nagelschmidt, ⌐wegen der zweideutigen und unklaren Umstände, unter welchen er geschrieben war⌐, nicht berufen
konnte, der früheren Plünderungen und Einäscherungen
aber, wegen des Plakats, worin sie ihm vergeben worden
15 waren, nicht erwähnen durfte: so beschloß der Kurfürst,
der Majestät des Kaisers zu Wien einen Bericht über den
bewaffneten Einfall des Kohlhaas in Sachsen vorzulegen,
sich über den ⌐Bruch des von ihm eingesetzten öffentlichen
Landfriedens⌐ zu beschweren, und sie, die allerdings durch
20 keine Amnestie gebunden war, anzuliegen*, den Kohlhaas
bei dem Hofgericht* zu Berlin deshalb durch einen Reichs-
ankläger* zur Rechenschaft zu ziehen. Acht Tage darauf
ward der Roßkamm durch den Ritter Friedrich von Malzahn, den der Kurfürst von Brandenburg mit sechs Reutern
25 nach Dresden geschickt hatte, geschlossen* wie er war, auf
einen Wagen geladen, und mit seinen fünf Kindern, die
man auf seine Bitte aus Findel- und Waisenhäusern wieder
zusammengesucht hatte, nach Berlin transportiert. Es traf
sich daß der Kurfürst von Sachsen auf die Einladung des
30 Landdrosts*, Grafen Aloysius von Kallheim, der damals an
der Grenze von Sachsen beträchtliche Besitzungen hatte, in
Gesellschaft des Kämmerers, Herrn Kunz, und seiner Gemahlin, der Dame ⌐Heloise⌐, Tochter des Landdrosts und
Schwester des Präsidenten, andrer glänzenden Herren und
35 Damen, Jagdjunker und Hofherren, die dabei waren, nicht

das Anliegen
vortragen zu
dürfen

Identisch mit
dem zuvor
genannten
Kammerge-
richt

Des Kaisers
höchster
Ankläger in
einem Prozess

gefesselt

Titel eines
Bezirksvorste-
hers, Landrats

zu erwähnen, ⌜zu einem großen Hirschjagen⌝, das man, um ihn zu erheitern, angestellt hatte, nach ⌜Dahme⌝ gereist war; dergestalt, daß unter dem Dach bewimpelter Zelte, die quer über die Straße auf einem Hügel erbaut waren, die ganze Gesellschaft vom Staub der Jagd noch bedeckt unter dem Schall einer heitern vom Stamm einer Eiche herschallenden Musik, von Pagen* bedient und Edelknaben, an der Tafel saß, als der Roßhändler langsam mit seiner Reuterbedeckung* die Straße von Dresden daher gezogen kam. Denn die Erkrankung eines der kleinen, zarten Kinder des Kohlhaas, hatte den Ritter von Malzahn, der ihn begleitete, genötigt, drei Tage lang in Herzberg* zurückzubleiben; von welcher Maßregel er, dem Fürsten dem er diente deshalb allein verantwortlich, nicht nötig befunden hatte, der Regierung zu Dresden weitere Kenntnis zu geben. Der Kurfürst, der mit halboffener Brust, den Federhut, nach Art der Jäger, mit Tannenzweigen geschmückt, neben der Dame Heloise saß, die, in Zeiten früherer Jugend, seine erste Liebe gewesen war, sagte von der Anmut des Festes, das ihn umgaukelte, heiter gestimmt: »Lasset uns hingehen, und dem Unglücklichen, wer es auch sei, diesen Becher mit Wein reichen!« Die Dame Heloise, mit einem herzlichen Blick auf ihn, stand sogleich auf, und füllte, die ganze Tafel plündernd, ein silbernes Geschirr, das ihr ein Page reichte, mit Früchten, Kuchen und Brot an; und schon hatte, mit Erquickungen jeglicher Art, die ganze Gesellschaft wimmelnd das Zelt verlassen, als der Landdrost ihnen mit einem verlegenen Gesicht entgegen kam, und sie bat zurückzubleiben. Auf die betretene Frage des Kurfürsten was vorgefallen wäre, daß er so bestürzt sei? antwortete der Landdrost stotternd gegen den Kämmerer gewandt, daß der Kohlhaas im Wagen sei; ⌜auf welche jedermann unbegreifliche Nachricht, indem weltbekannt war⌝, daß derselbe bereits vor sechs Tagen abgereist war, der Kämmerer, Herr Kunz, seinen Becher mit Wein nahm,

und ihn, mit einer Rückwendung gegen das Zelt, in den
Sand schüttete. Der Kurfürst setzte, über und über rot, den
seinigen auf einen Teller, den ihm ein Edelknabe auf den
Wink des Kämmerers zu diesem Zweck vorhielt; und wäh-
5 rend der Ritter Friedrich von Malzahn, unter ehrfurchts-
voller Begrüßung der Gesellschaft, die er nicht kannte,
langsam durch die Zeltleinen, die über die Straße liefen,
nach Dahme weiter zog, begaben sich die Herrschaften,
auf die Einladung des Landdrosts, ohne weiter davon No-
10 tiz zu nehmen, ins Zelt zurück. Der Landdrost, sobald sich
der Kurfürst niedergelassen hatte, schickte unter der Hand
nach Dahme, um bei dem Magistrat daselbst die unmittelbare Weiterschaffung des Roßhändlers bewirken zu lassen;
doch da der Ritter, wegen bereits zu weit vorgerückter Ta-
15 geszeit, bestimmt in dem Ort übernachten zu wollen erklärte, so mußte man sich begnügen, ihn in einer dem Magistrat zugehörigen Meierei, die, in Gebüschen versteckt,
auf der Seite lag, geräuschlos unterzubringen. Nun begab
es sich, daß gegen Abend, da die Herrschaften vom Wein
20 und dem Genuß eines üppigen Nachtisches zerstreut, den
ganzen Vorfall wieder vergessen hatten, der Landdrost den
Gedanken auf die Bahn brachte, sich noch einmal, eines
Rudels Hirsche wegen, der sich hatte blicken lassen, auf
den Anstand zu stellen; welchen Vorschlag die ganze Ge-
25 sellschaft mit Freuden ergriff, und Paarweise nachdem sie
sich mit Büchsen versorgt, über Gräben und Hecken in die
nahe Forst* eilte: dergestalt, daß der Kurfürst und die
Dame Heloise, die sich, um dem Schauspiel beizuwohnen,
an seinen Arm hing, von einem Boten, den man ihnen zu-
30 geordnet hatte, unmittelbar, zu ihrem Erstaunen, durch
den Hof des Hauses geführt wurden, in welchem Kohlhaas
mit den brandenburgischen Reutern befindlich war. Die
Dame als sie dies hörte, sagte: »kommt, gnädigster Herr,
kommt!« und versteckte die Kette, die ihm vom Halse her-
35 abhing, schäkernd in seinen seidenen Brustlatz: »laßt uns

*Der dem Herr-
scher zum
Jagen vorbe-
haltene Wald

ehe der Troß nachkömmt in die Meierei schleichen, und den wunderlichen Mann, der darin übernachtet, betrachten!« Der Kurfürst, indem er errötend ihre Hand ergriff, sagte: Heloise! was fällt euch ein? Doch da sie, indem sie ihn betreten ansah, versetzte: »daß ihn ja in der Jägertracht, die ihn decke, kein Mensch erkenne!« und ihn fortzog; und in eben diesem Augenblick ein Paar Jagdjunker, die ihre Neugierde schon befriedigt hatten, aus dem Hause heraustraten, versichernd, daß in der Tat, vermöge einer Veranstaltung, die der Landdrost getroffen, weder der Ritter noch der Roßhändler wisse, welche Gesellschaft in der Gegend von Dahme versammelt sei; so drückte der Kurfürst sich den Hut lächelnd in die Augen, und sagte: »Torheit, du regierst die Welt, und dein Sitz ist ein schöner weiblicher Mund!« – Es traf sich daß Kohlhaas eben mit dem Rücken gegen die Wand auf einem Bund Stroh saß, und sein, ihm in Herzberg erkranktes Kind mit Semmel und Milch fütterte, als die Herrschaften, um ihn zu besuchen, in die Meierei traten; und da die Dame ihn, um ein Gespräch einzuleiten, fragte: wer er sei? und was dem Kinde fehle? auch was er verbrochen und wohin man ihn unter solcher Bedeckung abführe? so rückte er seine lederne Mütze vor ihr, und gab ihr auf alle diese Fragen, indem er sein Geschäft fortsetzte, unreichliche aber befriedigende Antwort. Der Kurfürst, der hinter den Jagdjunkern stand, und eine kleine ⌐bleierne Kapsel⌐, die ihm an einem seidenen Faden vom Hals herabhing, bemerkte, fragte ihn, da sich grade nichts Besseres zur Unterhaltung darbot: ⌐was diese zu bedeuten hätte⌐ und was darin befindlich wäre? Kohlhaas erwiderte: »ja, gestrenger Herr, diese Kapsel!« – und damit streifte er sie vom Nacken ab, öffnete sie und nahm einen kleinen mit Mundlack* versiegelten Zettel heraus – »mit dieser Kapsel hat es eine wunderliche Bewandtnis! ⌐Sieben⌐ Monden mögen es etwa sein, ⌐genau am Tage nach dem Begräbnis meiner Frau⌐; und von Kohlhaasenbrück, wie

An Stelle von Siegellack benutzte, mit Speichel angefeuchtete Oblaten

euch vielleicht bekannt sein wird, war ich aufgebrochen, um des Junkers von Tronka, der mir viel Unrecht zugefügt, habhaft zu werden, als um einer Verhandlung willen, die mir unbekannt ist, der Kurfürst von Sachsen und der Kurfürst von Brandenburg in <u>Jüterbock</u>*, einem Marktflecken, durch den der Streifzug mich führte, eine Zusammenkunft hielten; und da sie sich gegen Abend ihren Wünschen gemäß vereinigt* hatten, so gingen sie, in freundschaftlichem Gespräch, durch die Straßen der Stadt, um den Jahrmarkt, der eben darin fröhlich abgehalten ward, in Augenschein zu nehmen. Da trafen sie auf eine ⌐Zigeunerin⌐, die, auf einem Schemel sitzend, dem Volk, das sie umringte, aus dem Kalender wahrsagte, und fragten sie scherzhafter Weise: ob sie ihnen nicht auch etwas, das ihnen lieb wäre, zu eröffnen hätte? Ich, der mit meinem Haufen eben in einem Wirtshause abgestiegen, und auf dem Platz, wo dieser Vorfall sich zutrug, gegenwärtig war, konnte hinter allem Volk, am Eingang einer Kirche, wo ich stand, nicht vernehmen, was die wunderliche Frau den Herren sagte; dergestalt, daß, da die Leute lachend einander zuflüsterten, sie teile nicht jedermann ihre Wissenschaft mit, und sich des Schauspiels wegen das sich bereitete, sehr bedrängten, ich, weniger neugierig, in der Tat, als um den Neugierigen Platz zu machen, auf eine Bank stieg, die hinter mir im Kircheneingange ausgehauen war. Kaum hatte ich von diesem Standpunkt aus, mit völliger Freiheit der Aussicht, die Herrschaften und das Weib, das auf dem Schemel vor ihnen saß und etwas aufzukritzeln schien, erblickt: da steht sie plötzlich auf ihre Krücken gelehnt, indem sie sich im Volk umsieht, auf; faßt mich, der nie ein Wort mit ihr wechselte, noch ihrer Wissenschaft Zeit seines Lebens begehrte, ins Auge; drängt sich durch den ganzen dichten Auflauf der Menschen zu mir heran und spricht: »da! wenn es der Herr wissen will, so mag er dich danach fragen!« Und damit, gestrenger Herr, reichte sie mir mit ihren dürren knöcher-

Jüterbog, Ort nordwestl. v. Dahme

geeinigt

nen Händen diesen Zettel dar. Und da ich betreten, während sich alles Volk zu mir umwendet, spreche: Mütterchen, was auch verehrst du mir da? antwortet sie, nach vielem unvernehmlichen* Zeug, worunter ich jedoch zu meinem großen Befremden meinen Namen höre: »ein 5
Amulett, Kohlhaas, der Roßhändler; verwahr' es wohl, ⌜es wird dir dereinst das Leben retten⌝!« und verschwindet. – Nun!« fuhr Kohlhaas gutmütig fort: »die Wahrheit zu gestehen, hats mir in Dresden, so scharf es herging, das Leben nicht gekostet; und wie es mir in Berlin gehen wird, und ob 10
ich auch dort damit bestehen werde, soll die Zukunft lehren.« – Bei diesen Worten setzte sich der Kurfürst auf eine Bank; und ob er schon auf die betretne Frage der Dame: was ihm fehle? antwortete: nichts, gar nichts! so fiel er doch schon ohnmächtig auf den Boden nieder, ehe sie noch 15
Zeit hatte ihm beizuspringen, und in ihre Arme aufzunehmen. Der Ritter von Malzahn, der in eben diesem Augenblick, eines Geschäfts halber, ins Zimmer trat, sprach: heiliger Gott! was fehlt dem Herrn? die Dame rief: schafft Wasser her! Die Jagdjunker hoben ihn auf und trugen ihn 20
auf ein im Nebenzimmer befindliches Bett; und die Bestürzung erreichte ihren Gipfel, als der Kämmerer, den ein Page herbeirief, nach mehreren vergeblichen Bemühungen, ihn ins Leben zurückzubringen, erklärte: er gebe alle Zeichen von sich, als ob ihn der Schlag gerührt! Der Landdrost, 25
während der Mundschenk einen reitenden Boten nach Luckau schickte, um einen Arzt herbeizuholen, ließ ihn, da er die Augen aufschlug, in einen Wagen bringen, und Schritt vor Schritt nach seinem in der Gegend befindlichen Jagdschloß abführen; aber diese Reise zog ihm, nach seiner 30
Ankunft daselbst, zwei neue Ohnmachten zu: dergestalt, daß er sich erst spät am andern Morgen, bei der Ankunft des Arztes aus Luckau, unter gleichwohl entscheidenden Symptomen eines herannahenden ⌜Nervenfiebers⌝, einigermaßen erholte. Sobald er seiner Sinne mächtig geworden 35

war, richtete er sich halb im Bette auf, und seine erste Frage
war gleich: wo der Kohlhaas sei? Der Kämmerer, der seine
Frage mißverstand, sagte, indem er seine Hand ergriff: daß
er sich dieses entsetzlichen Menschen wegen beruhigen
5 mögte, indem derselbe, seiner Bestimmung gemäß, nach
jenem sonderbaren und unbegreiflichen Vorfall, in der
Meierei zu Dahme, unter brandenburgischer Bedeckung,
zurückgeblieben wäre. Er fragte ihn, unter der Versicherung seiner lebhaftesten Teilnahme und der Beteurung, daß
10 er seiner Frau, wegen des unverantwortlichen Leichtsinns,
ihn mit diesem Mann zusammenzubringen, die bittersten
Vorwürfe gemacht hätte: was ihn denn so wunderbar und
ungeheuer in der Unterredung mit demselben ergriffen
hätte? Der Kurfürst sagte: er müsse ihm nur gestehen, daß
15 der Anblick eines nichtigen Zettels, den der Mann in einer
bleiernen Kapsel mit sich führe, Schuld an dem ganzen unangenehmen Zufall sei, der ihm zugestoßen. Er setzte
noch mancherlei zur Erklärung dieses Umstands, das der
Kämmerer nicht verstand, hinzu; versicherte ihn plötzlich,
20 indem er seine Hand zwischen die seinigen drückte, daß
ihm der Besitz dieses Zettels von der äußersten Wichtigkeit
sei; und bat ihn, unverzüglich aufzusitzen, nach Dahme zu
reiten, und ihm den Zettel, um welchen Preis es immer sei,
von demselben zu erhandeln. Der Kämmerer, der Mühe
25 hatte, seine Verlegenheit zu verbergen, versicherte ihn: daß,
falls dieser Zettel einigen Wert für ihn hätte, nichts auf der
Welt notwendiger wäre, als dem Kohlhaas diesen Umstand
zu verschweigen; indem, sobald derselbe durch eine un-
vorsichtige Äußerung Kenntnis davon nähme, alle Reich-
30 tümer, die er besäße, nicht hinreichen würden, ihn aus den
Händen dieses grimmigen, in seiner Rachsucht unersättli-
chen Kerls zu erkaufen. Er fügte, um ihn zu beruhigen,
hinzu, daß man auf ein anderes Mittel denken müsse, und
daß es vielleicht durch List, vermöge eines Dritten ganz
35 Unbefangenen, indem der Bösewicht wahrscheinlich, an

und für sich, nicht sehr daran hänge, möglich sein würde, sich den Besitz des Zettels, an dem ihm so viel gelegen sei, zu verschaffen. Der Kurfürst, indem er sich den Schweiß abtrocknete, fragte: ob man nicht unmittelbar zu diesem Zweck nach Dahme schicken, und den weiteren Transport des Roßhändlers, vorläufig, bis man des Blattes, auf welche Weise es sei, habhaft geworden, einstellen könne? Der Kämmerer, der seinen Sinnen nicht traute, versetzte: daß leider allen wahrscheinlichen Berechnungen zufolge, der Roßhändler Dahme bereits verlassen haben, und sich jenseits der Grenze, auf brandenburgischem Grund und Boden befinden müsse, wo das Unternehmen, die Fortschaffung desselben zu hemmen, oder wohl gar rückgängig zu machen, die unangenehmsten und weitläuftigsten, ja solche Schwierigkeiten, die vielleicht gar nicht zu beseitigen wären, veranlassen würde. Er fragte ihn, da der Kurfürst sich schweigend, mit der Gebärde eines ganz Hoffnungslosen, auf das Kissen zurücklegte: was denn der Zettel enthalte? und durch welchen Zufall befremdlicher und unerklärlicher Art ihm, daß der Inhalt ihn betreffe, bekannt sei? Hierauf aber, unter zweideutigen Blicken auf den Kämmerer, dessen Willfährigkeit er in diesem Falle mißtraute, antwortete der Kurfürst nicht: starr, mit unruhig klopfendem Herzen lag er da, und sah auf die Spitze des Schnupftuchs nieder, das er gedankenvoll zwischen den Händen hielt; und bat ihn plötzlich, den Jagdjunker vom Stein, einen jungen, rüstigen und gewandten Herrn, dessen er sich öfter schon zu geheimen Geschäften bedient hatte, unter dem Vorwand, daß er ein anderweitiges Geschäft mit ihm abzumachen habe, ins Zimmer zu rufen. Den Jagdjunker, nachdem er ihm die Sache auseinandergelegt, und von der Wichtigkeit des Zettels, in dessen Besitz der Kohlhaas war, unterrichtet hatte, fragte er, ob er sich ein ewiges Recht auf seine Freundschaft erwerben, und ihm den Zettel, noch ehe derselbe Berlin erreicht, verschaffen wolle? und da der Junker, sobald er das Verhältnis nur, sonderbar wie es war, einigermaßen überschaute, versicherte, daß er ihm mit allen seinen Kräften zu Diensten stehe: so trug ihm der Kurfürst auf, dem Kohlhaas nachzureiten, und ihm, da demselben mit Geld wahrscheinlich nicht beizukommen sei, in einer mit Klugheit angeordneten Unterredung, Freiheit und Leben dafür anzubieten, ja ihm, wenn er darauf bestehe, unmittelbar, obschon mit Vorsicht, zur Flucht aus den Händen der brandenburgischen Reuter, die ihn transportierten, mit Pferden, Leuten und Geld an die Hand zu gehen*. Der Jagdjunker, nachdem er sich ein Blatt von der Hand des Kurfürsten zur Beglaubigung ausgebeten, brach auch sogleich mit einigen Knechten auf, und hatte, da er den Odem* der Pferde nicht sparte, das Glück, den Kohlhaas auf einem Grenzdorf zu treffen, wo derselbe mit dem Ritter von Malzahn und seinen fünf Kindern ein Mittagsmahl, das im Freien vor der Tür eines Hauses angerichtet war, zu sich nahm. Der Ritter von Malzahn, dem der Junker sich als einen Fremden, der bei seiner Durchreise den seltsamen Mann, den er mit sich führe, in Augenschein zu nehmen wünsche, vorstellte, nötigte ihn sogleich auf zuvorkommende Art, indem er ihn mit dem Kohlhaas bekannt machte, an der Tafel nieder; und da der Ritter in Geschäften der Abreise ab und zuging, die Reuter aber an einem, auf des Hauses anderer Seite befindlichen Tisch, ihre Mahlzeit hielten: so traf sich die Gelegenheit bald, wo der Junker dem Roßhändler eröffnen konnte, wer er sei, und in welchen besonderen Aufträgen er zu ihm komme. Der Roßhändler, der bereits Rang und Namen dessen, der beim Anblick der in Rede stehenden Kapsel, in der Meierei zu Dahme in Ohnmacht gefallen war, kannte, und der zur Krönung des Taumels, in welchen ihn diese Entdeckung versetzt hatte, nichts bedurfte, als Einsicht in die Geheimnisse des Zettels, den er, um mancherlei Gründe willen, entschlossen war, aus bloßer Neugierde nicht zu eröffnen:

zu verhelfen

Atem

der Roßhändler sagte, eingedenk der unedelmütigen und unfürstlichen Behandlung, die er in Dresden, bei seiner gänzlichen Bereitwilligkeit, alle nur möglichen Opfer zu bringen, hatte erfahren müssen: »daß er den Zettel behalten wolle.« Auf die Frage des Jagdjunkers: was ihn zu dieser sonderbaren Weigerung, da man ihm doch nichts Minderes, als Freiheit und Leben dafür anbiete, veranlasse? antwortete Kohlhaas: »Edler Herr! Wenn euer Landesherr käme, und spräche, ich will mich, mit dem ganzen Troß derer, die mir das Szepter führen helfen, vernichten – vernichten, versteht ihr, welches allerdings der größeste Wunsch ist, den meine Seele hegt: so würde ich ihm doch den Zettel noch, der ihm mehr wert ist, als das Dasein, verweigern und sprechen: du kannst mich auf das Schafott bringen, ich aber kann dir weh tun, und ich will's!« Und damit, im Antlitz den Tod*, rief er einen Reuter herbei, unter der Aufforderung, ein gutes Stück Essen, das in der Schüssel übrig geblieben war, zu sich zu nehmen; und für den ganzen Rest der Stunde, die er im Flecken zubrachte, für den Junker, der an der Tafel saß, wie nicht vorhanden, wandte er sich erst wieder, als er den Wagen bestieg, mit einem Blick, der ihn abschiedlich grüßte, zu ihm zurück. – Der Zustand des Kurfürsten, als er diese Nachricht bekam, verschlimmerte sich in dem Grade, daß der Arzt, während drei verhängnisvoller Tage, seines Lebens wegen, das zu gleicher Zeit, von so vielen Seiten angegriffen ward, in der größesten Besorgnis war. Gleichwohl stellte er sich, durch die Kraft seiner natürlichen Gesundheit, nach dem Krankenlager einiger peinlich* zugebrachten Wochen wieder her; dergestalt wenigstens, daß man ihn in einen Wagen bringen, und mit Kissen und Decken wohl versehen, nach Dresden zu seinen Regierungsgeschäften wieder zurückführen konnte. Sobald er in dieser Stadt angekommen war, ließ er den Prinzen Christiern von Meißen rufen, und fragte denselben: wie es mit der Abfertigung des Gerichtsrats Ei-

totenbleich

in Pein, unter
Schmerzen

Michael Kohlhaas

benmayer stünde, den man, als Anwalt in der Sache des
Kohlhaas, nach Wien zu schicken gesonnen gewesen wäre,
um kaiserlicher Majestät daselbst die Beschwerde wegen
gebrochenen, kaiserlichen Landfriedens, vorzulegen? Der
5 Prinz antwortete ihm: daß derselbe, dem, bei seiner Abreise
nach Dahme hinterlassenen Befehl gemäß, gleich nach Ankunft des Rechtsgelehrten Zäuner, den der Kurfürst von
Brandenburg als Anwalt nach Dresden geschickt hätte, um
die Klage desselben, gegen den Junker Wenzel von Tronka,
10 der Rappen wegen, vor Gericht zu bringen, nach Wien
abgegangen wäre. Der Kurfürst, indem er errötend an seinen Arbeitstisch trat, wunderte sich über diese Eilfertig-
keit, indem er seines Wissens erklärt hätte, die definitive
Abreise des Eibenmayer, wegen vorher notwendiger Rück-
15 sprache mit dem Doktor Luther, der dem Kohlhaas die
Amnestie ausgewirkt, einem näheren und bestimmteren
Befehl vorbehalten zu wollen. Dabei warf er einige Briefschaften und Akten, die auf dem Tisch lagen, mit dem Ausdruck zurückgehaltenen Unwillens, über einander. Der
20 Prinz, nach einer Pause, in welcher er ihn mit großen Augen
ansah, versetzte, daß es ihm leid täte, wenn er seine Zufriedenheit in dieser Sache verfehlt habe; inzwischen könne
er ihm den Beschluß des Staatsrats vorzeigen, worin ihm
die Abschickung des Rechtsanwalts, zu dem besagten Zeit-
25 punkt, zur Pflicht gemacht worden wäre. Er setzte hinzu,
daß im Staatsrat von einer Rücksprache mit dem Doktor
Luther, auf keine Weise die Rede gewesen wäre; daß es
früherhin vielleicht zweckmäßig gewesen sein möchte, diesen geistlichen Herrn, wegen der Verwendung, die er dem
30 Kohlhaas angedeihen lassen, zu berücksichtigen, nicht
aber jetzt mehr, nachdem man demselben die Amnestie vor
den Augen der ganzen Welt gebrochen, ihn arretiert, und
zur Verurteilung und Hinrichtung an die brandenburgischen Gerichte ausgeliefert hätte. Der Kurfürst sagte: das
35 Versehen, den Eibenmayer abgeschickt zu haben, wäre

auch in der Tat nicht groß; inzwischen wünsche er, daß
derselbe vorläufig, bis auf weiteren Befehl, in seiner Eigenschaft als Ankläger zu Wien nicht aufträte, und bat den
Prinzen, deshalb das Erforderliche unverzüglich durch einen Expressen*, an ihn zu erlassen. Der Prinz antwortete: 5
daß dieser Befehl leider um einen Tag zu spät käme, indem
der Eibenmayer bereits nach einem Berichte, der eben
heute eingelaufen, in seiner Qualität als Anwalt aufgetre-
ten, und mit Einreichung der Klage bei der Wiener Staatskanzlei vorgegangen wäre. Er setzte auf die betroffene 10
Frage des Kurfürsten: wie dies überall* in so kurzer Zeit
möglich sei? hinzu: daß bereits, seit der Abreise dieses
Mannes drei Wochen verstrichen wären, und daß die Instruktion, die er erhalten, ihm eine ungesäumte Abmachung dieses Geschäfts, gleich nach seiner Ankunft in Wien 15
zur Pflicht gemacht hätte. Eine Verzögerung, bemerkte der
Prinz, würde in diesem Fall um so unschicklicher gewesen
sein, da der brandenburgische Anwalt Zäuner, gegen den
Junker Wenzel von Tronka mit dem trotzigsten Nachdruck
verfahre, und bereits auf eine vorläufige Zurückziehung 20
der Rappen, aus den Händen des Abdeckers, behufs* ihrer
künftigen Wiederherstellung, bei dem Gerichtshof angetragen, und auch aller Einwendungen der Gegenpart ungeachtet, auch durchgesetzt habe. Der Kurfürst, indem er die
Klingel zog, sagte: »gleichviel! es hätte nichts zu bedeu- 25
ten!« und nachdem er sich mit gleichgültigen Fragen: »wie
es sonst in Dresden stehe? und was in seiner Abwesenheit
vorgefallen sei?« zu dem Prinzen zurückgewandt hatte:
grüßte er ihn, unfähig seinen innersten Zustand zu verbergen, mit der Hand, und entließ ihn. Er forderte ihm noch an 30
demselben Tage schriftlich, unter dem Vorwande, daß er
die Sache, ihrer politischen Wichtigkeit wegen, selbst be-
arbeiten wolle, die sämtlichen Kohlhaasischen Akten ab;
und da ihm der Gedanke, denjenigen zu verderben, von
dem er allein über die Geheimnisse des Zettels Auskunft 35

Eilboten

überhaupt

zu dem Zweck

erhalten konnte, unerträglich war: so verfaßte er einen eigenhändigen Brief an den Kaiser, worin er ihn auf herzliche
und dringende Weise bat, aus wichtigen Gründen, die er
ihm vielleicht in kurzer Zeit bestimmter auseinander legen
5 würde, die Klage, die der Eibenmayer gegen den Kohlhaas
eingereicht, vorläufig bis auf einen weiteren Beschluß, zu-
rücknehmen zu dürfen. Der Kaiser, in einer durch die
Staatskanzlei ausgefertigten Note, antwortete ihm: »daß
der Wechsel, der plötzlich in seiner Brust vorgegangen zu
10 sein scheine, ihn aufs Äußerste befremde; daß der sächsi-
scher Seits an ihn erlassene Bericht, die Sache des Kohlhaas
zu einer ⌐Angelegenheit gesamten heiligen römischen
Reichs⌐ gemacht hätte; daß demgemäß er, der Kaiser, als
Oberhaupt desselben, sich verpflichtet gesehen hätte, als
15 Ankläger in dieser Sache bei dem Hause Brandenburg aufzutreten; dergestalt, daß da bereits der Hof-Assessor
⌐Franz Müller⌐, in der Eigenschaft als Anwalt nach Berlin
gegangen wäre, um den Kohlhaas daselbst, wegen Verletzung des öffentlichen Landfriedens, zur Rechenschaft zu
20 ziehen, die Beschwerde nunmehr auf keine Weise zurück-
genommen werden könne, und die Sache den Gesetzen gemäß, ihren weiteren Fortgang nehmen müsse.« Dieser
Brief schlug den Kurfürsten völlig nieder; und da, zu seiner
äußersten Betrübnis, in einiger Zeit* Privatschreiben aus nach
einiger Zeit
25 Berlin einliefen, in welchen die Einleitung des Prozesses bei
dem Kammergericht gemeldet, und bemerkt ward, daß der
Kohlhaas wahrscheinlich, allen Bemühungen des ihm zu-
geordneten Advokaten ungeachtet, auf dem Schafott en-
den werde: so beschloß dieser unglückliche Herr noch
30 einen Versuch zu machen, und bat den Kurfürsten von
Brandenburg, in einer eigenhändigen Zuschrift, um des
Roßhändlers Leben. Er schützte vor, daß die Amnestie, die
man diesem Manne angelobt, die Vollstreckung eines Todesurteils an demselben, füglicher Weise, nicht zulasse; ver-
35 sicherte ihn, daß es, trotz der scheinbaren Strenge, mit wel-

cher man gegen ihn verfahren, nie seine Absicht gewesen wäre, ihn sterben zu lassen; und beschrieb ihm, wie trostlos er sein würde, wenn der Schutz, den man vorgegeben hätte, ihm von Berlin aus angedeihen lassen zu wollen, zuletzt, in einer unerwarteten Wendung, zu seinem größeren Nachteile ausschlüge, als wenn er in Dresden geblieben, und seine Sache nach sächsischen Gesetzen entschieden worden wäre. Der Kurfürst von Brandenburg, dem in dieser Angabe ⌈mancherlei zweideutig und unklar schien⌉, antwortete ihm: »daß der Nachdruck, mit welchem der Anwalt kaiserlicher Majestät verführe, platterdings nicht erlaube, dem Wunsch, den er ihm geäußert, gemäß, von der ⌈strengen Vorschrift der Gesetze⌉ abzuweichen. Er bemerkte, daß die ihm vorgelegte Besorgnis in der Tat zu weit ginge, indem die Beschwerde, wegen der dem Kohlhaas in der Amnestie verziehenen Verbrechen ja nicht von ihm, der demselben die Amnestie erteilt, sondern von dem Reichsoberhaupt, das daran auf keine Weise gebunden sei, bei dem Kammergericht zu Berlin anhängig gemacht worden wäre. Dabei stellte er ihm vor, wie notwendig bei den fortdauernden Gewalttätigkeiten des Nagelschmidt, die sich sogar schon, mit unerhörter Dreistigkeit*, bis aufs brandenburgische Gebiet erstreckten, die Statuierung* eines abschreckenden Beispiels wäre, und bat ihn, falls er dies Alles nicht berücksichtigen wolle, sich an des Kaisers Majestät selbst zu wenden, indem, wenn dem Kohlhaas zu Gunsten ein Machtspruch fallen sollte, dies allein auf eine Erklärung von dieser Seite her geschehen könne.« Der Kurfürst, aus Gram und Ärger über alle diese mißglückten Versuche, verfiel in eine neue Krankheit; und da der Kämmerer ihn an einem Morgen besuchte, zeigte er ihm die Briefe, die er, um dem Kohlhaas das Leben zu fristen, und somit wenigstens Zeit zu gewinnen, des Zettels, den er besäße, habhaft zu werden, an den Wiener und Berliner Hof erlassen. Der Kämmerer warf sich auf Knien vor ihm nieder, und bat ihn,

um Alles was ihm heilig und teuer sei, ihm zu sagen, was
dieser Zettel enthalte? Der Kurfürst sprach, er mögte das
Zimmer verriegeln, und sich auf das Bett niedersetzen; und
nachdem er seine Hand ergriffen, und mit einem Seufzer an
5 sein Herz gedrückt hatte, begann er folgendergestalt:
»Deine Frau hat dir, wie ich höre, schon erzählt, daß der
Kurfürst von Brandenburg und ich, am dritten Tage der
Zusammenkunft, die wir in Jüterbock hielten, auf eine Zigeunerin trafen; und da der Kurfürst, aufgeweckt wie er
10 von Natur ist, beschloß, den Ruf dieser abenteuerlichen
Frau, von deren Kunst, eben bei der Tafel, auf ungebühr-
liche Weise die Rede gewesen war, durch einen Scherz im
Angesicht alles Volks zu nichte zu machen: so trat er mit
verschränkten Armen vor ihren Tisch, und ⌐forderte, der
15 Weissagung wegen, die sie ihm machen sollte, ein Zeichen
von ihr⌐, das sich noch heute erproben ließe, vorschützend,
daß er sonst nicht, und wäre sie auch ⌐die römische Sybille⌐
selbst, an ihre Worte glauben könne. Die Frau, indem sie
uns flüchtig von Kopf zu Fuß maß, sagte: das Zeichen
20 würde sein, daß uns der große, gehörnte Rehbock, den der
Sohn des Gärtners im Park erzog, auf dem Markt, worauf
wir uns befanden, bevor wir ihn noch verlassen, entgegen-
kommen würde. ⌐Nun mußt du wissen, daß dieser, für die
Dresdner Küche bestimmte Rehbock, in einem mit Latten
25 hoch verzäunten Verschlage, den die Eichen des Parks be-
schatteten, hinter Schloß und Riegel aufbewahrt ward,
dergestalt, daß, da überdies anderen kleineren Wildes und
Geflügels wegen, der Park überhaupt und obenein der Garten, der zu ihm führte, in sorgfältigem Beschluß* gehalten
30 ward, schlechterdings nicht abzusehen war, wie uns das
Tier, diesem sonderbaren Vorgeben* gemäß, bis auf dem
Platz, wo wir standen, entgegen kommen würde⌐; gleichwohl schickte der Kurfürst aus Besorgnis vor einer dahinter steckenden Schelmerei*, nach einer kurzen Abrede mit
35 mir, entschlossen, auf unabänderliche Weise, Alles was sie

unter
Verschluss

Behauptung,
deren Wahr-
heitswert
zweifelhaft ist

Betrug

noch vorbringen würde, des Spaßes wegen, zu Schanden zu machen, ins Schloß, und befahl, daß der Rehbock augenblicklich getötet, und für die Tafel, an einem der nächsten Tage, zubereitet werden solle. Hierauf wandte er sich zu der Frau, vor welcher diese Sache laut verhandelt worden war, zurück, und sagte: nun, wohlan! was hast du mir für die Zukunft zu entdecken? Die Frau, indem sie in seine Hand sah, sprach: Heil meinem Kurfürsten und Herrn! Deine Gnaden wird lange regieren, das Haus, aus dem du stammst, lange bestehen, und deine Nachkommen groß und herrlich werden und zu Macht gelangen, vor allen Fürsten und Herren der Welt! Der Kurfürst, nach einer Pause, in welcher er die Frau gedankenvoll ansah, sagte halblaut, mit einem Schritte, den er zu mir tat, daß es ihm jetzo fast Leid täte, einen Boten abgeschickt zu haben, um die Weissagung zu nichte zu machen; und während das Geld aus den Händen der Ritter, die ihm folgten, der Frau haufenweis, unter vielem Jubel, in den Schoß regnete, fragte er sie, indem er selbst in die Tasche griff, und ein Goldstück dazulegte: ob der Gruß, den sie mir zu eröffnen hätte, auch von so silbernem Klang wäre, als der seinige? Die Frau, nachdem sie einen Kasten, der ihr zur Seite stand, aufgemacht, und das Geld, nach Sorte und Menge, weitläufig und umständlich darin geordnet, und den Kasten wieder verschlossen hatte, schützte ihre Hand vor die Sonne, gleichsam als ob sie ihr lästig wäre, und sah mich an; und da ich die Frage an sie wiederholte, und, auf scherzhafte Weise, während sie meine Hand prüfte, zum Kurfürsten sagte: *mir* scheint es, hat sie nichts, das eben angenehm wäre, zu verkündigen: so ergriff sie ihre Krücken, hob sich langsam daran vom Schemel empor, und indem sie sich, mit geheimnisvoll vorgehaltenen Händen, dicht zu mir heran drängte, flüsterte sie mir vernehmlich ins Ohr: nein! – So! sagt' ich verwirrt, und trat einen Schritt vor der ⌐Gestalt zurück, die sich, mit einem Blick, kalt und leblos, wie aus

marmornen Augen⌐, auf den Schemel, der hinter ihr stand,
zurücksetzte: von welcher Seite her droht meinem Hause
Gefahr? Die Frau, indem sie eine Kohle und ein Papier zur
Hand nahm und ihre Knie kreuzte, fragte: ob sie es mir
aufschreiben solle? und da ich, verlegen in der Tat, bloß
weil mir, unter den bestehenden Umständen, nichts anders
übrig blieb, antworte: ja! das tu! so versetzte sie: »wohlan!
⌐dreierlei schreib' ich dir auf: den Namen des letzten Re-
genten deines Hauses, die Jahrszahl, da er sein Reich verlieren, und den Namen dessen, der es, durch die Gewalt der
Waffen, an sich reißen wird.⌐« Dies, vor den Augen allen
Volks abgemacht, erhebt sie sich, verklebt den Zettel mit
Lack, den sie in ihrem welken Munde befeuchtet, und
drückt einen bleiernen, an ihrem Mittelfinger befindlichen
⌐Siegelring⌐ darauf. Und da ich den Zettel, neugierig, wie
du leicht begreifst, mehr als Worte sagen können, erfassen
will, spricht sie: »mit nichten, Hoheit!« und wendet sich
und hebt ihrer Krücken Eine empor: »von jenem Mann
dort, der, mit dem Federhut, auf der Bank steht, hinter
allem Volk, am Kircheneingang, lösest du, wenn es dir be-
liebt, den Zettel ein!« ⌐Und damit, ehe ich noch recht begriffen, was sie sagt, auf dem Platz, vor Erstaunen sprachlos, läßt sie mich stehen; und während sie den Kasten, der
hinter ihr stand, zusammenschlug, und über den Rücken
warf, mischt sie sich, ohne daß ich weiter bemerken
konnte, was sie tut, unter den Haufen des uns umringenden
Volks.⌐ Nun trat, zu meinem in der Tat herzlichen Trost, in
eben diesem Augenblick der Ritter auf, den der Kurfürst
ins Schloß geschickt hatte, und meldete ihm, mit lachen-
dem Munde, daß der Rehbock getötet, und durch zwei
Jäger, vor seinen Augen, in den Küche geschleppt worden
sei. Der Kurfürst, indem er seinen Arm munter in den mei-
nigen legte, in der Absicht, mich von dem Platz hinweg-
zuführen, sagte: nun, wohlan! so war die Prophezeihung
eine alltägliche Gaunerei, und Zeit und Gold, die sie uns

gekostet nicht wert! Aber wie groß war unser Erstaunen, da sich, noch während dieser Worte, ein Geschrei rings auf dem Platze erhob, und aller Augen sich einem großen, vom Schloßhof herantrabenden Schlächterhund zuwandten, der in der Küche den Rehbock als gute Beute beim Nacken erfaßt, und das Tier drei Schritte von uns, verfolgt von Knechten und Mägden, auf den Boden fallen ließ: dergestalt, daß in der Tat die Prophezeihung des Weibes, zum Unterpfand alles dessen, was sie vorgebracht, erfüllt, und der Rehbock uns bis auf den Markt, obschon allerdings tot, entgegen gekommen war. Der Blitz, der an einem Wintertag vom Himmel fällt, kann nicht vernichtender treffen, als mich dieser Anblick, und meine erste Bemühung, sobald ich der Gesellschaft in der ich mich befand, überhoben*, war gleich, den Mann mit dem Federhut, den mir das Weib bezeichnet hatte, auszumitteln*; doch keiner meiner Leute, unausgesetzt während drei Tage auf Kundschaft geschickt, war im Stande mir auch nur auf die entfernteste Weise Nachricht davon zu geben: und jetzt, Freund Kunz, vor wenig Wochen, in der Meierei zu Dahme, habe ich den Mann mit meinen eigenen Augen gesehn.« – Und damit ließ er die Hand des Kämmerers fahren; und während er sich den Schweiß abtrocknete, sank er wieder auf das Lager zurück. Der Kämmerer, der es für vergebliche Mühe hielt, mit seiner Ansicht von diesem Vorfall die Ansicht, die der Kurfürst davon hatte, zu durchkreuzen und zu berichtigen, bat ihn, doch irgend ein Mittel zu versuchen, des Zettels habhaft zu werden, und den Kerl nachher seinem Schicksal zu überlassen; doch der Kurfürst antwortete, daß er platterdings kein Mittel dazu sähe, obschon der Gedanke, ihn entbehren zu müssen, oder wohl gar die Wissenschaft davon mit diesem Menschen untergehen zu sehen, ihn dem Jammer und der Verzweiflung nahe brächte. Auf die Frage des Freundes: ob er denn Versuche gemacht, die Person der Zigeunerin selbst auszuforschen? erwiderte der Kurfürst,

Michael Kohlhaas

daß das Gubernium, auf einen Befehl, den er unter einem
falschen Vorwand an dasselbe erlassen, diesem Weibe vergebens, bis auf den heutigen Tag, in allen Plätzen des Kurfürstentums nachspüre: wobei er, aus Gründen, die er jedoch näher zu entwickeln sich weigerte, überhaupt zwei-
felte, daß sie in Sachsen auszumitteln sei. Nun traf es sich,
daß der Kämmerer, mehrerer beträchtlichen Güter wegen,
die seiner Frau aus der Hinterlassenschaft des abgesetzten
und bald darauf verstorbenen Erzkanzlers, Grafen Kallheim, in der Neumark zugefallen waren, nach Berlin reisen
wollte; dergestalt, daß, da er den Kurfürsten in der Tat
liebte, er ihn nach einer kurzen Überlegung fragte: ob er
ihm in dieser Sache freie Hand lassen wolle? und da dieser,
indem er seine Hand herzlich an seine Brust drückte, antwortete: »denke, du seist ich, und schaff mir den Zettel!«
so beschleunigte der Kämmerer, nachdem er seine Geschäfte abgegeben, um einige Tage seine Abreise, und fuhr,
mit Zurücklassung seiner Frau, bloß von einigen Bedienten
begleitet, nach Berlin ab.

Kohlhaas, der inzwischen, wie schon gesagt, in Berlin angekommen, und, auf einen Spezialbefehl des Kurfürsten, in
ein ritterliches Gefängnis gebracht worden war, das ihn
mit seinen fünf Kindern, so bequem als es sich tun ließ,
empfing, war gleich nach Erscheinung des kaiserlichen An-
walts aus Wien, auf den Grund wegen* Verletzung des öf- | auf Grund von
fentlichen, kaiserlichen Landfriedens, vor den Schranken
des Kammergerichts zur Rechenschaft gezogen worden;
und ob er schon in seiner Verantwortung einwandte, daß er
wegen seines bewaffneten Einfalls in Sachsen, und der dabei verübten Gewalttätigkeiten, kraft des mit dem Kurfürsten von Sachsen zu Lützen abgeschlossenen Vergleichs,
nicht belangt werden könne: so erfuhr er doch, zu seiner
Belehrung, daß des Kaisers Majestät, deren Anwalt hier die
Beschwerde führe, darauf keine Rücksicht nehmen könne:
ließ sich auch sehr bald, da man ihm die Sache auseinander

setzte und erklärte, wie ihm dagegen von Dresden her, in seiner Sache gegen den Junker Wenzel von Tronka, völlige Genugtuung widerfahren werde, die Sache gefallen. Demnach traf es sich, daß grade am Tage der Ankunft des Kämmerers, das Gesetz über ihn sprach, und ⌐er verurteilt ward mit dem Schwerte vom Leben zum Tode gebracht zu werden⌐; ein Urteil, an dessen Vollstreckung gleichwohl, bei der verwickelten Lage der Dinge, seiner Milde ungeachtet, niemand glaubte, ja, das die ganze Stadt, bei dem Wohlwollen das der Kurfürst für den Kohlhaas trug*, unfehlbar durch ein Machtwort desselben, in eine bloße, vielleicht beschwerliche und langwierige Gefängnisstrafe verwandelt zu sehen hoffte. Der Kämmerer, der gleichwohl einsah, daß keine Zeit zu verlieren sein mögte, falls der Auftrag, den ihm sein Herr gegeben, in Erfüllung gehen sollte, fing sein Geschäft damit an, sich dem Kohlhaas, am Morgen eines Tages, da derselbe in harmloser Betrachtung der Vorübergehenden, am Fenster seines Gefängnisses stand, in seiner gewöhnlichen Hoftracht, genau und umständlich zu zeigen; und da er, aus einer plötzlichen Bewegung seines Kopfes, schloß, daß der Roßhändler ihn bemerkt hatte, und besonders, mit großem Vergnügen, einen unwillkürlichen Griff desselben mit der Hand auf die Gegend der Brust, wo die Kapsel lag, wahrnahm: so hielt er das, was in der Seele desselben in diesem Augenblick vorgegangen war, für eine hinlängliche Vorbereitung, um in dem Versuch, des Zettels habhaft zu werden, einen Schritt weiter vorzurücken. ⌐Er bestellte ein altes, auf Krücken herumwandelndes Trödelweib zu sich, das er in den Straßen von Berlin, unter einem Troß andern, mit Lumpen handelnden Gesindels bemerkt hatte, und das ihm, dem Alter und der Tracht nach, ziemlich mit dem, das ihm der Kurfürst beschrieben hatte, übereinzustimmen schien; und in der Voraussetzung, der Kohlhaas werde sich die Züge derjenigen, die ihm in einer flüchtigen Erscheinung den Zettel über-

Kohlhaas entgegenbrachte

reicht hatte, nicht eben tief eingeprägt haben, beschloß er, das gedachte* Weib statt ihrer unterzuschieben, und bei Kohlhaas, wenn es sich tun ließe, die Rolle, als ob sie die Zigeunerin wäre, spielen zu lassen.⌉ Dem gemäß, um sie dazu in Stand zu setzen, unterrichtete er sie umständlich von Allem, was zwischen dem Kurfürsten und der gedachten Zigeunerin in Jüterbock vorgefallen war, wobei er, weil er nicht wußte, wie weit das Weib in ihren Eröffnungen gegen den Kohlhaas gegangen war, nicht vergaß, ihr besonders die drei geheimnisvollen, in dem Zettel enthaltenen Artikel einzuschärfen; und nachdem er ihr auseinandergesetzt hatte, was sie, auf abgerissene und unverständliche Weise, fallen lassen müsse, gewisser Anstalten wegen, die man getroffen, sei es durch List oder durch Gewalt, des Zettels, der dem sächsischen Hofe von der äußersten Wichtigkeit sei, habhaft zu werden, trug er ihr auf, dem Kohlhaas den Zettel, unter dem Vorwand, daß derselbe bei ihm nicht mehr sicher sei, zur Aufbewahrung während einiger verhängnisvollen Tage, abzufordern. Das Trödelweib übernahm auch sogleich gegen die Verheißung einer beträchtlichen Belohnung, wovon der Kämmerer ihr auf ihre Forderung einen Teil im Voraus bezahlen mußte, die Ausführung des besagten Geschäfts; und da die Mutter des bei Mühlberg gefallenen Knechts Herse, den Kohlhaas, mit Erlaubnis der Regierung, zuweilen besuchte, diese Frau ihr aber seit einigen Monden her, bekannt war: so gelang es ihr, an einem der nächsten Tage, vermittelst einer kleinen Gabe an den Kerkermeister, sich bei dem Roßkamm Eingang zu verschaffen. – Kohlhaas aber, als diese Frau zu ihm eintrat, meinte, an einem Siegelring, den sie an der Hand trug, und einer ihr vom Hals herabhangenden Korallenkette, die bekannte alte Zigeunerin selbst wieder zu erkennen, die ihm in Jüterbock den Zettel überreicht hatte; und ⌈wie denn die Wahrscheinlichkeit nicht immer auf Seiten der Wahrheit ist, so traf es sich, daß hier etwas geschehen war, das wir zwar berichten: die Freiheit aber, daran zu zweifeln, demjenigen, dem es wohlgefällt, zugestehen müssen⌐: der Kämmerer hatte den ungeheuersten Mißgriff begangen, und in dem alten Trödelweib, das er in den Straßen von Berlin aufgriff, um die Zigeunerin nachzuahmen, die geheimnisreiche Zigeunerin selbst getroffen, die er ⌐nachgeahmt⌐ wissen wollte. Wenigstens berichtete das Weib, indem sie, auf ihre Krücken gestützt, die Wangen der Kinder streichelte, die sich, betroffen von ihrem wunderlichen Anblick, an den Vater lehnten: daß sie schon seit geraumer Zeit aus dem Sächsischen ins Brandenburgische zurückgekehrt sei, und sich, auf eine, in den Straßen von Berlin unvorsichtig gewagte Frage des Kämmerers, nach der Zigeunerin, die im Frühjahr des verflossenen Jahres, in Jüterbock gewesen, sogleich an ihn gedrängt, und, unter einem falschen Namen, zu dem Geschäfte, das er besorgt wissen wollte, angetragen habe. Der Roßhändler, der ⌐eine sonderbare Ähnlichkeit zwischen ihr und seinem verstorbenen Weibe Lisbeth⌐ bemerkte, dergestalt, daß er sie hätte fragen können, ob sie ihre Großmutter sei: denn nicht nur, daß die Züge ihres Gesichts, ihre Hände, auch in ihrem knöchernen Bau noch schön, und besonders der Gebrauch, den sie davon im Reden machte, ihn aufs Lebhafteste an sie erinnerten: auch ein ⌐Mal⌐, womit seiner Frauen Hals* bezeichnet war, bemerkte er an dem ihrigen: der Roßhändler nötigte sie, unter Gedanken, die sich seltsam in ihm kreuzten, auf einen Stuhl nieder, und fragte, was sie in aller Welt in Geschäften des Kämmerers zu ihm führe? Die Frau, während der alte Hund des Kohlhaas ihre Knie umschnüffelte, und von ihrer Hand gekraut*, ⌐mit dem Schwanz wedelte⌐, antwortete: »der Auftrag, den ihr der Kämmerer gegeben, wäre, ihm zu eröffnen, auf welche drei dem sächsischen Hofe wichtigen Fragen der Zettel geheimnisvolle Antwort enthalte; ihn vor einem Abgesandten, der sich in Berlin befinde, um seiner habhaft zu werden, zu warnen: und ihm

der Hals
seiner Frau

gekrault

den Zettel, unter dem Vorwande, daß er an seiner Brust, wo er ihn trage, nicht mehr sicher sei, abzufordern. Die Absicht aber, in der sie komme, sei, ihm zu sagen, daß die Drohung ihn durch Arglist oder Gewalttätigkeit um den Zettel zu bringen, abgeschmackt, und ein leeres Trugbild sei; daß er unter dem Schutz des Kurfürsten von Brandenburg, in dessen Verwahrsam er sich befinde, nicht das Mindeste für denselben zu befürchten habe; ja, daß das Blatt bei ihm weit sicherer sei, als bei ihr, und daß er sich wohl hüten mögte, sich durch Ablieferung desselben, an wen und unter welchem Vorwand es auch sei, darum bringen zu lassen. – Gleichwohl schloß sie, daß sie es für klug hielte, von dem Zettel den Gebrauch zu machen, zu welchem sie ihm denselben auf dem Jahrmarkt zu Jüterbock eingehändigt, dem Antrag, den man ihm auf der Grenze durch den Junker von Stein gemacht, Gehör zu geben, und den Zettel, der ihm selbst weiter nichts nutzen könne, für Freiheit und Leben an den Kurfürsten von Sachsen auszuliefern.« Kohlhaas, der über die Macht jauchzte, die ihm gegeben war, ⌜seines Feindes Ferse, in dem Augenblick, da sie ihn in den Staub trat, tödlich zu verwunden⌝, antwortete: ⌜nicht um die Welt, Mütterchen, nicht um die Welt!⌝ und drückte der Alten Hand, und wollte nur wissen, was für Antworten auf die ungeheuren Fragen im Zettel enthalten wären? Die Frau, inzwischen sie das Jüngste, das sich zu ihren Füßen niedergekauert hatte, auf den Schoß nahm, sprach: »nicht um die Welt, Kohlhaas, der Roßhändler; aber um diesen hübschen, kleinen, blonden Jungen!« und damit lachte sie ihn an, herzte und küßte ihn, der sie mit großen Augen ansah, und ⌜reichte ihm, mit ihren dürren Händen, einen Apfel⌝, den sie in ihrer Tasche trug, dar. Kohlhaas sagte verwirrt: ⌜daß die Kinder selbst, wenn sie groß wären, ihn, um seines Verfahrens loben würden, und daß er, für sie und ihre Enkel nichts Heilsameres tun könne, als den Zettel behalten⌝. Zudem fragte er, wer ihn, nach der Erfahrung, die er gemacht, vor einem neuen Betrug sicher stelle, und ob er nicht zuletzt, unnützer Weise, den Zettel, wie jüngst den Kriegshaufen, den er in Lützen zusammengebracht, an den Kurfürsten aufopfern würde? »Wer mir sein Wort einmal gebrochen,« sprach er, »mit dem wechsle ich keins mehr; und nur deine Forderung, bestimmt und unzweideutig, trennt mich, gutes Mütterchen, von dem Blatt, durch welches mir für Alles, was ich erlitten, auf so wunderbare Weise Genugtuung geworden ist.« Die Frau, indem sie das Kind auf den Boden setzte, sagte: daß er in mancherlei Hinsicht Recht hätte, und daß er tun und lassen könnte, was er wollte! Und damit nahm sie ihre Krücken wieder zur Hand, und wollte gehn. Kohlhaas wiederholte seine Frage, den Inhalt des wunderbaren Zettels betreffend; er wünschte, da sie flüchtig antwortete: »daß er ihn ja eröffnen könne, obschon es eine bloße Neugierde wäre,« noch über tausend andere Dinge, bevor sie ihn verließe, Aufschluß zu erhalten; wer sie eigentlich sei, woher sie zu der Wissenschaft, die ihr inwohne, komme, warum sie dem Kurfürsten, für den er doch geschrieben, den Zettel verweigert, und grade ihm, unter so vielen tausend Menschen, der ihrer Wissenschaft nie begehrt, das Wunderblatt überreicht habe? – – Nun traf es sich, daß in eben diesem Augenblick ein Geräusch hörbar ward, das einige Polizei-Offizianten, die die Treppe heraufstiegen, verursachten; dergestalt, daß das Weib, von plötzlicher Besorgnis, in diesen Gemächern von ihnen betroffen zu werden, ergriffen, antwortete: »auf Wiedersehen Kohlhaas, auf Wiedersehn! ⌐Es soll dir, wenn wir uns wiedertreffen, an Kenntnis über dies Alles nicht fehlen!⌐« Und damit, indem sie sich gegen die Tür wandte, rief sie: »lebt wohl, Kinderchen, lebt wohl!« küßte das kleine Geschlecht* nach der Reihe, und ging ab.

Inzwischen hatte der Kurfürst von Sachsen, seinen jammervollen Gedanken preisgegeben, ⌐zwei Astrologen⌐, Na-

die kleine Nachkommenschaft

mens Oldenholm und Olearius, welche damals in Sachsen in großem Ansehen standen, herbeigerufen, und wegen des Inhalts des geheimnisvollen, ihm und dem ganzen Geschlecht seiner Nachkommen so wichtigen Zettels zu Rate
5 gezogen; und da die Männer, nach einer, mehrere Tage lang im Schloßturm zu Dresden fortgesetzten, tiefsinnigen Untersuchung, nicht einig werden konnten, ob die Prophezeihung sich auf späte Jahrhunderte oder aber auf die jetzige Zeit beziehe, und vielleicht die Krone Pohlen, mit
10 welcher die Verhältnisse immer noch sehr kriegerisch waren, damit gemeint sei: so wurde durch solchen gelehrten Streit, statt sie zu zerstreuen, die Unruhe, um nicht zu sagen, Verzweiflung, in welcher sich dieser unglückliche Herr befand, nur geschärft*, und zuletzt bis auf einen Grad, der   verschärft
15 seiner Seele ganz unerträglich war, vermehrt. Dazu kam, daß der Kämmerer um diese Zeit seiner Frau, die im Begriff stand, ihm nach Berlin zu folgen, auftrug, dem Kurfürsten, bevor sie abreiste, auf eine geschickte Art beizubringen, wie mißlich es nach einem verunglückten Versuch, den er
20 mit einem Weibe gemacht, das sich seitdem nicht wieder habe blicken lassen, mit der Hoffnung aussehe, des Zettels in dessen Besitz der Kohlhaas sei, habhaft zu werden, indem das über ihn gefällte Todesurteil, nunmehr, nach einer umständlichen Prüfung der Akten, von dem Kurfürsten
25 von Brandenburg unterzeichnet, und der Hinrichtungstag bereits auf den ⌐Montag nach Palmarum⌐ festgesetzt sei; auf welche Nachricht der Kurfürst sich, das Herz von Kummer und Reue zerrissen, gleich einem ganz Verlorenen, in seinem Zimmer verschloß, während zwei Tage, des
30 Lebens satt, keine Speise zu sich nahm, und am dritten plötzlich, unter der kurzen Anzeige an das Gubernium, daß er zu dem Fürsten von Dessau auf die Jagd reise, aus Dresden verschwand. Wohin er eigentlich ging, und ob er sich nach Dessau wandte, lassen wir dahin gestellt sein, ⌐indem
35 die Chroniken, aus deren Vergleichung wir Bericht erstat-

ten, an dieser Stelle, auf befremdende Weise, einander widersprechen und aufheben⌐. Gewiß ist, daß der Fürst von Dessau, unfähig zu jagen, um diese Zeit krank in Braunschweig, bei seinem Oheim, dem Herzog Heinrich, lag, und daß die Dame Heloise, am Abend des folgenden Tages, in Gesellschaft eines Grafen von Königstein, den sie für ihren Vetter ausgab, bei dem Kämmerer Herrn Kunz, ihrem Gemahl, in Berlin eintraf. – Inzwischen war dem Kohlhaas, auf Befehl des Kurfürsten, das Todesurteil vorgelesen, die Ketten abgenommen, und die über sein Vermögen lautenden Papiere, die ihm in Dresden abgesprochen worden waren, wieder zugestellt worden; und da die Räte, die das Gericht an ihn abgeordnet hatte, ihn fragten, wie er es mit dem, was er besitze, nach seinem Tode gehalten wissen wolle: so verfertigte er, mit Hülfe eines Notars, zu seiner Kinder Gunsten ein Testament, und setzte den Amtmann zu Kohlhaasenbrück, seinen wackern Freund, zum Vormund derselben ein. ⌐Demnach glich nichts der Ruhe und Zufriedenheit seiner letzten Tage⌐; denn auf eine

ungewöhn-
liche
Hier: Gefäng-
nisraum

sonderbare* Spezial-Verordnung des Kurfürsten war bald darauf auch noch der Zwinger*, in welchem er sich befand, eröffnet, und allen seinen Freunden, deren er sehr viele in der Stadt besaß, bei Tag und Nacht freier Zutritt zu ihm verstattet worden. Ja, er hatte noch die Genugtuung, den Theologen ⌐Jacob Freising⌐, als einen Abgesandten Doktor Luthers, ⌐mit einem eigenhändigen, ohne Zweifel sehr

bemerkens-
werten

merkwürdigen* Brief, der aber verloren gegangen ist⌐, in sein Gefängnis treten zu sehen, und von diesem geistlichen

Von lat.
decanus,
Vorsteher
eines
Dekanats
(über zehn
Mönche)

Herrn in Gegenwart zweier brandenburgischen Dechanten*, die ihm an die Hand gingen, die Wohltat der heiligen Kommunion zu empfangen. Hierauf erschien nun, unter einer allgemeinen Bewegung der Stadt, die sich immer noch nicht entwöhnen konnte, auf ein Machtwort, das ihn rettete, zu hoffen, der verhängnisvolle Montag nach Palmarum, an welchem er die Welt, wegen des allzurasen Ver-

suchs, sich selbst in ihr Recht verschaffen zu wollen, versöhnen sollte. Eben trat er, in Begleitung einer starken Wache, seine beiden Knaben auf dem Arm (denn diese Vergünstigung hatte er sich ausdrücklich vor den Schranken
5 des Gerichts ausgebeten), von dem Theologen Jakob Freising geführt, aus dem Tor seines Gefängnisses, als unter einem wehmütigen Gewimmel von Bekannten, die ihm die Hände drückten, und von ihm Abschied nahmen, der Kastellan des kurfürstlichen Schlosses, verstört im Gesicht, zu
10 ihm herantrat, und ihm ein Blatt gab, das ihm, wie er sagte, ein altes Weib für ihn eingehändigt. Kohlhaas, während er den Mann der ihm nur wenig bekannt war, befremdet ansah, eröffnete das Blatt, dessen Siegelring ihn, im Mundlack ausgedrückt, sogleich an die bekannte Zigeunerin er-
15 innerte. Aber wer beschreibt das Erstaunen, das ihn ergriff, als er folgende Nachricht darin fand: »Kohlhaas, der Kurfürst von Sachsen ist in Berlin; auf den Richtplatz schon ist er vorangegangen, und wird, wenn dir daran liegt, an einem Hut, mit blauen und weißen Federbüschen kenntlich
20 sein. Die Absicht, in der er kömmt, brauche ich dir nicht zu sagen; er will die Kapsel, sobald du verscharrt bist, ausgraben, und den Zettel, der darin befindlich ist, eröffnen lassen. – Deine ⌜Elisabeth⌝.« – Kohlhaas, indem er sich auf das Äußerste bestürzt zu dem Kastellan umwandte, fragte
25 ihn: ob er das wunderbare* Weib, das ihm den Zettel übergeben, kenne? Doch da der Kastellan antwortete: »Kohlhaas, das Weib« – – und ⌜in Mitten der Rede auf sonderbare Weise stockte⌝, so konnte er, von dem Zuge, der in diesem Augenblick wieder antrat, fortgerissen, nicht ver-
30 nehmen, was der Mann, der an allen Gliedern zu zittern schien, vorbrachte. – Als er auf dem Richtplatz ankam, fand er den Kurfürsten von Brandenburg mit seinem Gefolge, worunter sich auch der Erzkanzler, Herr Heinrich von Geusau befand, unter einer unermeßlichen Menschen-
35 menge, daselbst zu Pferde halten: ihm zur Rechten der kai-

sonderbare, seltsame

serliche Anwalt Franz Müller, eine Abschrift des Todesurteils in der Hand; ihm zur Linken, mit dem Conclusum* des
Dresdner Hofgerichts, sein eigener Anwalt, der Rechtsge-
lehrte Anton Zäuner; ein Herold* in der Mitte des halbof-
fenen Kreises, den das Volk schloß, mit einem Bündel Sa-   5
chen, und den beiden, von Wohlsein glänzenden, die Erde
mit ihren Hufen stampfenden Rappen. Denn der Erzkanzler, Herr Heinrich, hatte die Klage, die er, im Namen seines
Herrn, in Dresden anhängig gemacht, Punkt für Punkt,
und ohne die mindeste Einschränkung gegen den Junker   10
Wenzel von Tronka, durchgesetzt; dergestalt, daß die
Pferde, nachdem man sie durch ⌜Schwingung einer Fahne⌝
über ihre Häupter, ehrlich gemacht, und aus den Händen
des Abdeckers, der sie ernährte, zurückgezogen hatte, von
den Leuten des Junkers dickgefüttert, und in Gegenwart   15
einer eigens dazu niedergesetzten* Kommission, dem Anwalt, auf dem Markt zu Dresden, übergeben worden waren. Demnach sprach der Kurfürst, als Kohlhaas von der
Wache begleitet, auf den Hügel zu ihm heranschritt: Nun,
Kohlhaas, heut ist der Tag, an dem dir dein Recht ge-   20
schieht! Schau her, hier liefere ich dir Alles, was du auf der
Tronkenburg gewaltsamer Weise eingebüßt, und ⌜was ich,
als dein Landesherr, dir wieder zu verschaffen, schuldig
war⌝, zurück: Rappen, Halstuch, Reichsgulden, Wäsche,
bis auf die Kurkosten sogar für deinen bei Mühlberg ge-   25
fallenen Knecht Herse. ⌜Bist du mit mir zufrieden?⌝ – Kohlhaas, während er das, ihm auf den Wink des Erzkanzlers
eingehändigte Conclusum, mit großen, funkelnden Augen
überlas, setzte die beiden Kinder, die er auf dem Arm trug,
neben sich auf den Boden nieder; und da er auch einen   30
Artikel darin fand, in welchem der Junker Wenzel zu zwei-
jähriger Gefängnisstrafe verurteilt ward: so ließ er sich, aus
der Ferne, ganz überwältigt von Gefühlen, mit kreuzweis
auf die Brust gelegten Händen, vor dem Kurfürsten nieder.
Er versicherte freudig dem Erzkanzler, indem er aufstand,   35

und die Hand auf seinen Schoß* legte, daß sein höchster
Wunsch auf Erden erfüllt sei; trat an die Pferde heran, mu-
sterte sie, und klopfte ihren feisten Hals; und erklärte dem
Kanzler, indem er wieder zu ihm zurückkam, heiter: »daß
5 er sie seinen beiden Söhnen Heinrich und Leopold
schenke!« Der Kanzler, Herr Heinrich von Geusau, vom
Pferde herab mild zu ihm gewandt, versprach ihm, in des
Kurfürsten Namen, daß sein letzter Wille heilig gehalten
werden solle: und forderte ihn auf, auch über die übrigen
10 im Bündel befindlichen Sachen, nach seinem Gutdünken
zu schalten. Hierauf rief Kohlhaas die alte Mutter Hersens,
die er auf dem Platz wahrgenommen hatte, aus dem Haufen des Volks hervor, und indem er ihr die Sachen übergab,
sprach er: »da, Mütterchen; das gehört dir!« – die Summe,
15 die, als Schadenersatz für ihn, bei den im Bündel liegenden
Gelde befindlich war, als ein Geschenk noch, zur Pflege
und Erquickung ihrer alten Tage, hinzufügend. – – Der
Kurfürst rief: »nun, ⌐Kohlhaas, der Roßhändler⌐, du, dem
solchergestalt Genugtuung geworden, mache dich bereit,
20 kaiserlicher Majestät, deren Anwalt hier steht, wegen des
Bruchs ihres Landfriedens, deinerseits Genugtuung zu geben!« Kohlhaas, indem er seinen Hut abnahm, und auf die
Erde warf, sagte: daß er bereit dazu wäre! übergab die Kinder, nachdem er sie noch einmal vom Boden erhoben, und
25 an seine Brust gedrückt hatte, dem Amtmann von Kohlhaasenbrück, und trat, während dieser sie unter stillen Tränen, vom Platz hinwegführte, an den Block*. Eben knüpfte
er sich das Tuch vom Hals ab und öffnete seinen Brustlatz:
als er, mit einem flüchtigen Blick auf den Kreis, den das
30 Volk bildete, in geringer Entfernung von sich, zwischen
zwei Rittern, die ihn mit ihren Leibern halb deckten, den
wohlbekannten Mann mit blauen und weißen Federbüschen wahrnahm. ⌐Kohlhaas löste sich, indem er mit einem
plötzlichen, die Wache, die ihn umringte, befremdenden
35 Schritt, dicht vor ihn trat, die Kapsel von der Brust; er

Gemeint ist
der Rockschoß
des auf dem
Pferd
sitzenden
Heinrich von
Geusau.

Richtblock; ein
Holzblock als
Unterlage des
Halses bei der
Enthauptung

nahm den Zettel heraus, entsiegelte ihn, und überlas ihn: und das Auge unverwandt auf den Mann mit blauen und weißen Federbüschen gerichtet, der bereits süßen Hoffnungen Raum zu geben anfing, steckte er ihn in den Mund und verschlang ihn.⌉ Der Mann mit blauen und weißen Federbüschen sank, bei diesem Anblick, ohnmächtig, in Krämpfen nieder. Kohlhaas aber, während die bestürzten Begleiter desselben sich herabbeugten, und ihn vom Boden aufhoben, wandte sich zu dem Schafott, wo sein Haupt unter dem Beil des Scharfrichters fiel. ⌈Hier endigt die Geschichte vom Kohlhaas.⌉ Man legte die Leiche unter einer allgemeinen Klage des Volks in einen Sarg; und während die Träger sie aufhoben, um sie ⌈anständig⌉ auf den Kirchhof der Vorstadt zu begraben, rief der Kurfürst die Söhne des Abgeschiedenen herbei und ⌈schlug sie, mit der Erklärung an den Erzkanzler, daß sie in seiner Pagenschule erzogen werden sollten, zu Rittern⌉. Der Kurfürst von Sachsen kam bald darauf, zerrissen an Leib und Seele, nach Dresden zurück, ⌈wo man das Weitere in der Geschichte nachlesen muß⌉. Vom Kohlhaas aber haben ⌈noch im vergangenen Jahrhundert⌉, ⌈im Mecklenburgischen⌉, einige frohe und rüstige Nachkommen ⌈gelebt⌉.

Kommentar

Entstehung, Quellen und Kontexte

Im Folgenden soll der Versuch unternommen werden, Heinrich von Kleists *Michael Kohlhaas* sowohl im Hinblick auf die historische Tradition der Hauptfigur als auch auf zeitgenössische außerliterarische Diskursfelder zu kontextualisieren. Nachgegangen wird im Anschluss an Stephen Greenblatts *Poetics of Culture* (1993) den komplexen intertextuellen Tauschbeziehungen zwischen einem literarischen Text und seinen außerliterarischen Kon-Texten. Zur Darstellung gelangen soll das durch den juristischen, philosophischen und ökonomischen Diskurs um 1800 kartierte kulturelle Feld, das Kleists Erzählung hervorgebracht und auf das sie sich in ihrer spezifischen Form funktional bezogen hat. Eine solche Kontextualisierung vermag die ›sozialen Kräfte‹ sichtbar werden zu lassen, die durch Überlieferung und allmähliche Isolierung des Textes von seinem Ursprung verblasst sind. Der literarische Text wird im Sinne Roland Barthes' als Teil eines Archivs aus komplexen und diskontinuierlichen Diskursen verstanden, als durchlässige Einheit, die mit anderen Diskursen im ›Dialog‹ steht (Barthes 1974).

Die nur spärlich erhaltenen Zeugnisse des Entstehungsprozesses – etwa die nachträglichen Erinnerungen des Literaturkritikers Wilhelm von Schütz (1776–1847) in seinen *Biographischen Notizen* (1817) – legen den Schluss nahe, dass Kleist um den Jahreswechsel 1804/1805 den ersten Arbeitsimpuls durch seinen Freund Ernst von Pfuel (1779–1866) erhielt und anschließend mit den Aufzeichnungen begann. Als erste Fassung der Erzählung lässt sich der 1808 im Juni-Heft der Zeitschrift ›Phöbus‹ publizierte Text bestimmen, der mit der – dann allerdings aufgrund des Einstellens der Zeitschrift nicht eingelösten – Ankündigung »Fortsetzung folgt« versehen wurde. Erst 1810 nahm Kleist die Arbeit am *Kohlhaas* wieder auf, als er einen Band mit *Erzählungen* für seinen Verleger Georg Andreas Reimer in Berlin zusammenstellte, der – einer gängigen Praxis der Zeit folgend – mit dem Druck startete, bevor Kleist den Text abgeschlossen hatte.

Mit Roland Reuß, einem der Herausgeber der Brandenburger

Erste Fassung der Erzählung 1808

Ausgabe der Texte Kleists, sollte man das ›Phöbus‹-Fragment von 1808 und den *Michael Kohlhaas* des ersten Bandes der *Erzählungen* von 1810 »als zwei *Texte*, nicht als zwei ›Fassungen‹ eines identischen ›Kohlhaas‹-Werkes ›hinter‹ diesen ›Fassungen‹ [behandeln]. Damit ist nicht bestritten, daß die stoffliche Verwandtschaft *beider* Texte enger ist als beispielsweise die zwischen dem ›Michael Kohlhaas‹ von 1810 und dem ›Findling‹. Art und Umfang der Umarbeitung lassen es jedoch nicht zu, den Text von 1810 als bruchlose Entwicklung eines ›Keimes‹ zu verstehen, der bereits dem Fragment von 1808 vorauslag.« Stattdessen muss bedacht werden, dass sich »Kleist, als er das Fragment von 1808 in den ›Phöbus‹ setzte, über das Ganze, von dem das Fragment der erste Teil sein sollte, offenbar noch gar nicht im klaren war. Vielmehr ist anzunehmen, daß 1808 durchaus noch offen war, ob es überhaupt eine Fortführung dieses Fragments geben würde. Seine Gestalt ist demgemäß *an jedem Punkt* der Lektüre überschattet von der Tatsache des 1808 uneingelösten Fortsetzungsversprechens.« (Reuß 1990, S. 9)

Buchfassung
von 1810 Der *Kohlhaas* von 1810 ist gegenüber seinem Vorgänger nicht nur erweitert, sondern auch in wesentlichen Details verändert: So werden insbesondere die Schauplätze konkreter benannt, der Rechtskonflikt pointierter gestaltet und die Handlung um wesentliche Elemente erweitert. Gleichzeitig finden sich signifikante »Verrückung[en] des Tempussystems«, etwa das »erzähltechnische Verfahren, das sich anscheinend kontinuierlich den geschichtlichen Vorgängen anpassende Erzählen durch den Bericht des Kohlhaas (später auch den des Kurfürsten) retrograd aufzubrechen« (ebd., S. 33). Eine ebensolche ›Verrückung‹ stellt auch der merkwürdige Gebrauch dar, den der Text von der Chronik-Fiktion macht. Auf dem Titelblatt der Erstausgabe der *Erzählungen* von 1810 findet sich bei dem Titel noch die in Klammern gesetzte Mitteilung »aus einer alten Chronik«. Auch wenn ein Setzerfehler nicht auszuschließen ist, ist doch zu zweifeln, ob es sich um einen echten Untertitel handelt, da dessen Inkongruenz zur Sprache der Erzählung deutlich hervortritt: »Um zu erkennen, daß sie ganz und gar nichts ›Chronikartiges‹ an sich hat, braucht es keiner detaillierten historischen Quellenkenntnis; und wie um die Außerkraftsetzung der Chronik-Fik-

Untertitel »aus
einer alten
Chronik«

tion und jener linearen Zeitordnung, die den Rhythmus von Chroniken bestimmt, noch zu unterstreichen, findet sich gegen Ende der Erzählung die bemerkenswerte Einschaltung des Erzählers über die geheime Abreise des Kurfürsten von Sachsen nach Berlin: ›Wohin er eigentlich ging, und ob er sich nach Dessau wandte, lassen wir dahin gestellt seyn, indem die Chroniken, aus deren Vergleichung wir Bericht erstatten, an dieser Stelle, auf befremdende Weise, einander widersprechen und aufheben‹.« (Ebd., S. 33 f.) Explizit tritt der Erzähler an dieser Stelle in seiner Selbständigkeit gegenüber jedweden existierenden Prä-Texten, zugleich aber auch in seiner Selbständigkeit gegenüber dem Erzählten selbst hervor. Einschaltung des Erzählers

Auch wenn Kleists Erzähler die evozierte chronistische Fiktion aufhebt, basiert die Handlung zweifelsohne auf chronikalischen Quellen über die 1534 begonnene und mit seiner Hinrichtung 1540 endende Fehde des Cöllner Bürgers Hans Kohlhase gegen die brandenburgische und sächsische Obrigkeit. Kleists Quellenverwendung zum *Kohlhaas* ist nicht dokumentiert, doch offensichtlich stützte er sich bei der Abfassung seines Textes auf die *Märckische Chronic* des Schulrektors Peter Hafftitz (um 1520–1602), wie sie 1731 im Rahmen einer Geschichte Obersachsens von Christian Schöttgen und George Christoph Kreysig gedruckt worden war (vgl. Hamacher 2003a, S. 58–67). Da Hafftitz als Jugendlicher in Jüterbog am Schauplatz der Ereignisse lebte, kann er als durchaus zuverlässiger Chronist betrachtet werden, wobei er gleichzeitig auch viele legendarische Berichte über Hans Kohlhase und dessen Fehde in Umlauf brachte, vor allem was das vermutlich unhistorische Treffen mit Martin Luther angeht. In ihren erläuternden Fußnoten zu Hafftitz' Chronik nennen Schöttgen/Kreysig zwei weitere Quellen, die auch Kleist verwendet haben könnte, falls er den entsprechenden Hinweisen gefolgt ist. So bietet Balthasar Mentz' (1500–1585) *Stambuch und kurtze Erzehlung. Vom ursprung und Hehrkommen der Chur und Fürstlichen Heuser/Sachsen/Brandenburg/Anhalt und Lawenburg* von 1598 (vgl. Hamacher 2003a, S. 67–69) eine knappe, sachliche Aneinanderreihung von Fakten ohne legendarische Ausschmückungen. In dieser Darstellung, die auch Kohlhases Fehdebrief erwähnt und dessen Inhalt wieder- Chronikalische Quellen gibt, wurde Kohlhase durch das Schwert hingerichtet – dieselbe Hinrichtungsart, wie sie in Kleists Erzählung begegnet –, während Hafftitz davon berichtet, dass Kohlhase gemeinsam mit Nagelschmidt gerädert wurde. Eine Generation jünger als Hafftitz und Mentz war Nicolaus Leutinger (1554–1612), der im 1. und 3. Buch seiner 1729 in lateinischer Sprache gedruckten *Opera omnia* von Kohlhase berichtet. Die von Leutinger verwendete Terminologie legt nahe, dass ihm die frühneuzeitliche Rechtsinstitution des Fehdewesens bereits nicht mehr bekannt war; dementsprechend konzentriert sich seine auf Gerüchten basierende Schilderung Kohlhases auf dessen räuberische und verbrecherische Seite (vgl. Hamacher 2003a, S. 69–72). Eine Vielzahl an rechtsgeschichtlichen Untersuchungen der letzten Jahre verweist zudem auf Kleists bemerkenswert zutreffende historische und fehderechtliche Kontextualisierung der Handlung, die bis in etliche Details (wie Ortsnamen, aber auch einzelne Motive und Handlungselemente) oft in evidenter Übereinstimmung mit den erst im 19. Jahrhundert wiedergefundenen umfangreichen amtlichen Originalakten zum Fall Kohlhase (vgl. Burkhardt 1864) steht, sodass eine zumindest auszugsweise Kenntnis dieser Akten durch Kleist nicht unwahrscheinlich ist (vgl. Dießelhorst/ Duncker 1999; Müller-Tragin 1999).

Historischer Hintergrund Ein synoptischer Vergleich der Quellen und Originalakten legt nahe, dass die Taten des Kaufmanns Hans Kohlhase auf den Beginn der Regierungszeit des sächsischen Kurfürsten Johann Friedrich des Großmütigen (ab 1532) und seine Hinrichtung auf den Montag nach Palmarum 1540 datiert werden können. Den Quellen zufolge fand die gewaltsame Wegnahme und widerrechtliche Einbehaltung der Pferde auf fürstlich freier Straße nach Leipzig durch die Leute des Junkers Günter von Zaschwitz an Michaelis (29.9.) des Jahres 1532 statt, indem man Kohlhase bezichtigte, die Pferde gestohlen zu haben. Kohlhase, der aufgrund der Beschlagnahmung der Pferde verspätet auf dem Leipziger Markt eintraf, erlitt, seinen Angaben zufolge, hierdurch einen erheblichen ökonomischen Schaden. Auf dem Rückweg unternahm er einen Versuch, seine Pferde abzuholen. Zaschwitz zeigte sich grundsätzlich bereit, sie gegen Ersetzung der Futterkosten abzugeben, was Kohlhase ablehnte. Anschließend wandte sich Kohlhase an den sächsischen Kurfürsten Johann Friedrich I., auf dessen Veranlassung es im Juli 1533 in Düben zu einem gütlichen Termin kam, der aufgrund des schlechten Zustands der Pferde ohne Einigung verlief. Sich daran anschließende weitere Schlichtungsversuche durch den in Wittenberg amtierenden Landvogt Hans von Metzsch scheiterten ebenfalls. Zwei Jahre später, am 12. 3. 1534, erklärte Kohlhase dem Land Sachsen und Günter von Zaschwitz die Fehde; ob er dazu befugt war, ist in der Forschung umstritten: Zwar war im Zuge des Reichslandsfriedens ein absolutes Fehdeverbot verkündet worden, andererseits ließ die 1532 von Karl V. erlassene Strafgerichtsordnung, die *Carolina*, unter bestimmten Bedingungen die Fehde wieder zu. Auch der Einwand, nur Adligen sei es gestattet worden, eine Fehde zu erklären, lässt sich angesichts mehrerer Gegenbeispiele entkräften. Zudem ist auffällig, dass die sächsische Regierung, wie die amtlichen Akten belegen, offenkundig keinen Versuch unternahm, den Fehdebrief von Kohlhase als grundsätzlich unzulässig zu verurteilen. Am 9. und 10.4. brannten in den besseren Wohnvierteln von Wittenberg die ersten Häuser, sodass sich Hans von Metzsch mit der Bitte an den Kurfürsten von Brandenburg wandte, den der Brandstiftung verdächtigen Kohlhase ergreifen und arretieren zu lassen. Doch dieser erklärte sich angesichts der Tatsache, dass Kohlhase sein Bürgerrecht aufgekündigt, sein Hab und Gut verkauft und offenbar das Land verlassen habe, in dieser Sache für nicht zuständig.

Im Mai 1534 trat Günter von Zaschwitz mit einem Rechtfertigungsplakat an die Öffentlichkeit, in dem die von Kohlhase initiierte Fehde als grundlos, zumindest aber als eine völlig überzogene Reaktion bezeichnet wurde. Kohlhase hingegen zog in den darauffolgenden Monaten fehdeführend durch den Norden Sachsens, was dessen Bürger veranlasste, sich mit der Bitte an den sächsischen Kurfürsten zu wenden, Kohlhases Forderungen anzuerkennen und ihn durch ein entsprechendes Urteil zufriedenzustellen. Nach dem überraschenden Tod Günter von Zaschwitz', der vom Volk als Gottesurteil betrachtet wurde, stimmte Johann Friedrich I. schließlich doch einem Vergleichstermin zu und legte Jüterbog als Verhandlungsort fest. Nachdem er an Ei-

des statt erklärt hatte, an der Brandstiftung von Wittenberg un-
beteiligt gewesen zu sein und seine Anschläge einzustellen, sicherte man Kohlhase freies Geleit zu. Vom 6. bis zum 8. 12. 1534
fand die erste Verhandlung in Jüterbog statt, deren für Kohlhase
günstiges Ergebnis (Entschädigungszahlung von 600 Gulden bei
gleichzeitiger Abschwörung der Fehde) vom sächsischen Kurfürsten umgehend aufgehoben wurde. Anscheinend noch im
Vorfeld der Verhandlungen in Jüterbog hatte sich Kohlhase mit

Antwort
Martin Luthers
an Kohlhase

der Bitte um Rat an Martin Luther gewandt, der ihm am
8. 12. 1534 antwortete. Der Reformator erkennt in seiner Antwort zwar das an Kohlhase verübte Unrecht an, appelliert aber
zugleich an ihn, den erlittenen Schaden als einen von Gott zuge-
fügten zu betrachten und von der (unchristlichen) Selbstrache,
mit der er nur Sünde auf sein Haupt lade, wieder abzulassen:

>Gnad und Fried in Christo! Mein guter Freund! Es ist mir
furwahr Euer Unfall leid gewesen, und noch, das weiß Gott;
und wäre wohl zuerst besser gewesen, die Rache nicht fur-
zunehmen, dieweil dieselbe ohne Beschwerung des Gewissens
nicht furgenomen werden mag, weil sie ein selbs eigen Rache
ist, welche von Gott verboten ist. [...] Die Rach ist mein,
spricht der Herr, ich will vergelten etc., und nicht anders sein
kann; denn wer sich darein begibt, der muß sich in die Schanz
geben, viel wider Gott und Menschen zu tun, welchs ein
christlich Gewissen nicht kann billigen. – Und ist ja wahr, daß
Euch Euer Schaden und infamia [üble Nachrede] billig wehe
tun soll, und schuldig seid, dieselbige zu retten und zu erhalten, aber nicht mit Sunden oder Unrecht. Quod iustum est,
iuste persequeris [Was Recht ist, muss auch durch das Recht
umgesetzt werden], sagt Moses [5. Mose 16,20]; Unrecht
wird durch ander Unrecht nicht zurecht bracht. Nu ist Selbs-
richter sein und Selbsrichten gewißlich unrecht, und Gottes
Zorn läßt es nicht ungestraft. Was Ihr mit Recht ausführen
moget, da tut ihr wohl; könnt Ihr das Recht nicht erlangen, so
ist kein ander Rat da, denn Unrecht leiden. Und Gott, der
Euch also läßt Unrecht leiden, hat wohl Ursach zu Euch. Er
meinet es auch nicht ubel noch böse mit Euch, kann auch
solchs wohl redlich wieder erstatten in einem andern, und
seid drumb unverlassen. – Und was wollt Ihr tun, wenn er

wohl anders wollt strafen, an Weib, Kind, Leib und Leben? Hie musset Ihr dennoch, so Ihr ein Christ sein wollt, sagen: Mein lieber Herr Gott, ich hab's wohl verdienet, du bist gerecht, und tust nur allzuwenig nach meinen Sunden. Und was ist unser aller Leiden gegen seins Sohns unsers Herrn Christi Leiden? – Demnach, so Ihr meines Rats begehrt (wie Ihr schreibet), so rate ich, nehmet Friede an, wo er Euch werden kann, und leidet lieber an Gut und Ehre Schaden, denn daß Ihr Euch weiter sollt begeben in solch Fürnehmen [Einvernehmen], darin Ihr müsset aller der Sünden und Büberei auf Euch nehmen, so Euch dienen würden zur Fehde; die sind doch nicht fromm, und meinen Euch mit keinen Treuen, suchen ihren Nutz; zuletzt werden sie Euch selbs verraten, so habt Ihr denn wohl gefischet. Malet Ihr ja nicht den Teufel uber die Tür und bittet ihn nicht zu Gevattern, er kömmet dennoch wohl; denn solche Gesellen sind des Teufels Gesindlin, nehmen auch gemeiniglich ihr Ende nach ihren Werken. Aber Euch ist zu bedenken, wie schwerlich Euer Gewissen ertragen will, so Ihr wissentlich sollet so viel Leute verderben, da Ihr kein Recht zu habet. Setzt Ihr Euch zufrieden, Gott zu Ehren, und lasset Euch Euern Schaden von Gott zugefüget sein und verbeißet's umb seinetwillen, so werdet Ihr sehen, er wird wiederumb Euch segenen und Euer Erbeit [in der mhd. Bedeutung von arebeit ›Mühsal, Not‹] reichlich belohnen, daß Euch lieb sei Euer Geduld, so Ihr getragen habt. Dazu helfe Euch Christus unser Herr, Lehrer und Exempel aller Geduld und Helfer in Not, Amen. Dienstag nach Nicolai 1534.« (Luther 1937, S. 124 f. [Nr. 2151])

Nach jahrelangen Streitigkeiten und Auseinandersetzungen kam es Mitte 1537 zu einem erneuten Treffen in Jüterbog, das allerdings wiederum ergebnislos verlief. Der Kurfürst von Sachsen verlangte weiterhin, Kohlhase solle sich einem Urteil des Hofgerichts unterwerfen, was dieser jedoch ablehnte. Die Sachlage veränderte sich durch einen Thronwechsel in Brandenburg: Der neue Kurfürst, Joachim II. Hector, signalisierte die Bereitschaft, Kohlhase in Berlin vor Gericht zu stellen, wenn er sich, was allerdings nicht geschah, dort zeige. Am 5.7.1538 gab Kohlhase den brandenburgischen Geleitbrief mit der folgenschweren Begründung, bislang habe der Kurfürst nichts für seine Sache getan, zurück. Am 23.7.1538 (und nicht zu Beginn der Fehde, wie Hafftitz schreibt) nahm Kohlhase den Wittenberger Bürger Georg Reiche, der zugleich ein Schwager des Sekretärs des brandenburgischen Kurfürsten war, als Geisel, sodass Letzterer den Sachsen die seit Längerem erbetene Verfolgungshilfe gegen den ›Aufrührer‹ Kohlhase zusagte. In der Folge unterhielten Kohlhase und der sächsische Kurfürst einen regen Schriftwechsel, in dem die Modalitäten einer möglichen Freilassung der Geisel erörtert wurden, die jedoch nach drei Wochen durch Vasallen des Bischofs von Cebus aufgespürt und befreit wurde. Nach der daraus resultierenden Folter und Ermordung eines Knechts aus Kohlhases Gefolge eskalierte die Gewalt; immer mehr Anhänger des Kaufmanns (die Akten verzeichnen einen Personenkreis von über 300 Sympathisanten des Aufständischen) wurden gefangen und hingerichtet, was wiederum Vergeltungsmaßnahmen auf der anderen Seite nach sich zog. Die nun vereinten Bemühungen Brandenburgs und Sachsens trieben Kohlhase immer weiter in die Enge, mit der Folge, dass er sich 1540 (wohl von Lockspitzeln) dazu verleiten ließ, zu angeblichen (neuen) Verhandlungen mit dem brandenburgischen Kurfürsten nach Berlin zu begeben. Über die dortigen Ereignisse (Entdeckung von Kohlhase und seiner Frau, Gerichtsverhandlung, Todesurteil und Hinrichtung auf dem Rad) berichtet lediglich Hafftitz' Chronik. Nach deren Zeugnis hat sich Kohlhase vor Gericht ausführlich für sein Handeln gerechtfertigt, was ihm bei dem neutralen Teil des Publikums viel Zustimmung eingebracht habe.

Parallelen in der Gestaltung

Eine Betrachtung von Kleists Lektüre der Quellen zeigt, dass er sich nicht sonderlich eng an die Vorlagen gehalten hat: Manches wurde übernommen, anderes umgedeutet und vieles neu hinzuerfunden. Enge Parallelen finden sich in der Gestaltung a) der konfliktreichen Beziehung zwischen Brandenburg und Sachsen, b) der Zugrunderichtung zweier Pferde durch die Leute eines adligen Herren, c) des Rechtsersuchens an den Kurfürsten von Sachsen, d) der Brandstiftung in Wittenberg (bei Kleist geschickt begründet mit der Anwesenheit des Junkers Wenzel von Tronka), e) eines Briefes Martin Luthers (wenn auch mit gänzlich

132

anderem Inhalt) sowie der (vermutlich nicht historischen) Zusammenkunft mit dem Reformator, ferner die Gestaltung f) der verhängnisvollen Rolle des Aufrührers Nagelschmidt (erneut mit signifikanter Veränderung des Inhalts), g) der Anklage auf Bruch des kaiserlichen Landfriedens (jedoch nicht mit Sachsen in der Rolle des Anklägers) und Verurteilung, h) der Parteinahme des Volks für Kohlhase (hinsichtlich des von Hafftitz verzeichneten »Beyfalls« auf die Verteidigungsrede hin) sowie i) des Datums des Hinrichtungstages. Die bei Hafftitz und Leutinger nachzulesende nachträgliche Reue des brandenburgischen Kurfürsten mag Kleist als Vorbild zur Gestaltung seines gerechten Kurfürsten gedient haben.

Signifikanter als die Parallelen sind jedoch die Unterschiede in der Gestaltung. Aus dem Hans Kohlhase der Prä-Texte wird Michael Kohlhaas: Die Assoziation an das dem Volksmund zufolge zwar pfiffige, aber auch feige Tier (»Hasenfuß«) wird abgeschwächt, die Identifikation des »Selbsträchers« mit dem Erzengel Michael, der Luzifer stürzt und den Drachen tötet sowie dessen Posaune beim Jüngsten Gericht erschallt, schon vom Namen her angedeutet. – Der Kaufmann und »Bürger zu Cölln« wird bei Kleist zum Rosshändler und Meierhofbesitzer in einem nach ihm benannten Ort (»Kohlhaasenbrück«) aufgewertet. – Die Beschlagnahmung und Verderbung der Pferde durch die Leute des Junkers Wenzel von Tronka (dessen Vorbild Günter von Zaschwitz ist) erfolgt nicht unter dem ehrenrührigen Verdacht, sie seien gestohlen, sondern als Pfand im Rahmen des unrechtmäßigen Versuchs, Durchreisenden einen Wegzoll abzupressen bzw. unter Vorlage eines (allerdings inexistenten) Passscheins freies Geleit zu gewähren. – Kleists Protagonist versucht nicht nur zwei Mal, sondern sogar drei Mal, auf friedlichem (juristischen) Weg zu seinem Recht zu kommen: durch das Einreichen einer Klage sowie durch weitere Eingaben und Bittschriften an die Landesfürsten, deren Regierungen und Gerichte sich als korrupt erwiesen haben. Nicht übernommen werden Kohlhases Forderung nach Bezahlung der Pferde und die Fehdeerklärung an das Land Sachsen; Kleists Kohlhaas konzentriert sich (zunächst) ausschließlich auf die Pferde und die Person des Junkers. – Fußend wohl auf Leutingers wiederholter Behaup-

Unterschiede in der Gestaltung

tung, Kohlhase habe die Vorstädte Wittenbergs in Brand gesteckt, lässt Kleist seinen Protagonisten die Stadt selbst dreimal in Brand setzen. Der historische Kohlhase hat übrigens die Schuld an den Brandschatzungen Wittenbergs unter Eid abgeleugnet, was dadurch an Plausibilität gewinnt, dass später ein gewisser Valentin Treuchel für schuldig befunden und am 5. 2. 1535 hingerichtet wurde (vgl. Luthers Brief an Georg Spalatin vom 12. 4. 1534; Luther 1937, S. 57 f.). Kleists Kohlhaas bekennt sich hingegen öffentlich zu seiner Tat, die er als Strafe für die Beherbergung des Junkers zu rechtfertigen sucht.

Die von Kohlhaas und seinem Gefolge verübten Gewalttaten bleiben, im Unterschied zu den teilweise ungezielt terroristischen Akten des historischen Kohlhase, stets funktional auf die Sühne des ursprünglichen Unrechts bezogen, auch wenn berücksichtigt werden sollte, dass dabei auch Unschuldige umkommen. Kleist folgt damit seinem zu Beginn der Erzählung projektierten Vorhaben, den ›entsetzlichen‹ Kohlhaas immer auch den ›rechtschaffenen‹ bleiben zu lassen; dieser handelt maßvoll, klug, gerecht und tapfer. Bei Kleist wird der religiöse Tugendkatalog mit der frühneuzeitlichen Fehderechtsdebatte und der aufklärerischen Diskussion zur Theorie des Gesellschaftsvertrags und des

Rechtshistorischer Kontext des 16. Jh.s Widerstandsrechts enggeführt. Der rechtshistorische Kontext des 16. Jahrhunderts zeigt, dass der Dichter innerhalb des fehderechtlichen Diskurses konsequent argumentiert. Wie Hartmut Boockmann herausgestellt hat, galt die Fehde in der Frühen Neuzeit als »subsidiäres Rechtsmittel« (Boockmann 1985, S. 91) und konnte durch einen Fehdebrief mit einer Frist von drei Tagen ausgerufen werden, sofern der Rechtsweg ausgeschöpft war, kein Richter sich zur Prozessführung bereitfand, ein ergangenes Urteil nicht vollstreckt werden konnte oder der unterlegene Gegner die ihm auferlegten Zahlungen oder Leistungen verweigerte. Zwar wird Kohlhaas des Bruchs des »öffentlichen Landfriedens« angeklagt, doch ging die *Carolina* aus dem Jahre 1532 in den fehderechtlichen Regelungen wieder hinter den von Kaiser Maximilian 1495 verkündeten »Ewigen Landfrieden« zurück, der die Fehde verbot und damit einen ersten Schritt auf dem Weg zur Errichtung eines staatlichen Gewaltmonopols markierte, bis ins 16. Jahrhundert hinein aber noch nicht fest verankert werden konnte. Die *Carolina* nahm die traditionelle Unterscheidung von rechter und unrechter Fehde wieder auf, sodass durchaus strittig ist, ob Kohlhaas als Landfriedensbrecher (dem keine Amnestie hätte gewährt werden dürfen) oder als Fehdeführer (mit dem man in Verhandlungen hätte treten müssen) zu werten ist. Diesen historischen Schwebezustand nutzt Kleist für seine Erzählung konsequent als nicht aufzulösende Leer-Stelle.

Des Weiteren erhält die Figur des Nagelschmidt – neben einem anderen Vornamen (Johann statt Georg, der dem anderen Drachentöter, Michael, den Status hätte streitig machen können) – ein komplett neues Charakterprofil und eine Rolle als Antagonist von Kohlhaas, die sich nicht in den Quellen finden lassen. – Die Annullierung des Vertrags von Jüterbog findet bei Kleist im Bruch des Kohlhaas zugesicherten freien Geleits und der feierlich ausgelobten Amnestie durch die sächsische Regierung ihre (wenn auch deutlich veränderte) Aufnahme. Jüterbog selbst fungiert als Ort bilateraler Gespräche (und Vergnügungen) zwischen den Herrschern von Brandenburg und Sachsen und dient als Bühne für den Auftritt der Zigeunerin und deren Wahr-Sagung. – Von erheblicher Bedeutung ist ferner Kleists Um-Schrift der Lutherfigur und der mit seiner Person verknüpften Episode: Aus der maßvollen Ermahnung des Reformators wird ein öffentliches Plakat, eine Flugschrift, deren unwillkürlich zum Widerspruch reizender Wortlaut frei erfunden ist. Bei Hafftitz weicht Luther bei der persönlichen Begegnung nicht mit Entsetzen vor dem ›Mordwüterich‹ zurück, sondern kommt in freundlicher Zuneigung selbst an die Tür, unterhält sich, in Gesellschaft weiterer Theologen, stundenlang mit Hans Kohlhase, erteilt ihm die Absolution und reicht ihm das Abendmahl, ohne (wie bei Kleist) die Forderung an ihn zu richten, umgehend von seiner Rechtssache abzulassen. Nur seine Gewalttaten verspricht Kohlhase einzustellen, wofür er im Gegenzug die Zusage erhält, dass man ihn unterstützen werde, seinen ›Fall‹ zu einem guten Ende zu bringen: »Ganz offensichtlich will Kleist seinen Luther keineswegs als unanfechtbare moralische Autorität verstanden wissen, und er verstärkt das Zwielicht um diese Gestalt noch dadurch, daß er Luther theologische und ›staatskluge‹ Argumente mitein-

Kleists Um-Schrift der Lutherfigur

ander vermengen läßt.« (Müller-Salget 1990, S. 711) – Ferner wird in Kleists Text die Klage auf Bruch des Landfriedens nicht durch die sächsische Regierung geführt, sondern (wenn auch angestoßen durch den Brief des Kurfürsten von Sachsen an den Kaiser) durch einen Abgesandten des Kaisers selbst. Während Hafftitz den sich daran anschließenden Prozess, die Verurteilung und die Hinrichtung an ein und demselben Tag stattfinden lässt, dehnt Kleist die Zeit auf mehrere Tage aus, um Kohlhaas noch einige Momente an »Ruhe und Zufriedenheit«, die (eschatologische) Wiederaufnahme und Zuspitzung der Zigeunerin-Handlung sowie die Genugtuung einer versöhnlichen Geste Luthers zu gönnen. Schließlich wird Kohlhaas – anders als sein historisches Vor-Bild – nicht gerädert, sondern durch das Beil des Scharfrichters hingerichtet, was als ehrenvolle Hinrichtungsart galt.

Kleists Erfindungen

Nicht unwesentliche Teile der Erzählung beruhen auf Kleists eigener Erfindung: So hat der Dichter die Zahl der auftretenden und agierenden Personen erheblich vergrößert: die Knechte Herse, Sternbald und Waldmann; der ehrbare Nachbar und Freund von Kohlhaas, der Amtmann von Kohlhaasenbrück, der vorübergehend den Meierhof von Kohlhaas erwirbt und den dieser vor seinem Tod zum Vormund der Kinder bestellt; Kohlhaas' Familie, seine Frau Elisabeth und seine Kinder; die Zigeunerin, als Revenant der toten Elisabeth; der Kastellan des kurfürstlichen Schlosses zu Berlin; die Äbtissin des kurfürstlichen Fräuleinstifts Erlabrunn sowie die meisten von Kohlhaas' Gegnern und Parteigängern. Erst sie lassen eine Umwelt um Kohlhaas herum entstehen und das kaum entwirrbare, mitunter paradoxe Beziehungsgeflecht erkennbar werden, dem der Einzelne gegenübersteht und in das er sich heillos verstrickt, was Kleist primär an der (den Quellen nicht zu entnehmenden) Willkürherrschaft und Vetternwirtschaft der Tronkas und Kallheims paradigmatisch verdeutlicht. Der signifikanten Verdichtung der Handlung korrespondiert eine raschere Abfolge der Ereignisse (»Sieben Monden mögen es etwa sein«). Den Pferden, die in der Chronik lediglich als Initialmoment für die Verwicklung der Ereignisse dienen und dann von der Bildfläche verschwinden, sowie die obsessive Ausweitung von durch den gesamten Text flottieren-

Verdichtung der Handlung

den Schriften hat Kleist eine leitmotivische Bedeutung gegeben, ebenso den in den Quellen komplett ausgesparten Kindern des Rosshändlers.

Hinzu kommen weitere Erfindungen Kleists: Während die Quellen davon berichten, dass die Frau des historischen Kohlhase bei dessen Festnahme (hochschwanger, wie Hafftitz berichtet) bei ihm weilt, stirbt Elisabeth Kohlhaas beim letzten Versuch, über den juristischen Weg Gerechtigkeit zu erhalten. Erst ihr gewaltsamer Tod entbindet die Dynamik von Kohlhaas' »Geschäft der Rache« und seine Stilisierung als religiöser Schwärmer und Fanatiker. Im Gegensatz zu Hans Kohlhases Intention, mit seiner Fehde das Kurfürstentum Sachsen als Gegner zu wählen, zerstört Kleists Kohlhaas die Burg seines Widersachers Wenzel von Tronka, dessen Bestrafung und spätere Auslieferung zunächst das Ziel der von Kohlhaas und seinem Gefolge verübten Gewalttaten darstellt. Ebenso wie im ersten Teil personalisiert Kohlhaas in der späteren Auseinandersetzung mit Sachsen die Fehde; dementsprechend ist im zweiten Teil der sächsische Kurfürst Ziel seines Rachebegehrens, für dessen Verderben er jedes Opfer zu bringen bereit ist. In diesem Zusammenhang gewinnt die Bloßstellung der obrigkeitlichen Korruption und der maßlosen Willkür der Herrschenden in Kleists Text eine wichtige Bedeutung. Eng verknüpft hiermit ist die programmatische Gegenüberstellung eines schwachen und daher ungerechten Herrschers (in Sachsen) und eines selbstbewussten und damit gerechten Herrschers (in Brandenburg), der an die Gestaltung des Kurfürsten Friedrich Wilhelm von Brandenburg in Kleists Drama *Prinz Friedrich von Homburg* erinnert. Die in Dresden, Dahme und Berlin spielenden Teile der Handlung weisen, sieht man von der Anklage wegen Bruchs des kaiserlichen Landfriedens und der Hinrichtung in Berlin einmal ab, kaum noch Anklänge an die aus den Quellen extrahierten historischen Ereignisse auf. Und schließlich: Kohlhaas erhält am Ende sein Recht, und die Geschichte um die ebenfalls frei erfundene Zigeunerin mit der geheimnisvollen Kapsel und dem darin enthaltenen Schrift-Stück, die einen weiteren Wechsel der Erzählperspektive nach sich zieht, ermöglicht ihm sogar, sich am Kurfürsten von Sachsen für das erlittene Unrecht zu rächen. Nicht zuletzt das

Programmatische Gegenüberstellung von Herrscher-Typen

Ende der Erzählung legt die Ansicht nahe, dass Kleist die Person des Kohlhaas gegenüber den Quellen erkennbar aufgewertet und durch die Verknüpfung mit zeitgenössischen Diskursen um 1800 in die eigene Schreibgegenwart transferiert hat.

Überblendung diskursiver Kontexte

Charakteristisch für Kleists Poetik ist die Überblendung unterschiedlicher, nicht selten unvereinbarer diskursiver Kontexte, die die paradoxale Grundstruktur seines Textes unterstreichen. Kleists Initial für die Erzählung dürfte in der Rechtsdiskussion und dem patriotischen Reformdiskurs um 1800 zu suchen sein, mit denen der Dichter wohlvertraut war. So lagert sich die aufklärerische Naturrechtsdebatte, derer sich Kohlhaas im Gespräch mit Luther bedient, über den frühneuzeitlichen fehderechtlichen Horizont wie über ein Palimpsest, dessen Spuren gerade noch erkennbar sind. Der Begriff ›Naturrecht‹ geht auf die Unterscheidung zwischen dem von Natur Rechten oder Gerechten und dem durch Satzung oder Übereinkommen gültigen Recht zurück. Im 17. Jahrhundert rückt das Naturrecht infolge der Religions- und Bürgerkriege als mögliche überparteiliche Instanz in den Blickpunkt des Interesses. In diesem Sinne greift der Niederländer Hugo Grotius (1583–1645) in seinem wegweisenden Werk *De jure belli ac pacis* (1625) auf die stoische Naturrechtslehre zurück, um mit ihrer Hilfe kurz nach Ausbruch des Dreißigjährigen Krieges vor allem das Völkerrecht zu begründen. Das Naturrecht basiert nach Grotius' Ansicht auf der Prämisse, dass der Mensch ein mit Vernunft begabtes soziales Wesen ist. Der Engländer Thomas Hobbes (1588–1679) benutzt das Naturrecht in seinem *Leviathan* (1651) in politischer Absicht, um angesichts der Bürgerkriegswirren einen starken Staat zu fordern. Hobbes zufolge könne und müsse der Mensch, per ein asoziales Wesen, aufgrund seiner Vernunft, nämlich durch Interessenkalkulation, in einem Gesellschaftsvertrag auf seine gewalttätige Selbsterhaltung verzichten und alle Gewalt dem Staat übertragen, damit dieser über die Normen entscheide und den Frieden garantiere. Der Vertrag, durch den sich die Menschen um des sozialen Friedens willen der absoluten staatlichen Autorität unterwerfen, bringt ihnen Gleichheit innerhalb des Untertanenverbands, belässt dem Herrscher aber seine Souveränität. Mit dieser Erneuerung der an sich alten Überlegung eines Gesellschaftsvertrages und der in ihr implizierten Differenzierung von Naturzustand und bürgerlichem Zustand hat Hobbes die Fundamente für die Naturrechtslehre des 18. Jahrhunderts gelegt, auch wenn diese sich gegen seine ideologischen Voraussetzungen und politischen Absichten, insbesondere gegen den Absolutismus, wenden.

Bereits John Locke (1632–1704), der in seinen beiden *Treatises on civil government* (1690) auf der Grundlage der Naturrechtslehre argumentiert, um die konstitutionelle Monarchie in England zu legitimieren, sieht den Naturzustand, in dem nur das Naturrecht herrschte, nicht mehr als Krieg aller gegen alle (*bellum omnium contra omnes*), da es auch im Naturzustand gottgegebene Grundrechte gebe (Leben, Freiheit, Eigentum). Diese natürlichen Rechte müssten auch dem Staat bzw. dem Herrscher gegenüber vor Übergriffen geschützt sein. Der in Frankreich lebende Schweizer Philosoph Jean-Jacques Rousseau (1712–1778) betrachtet den Naturzustand dann sogar als eine normative Idylle, an der sich die Perversionen des Kulturzustandes messen lassen müssten, allerdings auch als einen Status, der durch Gesellschaftsvertrag zugunsten einer durch den Allgemeinwillen (*volonté générale*) bestimmten Republik verlassen werden müsse. Die Natur, an der Rousseau sich orientierte, ist eine vorausgesetzte, ursprüngliche Natur des Menschen; bei der Entscheidung für den *contrat social* wird der Wille eines jeden Individuums mit dem gemeinsamen Willen aller in Übereinstimmung gebracht. Immanuel Kant (1724–1804), der die Unterscheidung von Rechts- und Moralnormen zur Unterscheidung von Legalität der Handlung und Moralität der Gesinnung weiterentwickelte, leitet dann alle Normen aus der praktischen Vernunft ab. Seine Pflichtethik kann daher auch als Weiterbildung des Natur- und Vernunftrechts gelesen werden. Kommt der Staat seinen Verpflichtungen allerdings nicht nach, so sei der Gesellschaftsvertrag hinfällig, und der Naturzustand trete wieder ein.

Diese Vorstellung einer ›Kündigung‹ des Gesellschaftsvertrags führte zur Frage nach den sich daraus ergebenden Konsequenzen, die in Preußen am Ende des 18. Jahrhunderts ausgesprochen lebhaft diskutiert wurde. Das theoretisch eingeräumte

›Kündigung‹ des Gesellschaftsvertrags, Widerstandsrecht

Recht auf Widerstand kollidierte mit der Pflicht zum bürgerlichen Gehorsam, an dem die meisten Autoren aus Furcht vor unabsehbaren Folgen für das Gemeinwesen prinzipiell festhielten. Es verwundert daher nicht, dass Kleist in der Konzeption seines Textes genau diese Leer-Stelle des Widerstandsrechts, zu dem sich Hobbes, Locke und Rousseau nur vage äußerten, auslotet.

Kleist kam mit der Naturrechtslehre bereits während seines (allerdings nur kurzen) juristischen Studiums 1799 in Frankfurt an der Oder durch seinen Lehrer Ludwig Gottfried Madihn (1784–1834) in Berührung (*Grundsätze des Naturrechts zum Gebrauch seiner Vorlesungen*, 2 Teile, 1789/96). Unter Umständen kannte er auch die das Recht auf Widerstand befürwortenden Schriften von Paul Johann Anselm Feuerbach (*Anti-Hobbes oder über die Grenzen der höchsten Gewalt und das Zwangsrecht der Bürger gegen den Oberherrn*, 1797) und Ludwig Heinrich Jakob (*Antimachiavel oder über die Grenzen des bürgerlichen Gehorsams*, anonym 1794), der konkrete Maßgaben formulierte, wie denn zu verfahren sei, wenn der Staat seiner Pflicht nicht gerecht werde, die Durchsetzung des Rechts zu garantieren: »Den Grad der rechtmäßigen Gegenwehr bestimmt folgende Regel: ›Jeder hat ein äußerlich vollkommenes Recht, die Verletzung gleichartiger Zwecke, welche in ihm widerrechtlich verletzt werden, zum Zwangsmittel gegen den zu gebrauchen, welcher sie verletzt‹.« (Zit. n. Hamacher 2003a, S. 87) Jacob bietet auch ganz speziell für den – in Kleists Erzählung gegebenen – Fall der Rechtsverweigerung eine Lösung an: »Wenn mich ein Gerichtshof verdammt, und ich glaube, mir geschieht durch die Sentenz Unrecht; so muß ich mich dennoch demselben unterwerfen [...]. Wenn aber der Staat auch aus Irrtum verdammt; so erhellet doch aus alledem gar kein böser Wille des Staates. Ich habe also nicht den geringsten Vorwand zum Ungehorsam oder zur Gewalttäigkeit gegen ihn [...] – wenn aus dessen richterlichem Ausspruche gegen mich nicht offenbar dessen böser Wille, mein Recht zu kränken, sichtbar ist.« (Zit. n. Rückert 1988/89, S. 398) In diesem Zusammenhang ist interessant, dass der mit Kleist bekannte konservative Publizist Adam Müller (1779–1829), mit dem der Dichter 1808/09 den ›Phöbus‹ herausgab, in seinen Vorlesungen, die Kleist im selben Winter hörte und die 1809 unter dem Titel *Elemente der Staatskunst* erschienen, die nun ausgesprochen prominente Theorie vom Staatsvertrag im Sinne Rousseaus und damit auch ein Widerstandsrecht der Bürger gegen den Staat kategorisch ablehnte (vgl. Hamacher 2003a, S. 89).

Ideengeschichtlich handelt es sich bei dieser Kontroverse um einen Konflikt zwischen aufklärerischen und romantischen Staatsmodellen, die in Kleists Erzählung wie in einer gezielten Experimentanordnung gegeneinander geführt werden, um deren Tauglichkeit bzw. Untauglichkeit zu prüfen (vgl. hierzu ausführlich Schmidt 2003, S. 215–234). Erstaunlich ist jedoch, dass Kleist seinen Michael Kohlhaas nicht nur eine selbst zu Beginn des 19. Jahrhunderts ausgesprochen moderne Position vertreten, sondern außerdem auch rechtsphilosophisch ausgesprochen stringent argumentieren lässt. Dessen Rechtsbegehren gilt von Beginn an nicht nur der Wiedergutmachung des selbst erlittenen Schadens, sondern der Durchsetzung von Rechtssicherheit für sich und seine Mitbürger. Das Scheitern auf dem Klageweg und die Tötung seiner Frau durch eine Wache des brandenburgischen Kurfürsten legen das Augenmerk auf eine weitere zentrale Verletzung einer wesentlichen Rechtsnorm um 1800, wie sie im *Allgemeinen Landrecht für die Preußischen Staaten* von 1794 verzeichnet ist: »Der Staat ist für die Sicherung seiner Unterthanen, in Ansehung ihrer Person, ihrer Ehre, ihrer Rechte, und ihres Vermögens, zu sorgen verpflichtet.« (ALR II 17 § 1; zit. n. Ziolkowski 1987, S. 46) Hatte Kohlhaas im ersten Teil der Erzählung das eingeforderte positive Recht naturrechtlich begründet, begibt er sich im Anschluss daran in den ideengeschichtlichen Kontext des Gesellschaftsvertrags, wenn er selbst das »Geschäft der Rache« übernimmt und »kraft der ihm angeborenen Macht« einen »Rechtsschluß« verfasst. Im Rahmen seines im Kloster Erlabrunn verfassten »Kohlhaasische[n] Mandat[s]« rechtfertigt der Rosshändler sein Verhalten damit, dass er sich mit dem Junker in einem »gerechten Krieg« befinde. Die Evokation des *bellum iustum*-Gedankens transportiert sowohl die moralische wie auch die juristische Haltung ihres Urhebers, denn Kohlhaas hält sein Verhalten für gerecht und rechtmäßig,

Ideengeschichtlicher Kontext

»Gerechter Krieg«

sieht er sich selbst doch schon als »Reichs- und Weltfreien, Gott allein unterworfenen Herrn«, der das Volk dazu ermutigt, zur »Errichtung einer besseren Ordnung der Dinge« sich seiner Fehde anzuschließen. Obwohl er sich bald in seiner Hybris zum »Statthalter Michaels, des Erzengels« erhebt, dürfte kein Zweifel daran bestehen, dass seine Ansicht von einer besseren Ordnung keineswegs utopischer Natur ist oder die radikale Änderung des Staatsaufbaus zum Ziel hat, sondern weiterhin die Durchsetzung positiven Rechts sein Begehren ist, wie im Gespräch mit Martin Luther sehr deutlich zutage tritt: »Der Krieg, den ich mit der Gemeinheit der Menschen führe, ist eine Missetat, sobald ich aus ihr nicht, wie ihr mir die Versicherung gegeben habt, verstoßen war! [...] Verstoßen [...] nenne ich den, dem der Schutz der Gesetze versagt ist! Denn dieses Schutzes, zum Gedeihen meines friedlichen Gewerbes, bedarf ich: ja, er ist es, dessenhalb ich mich, mit dem Kreis dessen, was ich erworben, in diese Gemeinschaft flüchte; und wer mir ihn versagt, der stößt mich zu den Wilden der Einöde hinaus; er gibt mir, wie wollt ihr das leugnen, die Keule, die mich selbst schützt, in die Hand.«

Idee des bedingten Gesellschaftsvertrags Dabei folgt Kohlhaas der Idee des bedingten Gesellschaftsvertrags, dem man sich nur insoweit zu unterwerfen habe, als alle Beteiligten den aus dem Vertrag resultierenden Pflichten nachkommen. Kohlhaas sieht jedoch – zu Recht – in der konsequenten Missachtung seiner Person als Rechtssubjekt und in der Erfahrung unbegreiflicher Willkür durch die Obrigkeit eine eklatante Verletzung der dem Staat zukommenden Fürsorgepflicht gegenüber seinen Bürgern, der er nur durch Selbsthilfe zu begegnen weiß. Gleichwohl ist er bestrebt, die Autorität Luthers zu nutzen, um die Möglichkeit einer Rückkehr in den Rahmen prozessualer Ordnung zu ergreifen. Ziel ist hierbei, wie der Erzähler kommentiert, neben dem Schadenersatz vor allem die Demonstration der Verwirklichung des Rechts sowie die Legitimierung seines Vorgehens: »Kohlhaas will der Welt zeigen, daß sie [seine Frau] in keinem ungerechten Handel umgekommen ist.« Im weiteren Verlauf der Handlung wird Kohlhaas' Forderung nach Anerkennung als autonomes Rechtssubjekt konterkariert durch die prinzipielle Bedingtheit der Welt, in der er als agierendes Individuum so lange bedeutungslos ist, wie er Opfer der Willkür und des Zufalls ist. Spätestens hier tritt die tragische Spannung zwischen dem nach Autonomie strebenden Subjekt und einem Staatswesen hervor, das lediglich Objekte herrscherlichen Agierens zu verwalten bereit ist, was vor allem an der von Individualinteressen geprägten Korruption der Administration erkennbar wird. Aus diesem Blickwinkel erscheint Kohlhaas als Spielball des Zufalls in Form willkürlicher Handlungen der Staatsmacht und metaphysischer Gewalten. Mit dem Eintritt der Zigeunerin in das Geschehen geht es nicht mehr primär um die »Wiederherstellung von Kohlhaas' Integrität und Souveränität als Bürger« (Bogdal 1993, S. 33), die dem Rosshändler mit dem Berliner Urteil dann zwar auch zuteil wird, sondern »[d]er paradox strukturierte revolutionäre Kampf des Michael Kohlhaas ist am Ende darauf gerichtet, die Ungewißheit, in der das Grauen der Moderne gipfelt, universal werden zu lassen. Er will die Herrschenden [primär den Kurfürsten von Sachsen] unter dieselben Gesetze zwingen, unter denen er als Bürger zu leiden hatte.« (Grathoff 1998, S. 65)

Wirtschaftshistorisch schließlich greift Kleist mit dem Tronka'- schen Schlagbaum (als Symbol für absolutistische Willkürherrschaft auch in ökonomischer Hinsicht) das im Rahmen der preußischen Reformen unter Stein, Hardenberg, Gneisenau oder Scharnhorst aktuelle Projekt der Gewerbefreiheit auf, mit dem sich der Dichter 1806 bei seinen finanzwissenschaftlichen Studien als Diätar der Domänenkammer in Königsberg beschäftigte. Die Reformbemühungen um einen bürgerlichen Handel wurden insbesondere durch die überkommenen Privilegien des Landadels konterkariert (vgl. hierzu den in den ›Berliner Abendblättern‹ vom 3. 12. 1810 veröffentlichten Artikel »Gewerbefreiheit« eines unbekannten Autors, der das Problem im Kontext der Naturrechtsdebatte thematisiert; Hamacher 2003a, S. 82 f.). Der Aufstand des Rosshändlers entspricht dem patriotischen Diskurs der zeitgenössischen Reformer, die einerseits das Volk zu führen beanspruchen, ehe es sich eigenmächtig erhebt oder den vermeintlich revolutionären Versprechungen der französischen Besatzer erliegt, andererseits sich gegen eine ständische Opposition behaupten müssen. Zu Recht weist Hamacher darauf hin, dass in der Forschung »kaum jemals […] das gesamte

Spektrum der in Frage kommenden diskursiven Kontexte zur Begründung der konkurrierenden Ansprüche aufgefächert [wird]. In vielen Interpretationen besteht immer noch die Tendenz, die Problematik stillzustellen, indem einzelne Positionen privilegiert werden und damit die Möglichkeit metaphysischer Begründung nicht grundsätzlich verabschiedet wird.« (Hamacher 2009, S. 99) Das Ineinander-Schalten bzw. Miteinander-Konfligieren der einzelnen Diskurse lässt sich auch durch die zahlreichen biblischen und theologischen Intertexte verdeutlichen, die nicht selten eine zweite Lesart neben der juristischen implementieren. Die »Gerechtigkeit«, die dem Knecht Herse – als Quintessenz aus Kohlhaas' Verhör – »widerfahren« soll, ist sowohl juristisch als auch theologisch zu verstehen, und wenn Kohlhaas auf »Wiederherstellung [...] in den vorigen Stand« klagt, so eröffnet der dahinter hörbar werdende lateinische Rechtsterminus der *restitutio in integrum* sowohl eine juristische wie auch eine theologische Sinndimension: Auf juristischer Ebene soll die beschädigte Sache (Rappen) wieder in den früheren, unversehrten Zustand versetzt werden, theologisch wird eine Rückkehr der Welt in den Zustand vor dem Sündenfall assoziiert.

Deutlich wird, dass die komplexen intertextuellen Tauschbeziehungen zwischen Kleists Text und seinen außerliterarischen Kon-Texten, die kreative Fortschreibung der historischen Kohlhase-Konstellation des 16. Jahrhunderts sowie der Transport von Versatzstücken aus philosophischen, ökonomischen und staatstheoretischen Diskursen aus dem 16. ins 19. Jahrhundert *Michael Kohlhaas* als einen hochgradig paradoxen, polyvalenten Text erscheinen lassen, der seinen Rezipienten manches Rätsel aufgegeben hat und weiterhin aufgibt.

Biblische und theologische Intertexte

Wirkungsgeschichte

Angesichts seiner Rätselhaftigkeit ist Heinrich von Kleists *Michael Kohlhaas* ein stets aktueller, stets kontrovers diskutierter Text. Fast jeder Deutungsansatz wurde an ihm erprobt; gleichwohl entzieht er sich dem Versuch, vollständig verstanden zu werden. Denn die Erzählung gleicht einem Vexierbild: Ändert man die Blickrichtung, sieht man ein anderes, neues, der ersten Wahrnehmung widersprechendes Motiv. Der nun folgende Blick auf die Wirkungsgeschichte soll einen Eindruck davon vermitteln, auf wie viele unterschiedliche Arten die Erzählung in den vergangenen zwei Jahrhunderten gelesen wurde und in wie vielen (einander widersprechenden) Richtungen sich die Deutungsbemühen verzettelt haben. Fast scheint es so, als habe die Vielzahl der am *Kohlhaas* erprobten hermeneutischen Modelle diesen Text immer hermetischer werden lassen.

Als im Herbst 1810 bei Reimer in Berlin die vollständige Fassung von Kleists *Kohlhaas* im ersten Band seiner Erzählungen, der zudem *Die Marquise von O ...* und *Das Erdbeben in Chili* enthielt, publiziert wurde, ließ sich bei der Lektüre der ›Miszellen für die Neueste Weltkunde‹ vom 6.10. schon die hohe ästhetische Qualität des Textes erahnen; bezeichnenderweise heißt es dort:»Goethes Wanderjahre seines Wilhelm Meister, H. von Kleists Erzählungen und Lafontaines neue Romane werden am meisten die Aufmerksamkeit der Unterhaltungssüchtigen anziehen.« (*Lebensspuren*, Nr. 368) Die umfangreichste, später berühmteste, hinsichtlich ihrer Deutung bis heute umstrittenste Erzählung Kleists hat jedoch auch schon bei den Zeitgenossen für eine gespaltene Rezeption gesorgt. Regelrecht feindselig kritisierte Karl August Böttiger (1760–1835) in der ihm eigenen Diktion (in einer anonymen Rezension des ›Freimüthigen‹ vom 5.12.1808) bereits den ›Phöbus‹-Text:

K. A. Böttiger

> »Der Herr v. Kleist gibt uns [...] den Anfang von einer Lebensgeschichte von Michael Kohlhaas, der uns auf die versprochene Fortsetzung gar nicht neugierig macht. So langweilig ist dieser Eingang, so breitgesponnen jeder Faden, daß aus diesem Gewebe ohnmöglich etwas anders, als ein Stück

schlechter Ware gewebt werden kann. Wem dies Urteil zu hart scheint, der lese nur [...] das erbauliche Gespräch zwischen Kohlhaas und seinem Knechte, und [...] den Handel über sein Gut. Was wir [...] aus den Gedankenstrichen, als Kohlhaasens Weib gestorben war: ›Kohlhaas dachte – – – küßte sie, usw.‹ machen sollen, können wir auch nicht einsehn. Übrigens hätten wir Herrn v. Kleist, ohne daß er nötig gehabt hätte, seinen Namen beizufügen, schon an den schönen Wendungen: auf Knieen – bleich im Gesicht wie Linnenzeug – wenn der H ... A ... die Pferde nicht wieder nehmen will – wodurch auch hast Du Dir – usw. als Verfasser dieses Machwerks erraten.« (Ebd., Nr. 296a)

Clemens Brentano (1778–1842) und Achim von Arnim (1781–1831) dagegen hielten schon den ›Phöbus‹-Text für »schön« und »trefflich« (ebd., Nr. 345 u. 347), auch wenn Brentano darin einiges »sehr hart, vieles aber ganz ungemein rührend und vortrefflich gedichtet« fand (ebd., Nr. 346).

Brüder Grimm   Der *Kohlhaas* von 1810 hat vor allem bei den Brüdern Grimm große Bewunderung ausgelöst. Jacob Grimm (1785–1863) schrieb am 22.1.1811 an Arnim, Kleists Erzählung sei ihm »eine der liebsten Geschichten [...], die ich weiß, an der ich mit ganzer Seele beim Lesen gehangen habe« (ebd., Nr. 380), und am 21.2.1811 an Paul Wigand: »Willst Du eine vortreffliche Erzählung lesen, so schaff Dir Kleists Erzählungen an, worin nun der Kohlhaas, davon der Anfang schon im Phöbus stand, vollendet ist. Eine übermaßen gelungene und lebende Geschichte.« (Ebd., Nr. 382a) Wilhelm Grimm (1786–1859) bemerkte gegenüber Brentano: »Der Kohlhaas ist eine kunstreiche treffliche Schmiedearbeit, die jeder mit großem Vergnügen lesen wird.« (Ebd., Nr. 381)

In seiner ausführlichen Besprechung des ersten Erzählungsbandes in der Leipziger ›Zeitung für die elegante Welt‹ am 24.11.1810 zählt Wilhelm Grimm Kleists drei Texte »unstreitig« zu den besten, »welche unsere Literatur aufzuweisen hat«, und rühmt sie »besonders in Rücksicht der Gründlichkeit, der Tiefe und des reinen Lebenssinnes, sowie der kraftvollen, anschaulichen und tiefwirkenden Darstellung«. In deutlichem Kontrast allerdings zu der Ankündigung in den ›Miszellen‹ hat

Grimm einen anderen Rezipientenkreis im Blick: »Für die Menge sind sie freilich nicht geschrieben, die sich nichts lieber wünscht, als empfindungsselige Liebesgeschichten oder triviale Szenen aus dem häuslichen Leben, mit breiten Reflexionen und moralischen Nutzanwendungen ausstaffiert, oder tolle Abenteuerlichkeiten, von einer fieberkranken Phantasie ausgeboren.« An Kleists Erzählungen ist Grimm zufolge »alles außerordentlich, in Sinnes- und Handlungsart wie in den Begebenheiten; aber diese Außerordentlichkeit ist immer natürlich, und sie ist nicht um ihrer selbst willen da«, vielmehr gehe sie »aus dem Charakter der ungewöhnlichen Personen und aus solchen Lagen der Welt, die das Ungewöhnliche mit sich führen, notwendig« hervor. Die Darstellung selbst »spricht stets durch sich selbst, klar und verständlich, und so bedarf sie der kümmerlichen Aushülfe von Betrachtungen und Zurechtweisungen nicht, womit die gemeinen Erzähler ihren leblosen Produkten aufzuhelfen suchen«. Hinsichtlich des Schreibstils stellt Wilhelm Grimm treffende Beobachtungen an, die die weitere Rezeption der Erzählungen prägen sollten: »In Betreff des Stiles bemerken wir, daß der Verfasser zwar in seiner Darstellung auf Objektivität hinstrebt, und diese auch im ganzen sehr glücklich erreicht, daß jedoch dieses Hinstreben im einzelnen öfters noch zu sichtbar ist, als daß man nicht eine gewisse Künstlichkeit verspüren sollte. Es scheint seiner Schreibart noch etwas Hartes, Strenges, ja Nachdrückliches eigen zu sein, und ihr zum Teil jene Anmut abzugehen, die alle Kunst vergessen und einen ganz ungestörten, reinen Genuß erst möglich macht.« (*Lebensspuren*, Nr. 370)

Grimms Wertung von Kleists Stil als ›hart‹ und ›streng‹ korrespondiert mit dessen narrativer Strategie, Widersprüche in seine Texte einzuschreiben und verschiedene Erzählperspektiven zielstrebig miteinander in Konflikt geraten zu lassen. Gerade in den Erzählungen werden von Kleist scheinbar valide Aussagen als bloße Meinungen entlarvt, Handlungen durch Zu- und Vorfälle gesteuert, Bedeutungen einzelner Zeichen(ketten) durch eingeschleuste Leerstellen infrage gestellt. Logische Schlüsse führen nicht selten im prozessualen Voranschreiten der Geschichten ins Paradoxe oder zu scheinbaren Gleichungen, die nicht aufgehen. Es ist nicht nur die »Musik«, die der Dichter in einem Brief an

Kleists narrative Strategie

seine Cousine Marie von Kleist vom Sommer 1811 »als die algebraische Formel aller übrigen« Künste versteht, sondern auch das »Gesetz des Widerspruchs«, dem eine zentrale Funktion in seinen dramatischen wie narrativen Texten zukommt (SWB 4, S. 485). In dem *Allerneuesten Erziehungsplan* von 1810 heißt es programmatisch: »Das gemeine Gesetz des Widerspruchs ist jedermann, aus eigner Erfahrung bekannt; das Gesetz, das uns geneigt macht, uns, mit unserer Meinung, immer auf die entgegengesetzte Seite hinüber zu werfen.« (SWB 3, S. 546) Dieses Gesetz, aus dem Kleist frei nach Adam Müllers *Lehre vom Gegensatz* eine »gegensätzische Schule« auch in moralischer Hinsicht modelliert, gilt seiner Ansicht nach »nicht bloß von Meinungen und Begehrungen, sondern, auf weit allgemeinere Weise, auch von Gefühlen, Affekten, Eigenschaften und Charakteren« (ebd., S. 547). Was die »gegensätzische Kunst [als] die besonnene Umwechslung der algebraischen Zeichen« betrifft, so findet Kleist in Müllers Schrift deutliche Vorgriffe zu seinem eigenen ästhetischen Konzept, insofern sie die tradierten Ordnungen, Grundsätze, Denkgewohnheiten und gesellschaftlichen Normen erschüttert.

»gegensätzische Kunst«

Dieses Ästhetik-Verständnis wird auch in Grimms Rezension von Kleists Erzählungen in der Halleschen ›Allgemeinen Literatur-Zeitung‹ vom 14. 12. 1812 deutlich:

»Man darf seine Erzeugnisse zwar überhaupt nicht streng nach den Regeln der Kunst beurtheilen, am allerwenigsten aber sie an das Muster des nach der feinen Umgangssprache geglätteten Erzählungstones halten. Wollte man dies thun, uneingedenk, daß ein eigenthümlicher Geist seine eigenthümliche Bahn bricht, so könnte man aus ihnen Stoff zu mannichfachem Tadel hernehmen. Gegenstände ohne Reiz, zum Theil von widriger und abschreckender Art; kein merkliches Streben nach Abwechslung; in der Anlage die größte Willkür, anscheinend unbedeutende, oft häßliche Scenen sehr genau und wie mit Vorliebe ausgeführt [...]. Nebendinge mit Sorgfalt behandelt, während die Hauptsache vorsätzlich aus den Augen gerückt zu werden scheint; der Periodenbau mühsam, und durch die vielen in einander geschobenen Sätze verdunkelt; der Ausdruck die Sprache des gemeinen Lebens wiedergebend, derb, streng, oft einförmig und voll unscheinbarer Unbeholfenheit. Doch durch dieses alles blickt ein Geist, der tief in die Verhältnisse des Lebens und das Innerste der Menschenbrust geschaut, der das, was er so nachlässig darzulegen scheint, mit bewunderungswürdiger Klarheit und Sicherheit aufgefaßt hat, und des, dem Ansehn nach, ihm widerstrebenden Stoffes, in einem hohen Grade Meister ist.« (Zit. n. Müller-Salget 1990, S. 702 f.)

Für wenig »meisterhaft und höchst merkwürdig« hält Grimm jedoch die Abdecker-Szene; auch das Scheinhafte des Erzählten im letzten Viertel des Textes von 1810 ruft Kritik hervor. Innerhalb des Stoffbereichs der Erzählung hat dieser Vorgang einen genauen Reflex in der Einführung jener Gestalt, die seit dem Beginn der Rezeption wiederholt für Irritationen gesorgt hat: der Zigeunerin. So auch bei Wilhelm Grimm: »Da uns die treueste Wirklichkeit hier anzieht, da es der Fictionen bey einem Dichter nicht bedarf, der das Bedeutende menschlicher Charaktere und Handlungen so richtig aufzufassen und darzulegen weiß, so hätte nach unserer Meinung, die Erscheinung der wahrsagenden Zigeunerin gegen das Ende ohne Schaden wegfallen können.« (Zit. n. ebd., S. 714 f.) Die Geringschätzung der in ihrer ästhetischen und semiotischen Funktion nicht verstandenen Episode um die wahr-sagende Zigeunerin ist in der Folgezeit zu einem fast obligatorischen Bestandteil der *Kohlhaas*-Kritik geworden. So ließ Caroline de la Motte Fouqué (1773–1831) in ihrem *Gespräch über die Erzählungen von Heinrich von Kleist* (1812) ihren Gatten Friedrich (1777–1843), unter dem Namen Eduard, über die schon fast manieristisch genaue Zeichnung der Charaktere bei Kleist räsonieren, »welcher er, um der zu ängstlichen Wirklichkeit ein Gegengewicht zu geben, plötzlich das Geheimnis als Geheimnis entgegenwirft, und solches auch unentworren läßt, wodurch sowohl der erwähnte Zusammenhang, wie das Gefühl des Lesers gestört bleibt. Ich erinnere Sie an die Zigeunerin im Kohlhas.« (*Nachruhm*, Nr. 653)

Karl Wilhelm Ferdinand Solger (1780–1819) verglich als einer der ersten den Dramatiker mit dem Epiker Kleist. In einem Brief vom 4.10.1817 an Ludwig Tieck (1773–1853) heißt es diesbezüglich: »Was ihn [Kleist] mir [...] weit über unsere Dichter-

Kritik an der Zigeunerin-Szene

L. Tieck

linge erhob, das war [...] die außerordentliche energische und plastische Kraft der äußeren Darstellung. [...] Diese Eigenschaften äußerte er vorzüglich in seinen Erzählungen, welches Fach ich daher für seinen eigentlichen Beruf hielt. Auch zeigte sich hier seine Behandlung der Charaktere bedeutender; es schien seine Hauptrichtung, diese ganz aus den Begebenheiten zu entwickeln [...].« (Ebd., Nr. 263a) Tieck übernahm Solgers Urteil, als er 1821 in seiner Vorrede zu Kleists *Hinterlassenen Schriften* über dessen Erzählkunst bemerkte, man sei fast versucht zu glauben, »daß diese Art der Darstellung dem Verfasser noch mehr zusage, und daß er hier sein Talent noch glänzender entfalten könne, als im Drama« (*Hinterlassene Schriften*, S. LVIII). Gleichwohl kritisierte Tieck die historischen Ungenauigkeiten der Erzählung (ohne dabei die bewusst konstruierte Widersprüchlichkeit zu erkennen, mit deren Hilfe Kleist die Erzähllogik zu subvertieren sucht) und bemängelte auch – wie zuvor schon Wilhelm Grimm – die »phantastische Traumwelt« des *Kohlhaas*:

> »Diese wunderbare Zigeunerin, die nachher die verstorbene Gattin des Kohlhaas ist, dieser geheimnißvolle Zettel, diese gespenstische Gestalten, der kranke, halb wahnsinnige, am Ende in Verkleidung auftretende Kurfürst, alle diese schwachen, zum Theil charakterlosen Schilderungen, die dennoch mit der Anmaßung auftreten, daß sie höher, als die vorher gezeichnete wirkliche Welt wollen gehalten werden, [...] diese grauende Achtung, die der Verfasser plötzlich selber vor den Geschöpfen seiner Phantasie empfindet, alles dies erinnert an so manches schwache Produkt unserer Tage und an die gewöhnten Bedürfnisse der Lesewelt, daß wir uns nicht ohne eine gewisse Wehmuth davon überzeugen, daß selbst so hervorragende Autoren, wie Kleist (der sonst nichts mit diesen Krankheiten des Tages gemein hat), dennoch der Zeit, die sie hervor gerufen hat, ihren Tribut abtragen müssen.« (Ebd., S. LX f.)

E.T.A. Hoffmann

E.T.A. Hoffmann (1776–1822) konnte mit diesen ästhetischen Mäkeleien verständlicherweise nichts anfangen; in seinen *Serapions-Brüdern* heißt es vielmehr: »Wie ein Stoff bearbeitet oder vielmehr lebendig gestaltet werden kann, hat niemand herrlicher bewiesen als Heinrich Kleist in seiner vortrefflichen, klassisch gediegenen Erzählung von dem Roßhändler Kohlhaas.« (*Nachruhm*, Nr. 657) Heinrich Heine (1799–1856) schrieb am 14.12.1825 an Moses Moser: »Vor kurzem hab ich auch den Kohlhaas von Heinrich von Kleist gelesen, bin voller Bewunderung für den Verfasser, kann nicht genug bedauern, daß er sich tot geschossen, kann aber sehr gut begreifen, warum er es getan.« (Ebd., Nr. 662) Überwog bei den Romantikern die positive Resonanz, so lehnte Johann Wolfgang Goethe (1749–1832) den *Kohlhaas* (wie zuvor schon die dramatischen Texte Kleists) entschieden als undichterisch ab. Johann Daniel Falk (1768–1826) überliefert in seinem postum erschienenen Werk *Goethe aus näherm persönlichem Umgange dargestellt* (1832) folgende undatierte Gesprächsnotiz:

> »Einst kam das Gespräch auf Kleist und dessen *Käthchen von Heilbronn*. Goethe tadelte an ihm die nordische Schärfe des Hypochonders; es sei einem gereiften Verstande unmöglich, in die Gewaltsamkeit solcher Motive, wie er sich ihrer als Dichter bediene, mit Vergnügen einzugehen. Auch in seinem ›Kohlhaas‹, artig erzählt und geistreich zusammengestellt, wie er sei, komme doch alles gar zu ungefügig. Es gehöre ein großer Geist des Widerspruches dazu, um einen so einzelnen Fall mit so durchgeführter, gründlicher Hypochondrie im Weltlaufe geltend zu machen. Es gebe ein Unschönes in der Natur, ein Beängstigendes, mit dem sich die Dichtkunst bei noch so kunstreicher Behandlung weder befassen, noch aussöhnen könne.« (*Lebensspuren*, Nr. 384)

Diesem schon in seiner Wortwahl wenig angemessen scheinenden (angeblichen) Diktum Goethes ist später oft widersprochen worden. So antwortete Friedrich Hebbel (1813–1863), der bedeutendste deutschsprachige Dramatiker in der Mitte des 19. Jahrhunderts, auf Goethes Urteil in seinem Tagebuch vom Mai 1837: »*Mai 1837*. Goethe sagt mit Bezug auf den Michael Kohlhaas, solche Fälle müsse man nicht im Weltlauf geltend machen. Das ist wahr, insofern man daraus keine Schlüsse zum Nachteil des Allgemeinen ziehen darf. Doch scheint mir, der Dichter muß eben auf Ausnahmen der Art seine Aufmerksamkeit richten, um zu zeigen, daß sie so gut aus dem Menschlichsten entspringen, wie die Dutzendexempel.« (*Nachruhm*, Nr. 295) In einem Brief vom 23. 5. 1837 an Elise Lensing kommt Hebbel auf die Vorzüge von Kleists ›Poetik des Paradoxen‹ zu sprechen: »Die Lektüre der Heinrich von Kleistschen Erzählungen hat mich erfrischt und wahrhaft gefördert. So geht es mit allen echten Werken des Genies, die sind unerschöpflich. Kleist ist, soweit man ein Muster haben kann, mein Muster; in einer einzigen Situation bei ihm drängt sich mehr Leben, als in drei Teilen unserer modernen Roman-Lieferanten. Er zeichnet immer das *Innere* und das *Äußere zugleich*, *eins* durch das *andere*, und dies ist das allein Rechte.« (Ebd.)

Th. Mann

Auch Thomas Mann (1875–1955), für den Kleist »einer der größten, kühnsten, höchstgreifenden Dichter deutscher Sprache« war, »völlig einmalig, aus aller Hergebrachtheit und Ordnung fallend, radikal in der Hingabe an seine exzentrischen Stoffe bis zur Tollheit, bis zur Hysterie«, übte unverhohlen Kritik an Goethes Urteil; in einem Brief an seinen Bruder Heinrich vom 17. 11. 1910 heißt es: »Ich lese Kleists Prosa [...] und war nach dem Kohlhaas wütend auf Goethe, der ihn wegen seiner ›Hypochondrie‹ und seines ›Widerspruchsgeistes‹ abgelehnt hat.« (Ebd., Nr. 682) Noch 1954, in seiner Einleitung zu der von ihm veranstalteten amerikanischen Ausgabe von Kleists *Erzählungen*, versah Mann Goethes Urteil mit den Worten: »[H]alten zu Gnaden, hier gibt's weder Artigkeit noch Geistreichigkeit.« (Zit. n. Müller-Salget 1990, S. 716) Auch der spezifischen ›Schreibart‹ Kleists begegnete Thomas Mann mit Hochschätzung:

> »Kleists Erzählersprache ist etwas absolut Singuläres. Es genügt nicht, sie ›historisch‹ zu lesen – auch in seiner Zeit hat kein Mensch so geschrieben wie er. [...] Ein Impetus, in eiserne, völlig unlyrische Sachlichkeit gezwungen, treibt verwickelte, verknotete, überlastete Sätze hervor, in denen immer wieder mit verschachtelten ›dergestalt, daß‹-Konstruktionen gewirtschaftet wird und die geduldig geschmiedet zugleich und von atemlosen Tempo wirken. Er bringt es fertig, eine indirekte Rede von fünfundzwanzig Druckzeilen ohne Punkt-Pause hinzulegen, worin nicht weniger als dreizehn ›daß‹ hintereinander herhetzen, mit einem ›kurz, daß‹ am Ende, welches aber das Ende nicht ist, denn es folgt noch ein ›und daß‹.« (Zit. n. Staengle 1998, S. 135)

Ein besonders treffendes Beispiel für die Verselbständigung der poetischen Zeichen bietet *Meyers Conversations-Lexicon* von 1851, in dem, ebenso wie zwei Jahre später im *Brockhaus*, der Inhalt der Erzählung als historische Realität ausgewiesen und Kleists literarische Figur an Stelle des Hans Kohlhase zur historischen Figur erhoben wurde:

> »**Kohlhaas**, Michael, ein Roßkamm aus der Altmark, geboren 1521, welcher, da ihm kein Recht ward gegen ungerechte Behandlung, sich solches selbst verschaffte, freilich aber auch dann die Grenzen des Rechts überschritt. Einst war er mit seinen Pferden auf der Reise nach der leipziger Messe begriffen, als er von den Leuten des Junkers Tronka wegen Mangels an Ausweis aufgehalten, nach der Tronkaburg geschafft und daselbst durch den Junker und dessen Genossen ohne alles Gehör genöthigt wurde, zwei seiner schönsten Pferde nebst einem Knechte zurück zu lassen. [...] Bekanntlich hat *H. von Kleist* diesen Stoff in einer seiner besten Erzählungen, ›Kohlhaas‹, behandelt.« (Zit. n. Hamacher 2003a, S. 97f.)

Auch die als wissenschaftliche Disziplin noch junge Literaturgeschichtsschreibung, die sich vorwiegend an der Norm klassischer Harmonie in Form und Inhalt orientierte, meldete sich zu Wort und formulierte kritische Einwände gegen Kleists Stil, so etwa Heinrich Kurz (1805–1873) im dritten Band seiner *Geschichte der deutschen Literatur* (³1861):

H. Kurz

> »Am tadelnswerthesten ist aber der Styl, der durch und durch, in Ausdruck und Satzbildung incorrect ist und den vollständigsten Mangel an Sinn für Wohlklang und rhythmische Bewegung beurkundet; es ist in diesen Erzählungen kaum ein Satz zu finden, an dem man nicht mehrere Fehler nicht nur gegen die Schönheit, sondern auch gegen die Richtigkeit der Darstellung nachweisen könnte, so daß wir nicht begreifen können, wie ein neuerer Geschichtsschreiber der deutschen Literatur diesen Styl als besonders trefflich bezeichnen konnte. Wir sind überzeugt, daß, wenn das Gefühl für Schönheit und Darstellung und Sprachrichtigkeit unter uns nicht in so bedauerlicher Weise getrübt wäre, Kleists Erzählungen nie gelesen, viel weniger gelobt worden wären, selbst nicht die beste darunter ›Michael Kohlhas‹, so interes-

sant sie auch dem Stoffe nach ist und so lebendig sie uns die erbärmlichen Zustände des deutschen Volkes bald nach der Reformation darstellt.« (Zit. n. ebd., S. 98)

Ein Rezeptionszeugnis verdient besondere Aufmerksamkeit, verdeutlicht es doch wie kaum ein anderes die Seelen- und Wahlverwandtschaft zweier Schriftsteller, die in ihrer ›Modernität‹ jeder auf seine Weise ›Randgänger‹ des poetischen Diskurses waren: Kleist und Franz Kafka (1883–1924). Für Kafka waren sowohl die Texte wie das Leben Kleists von exzeptioneller Bedeutung. Bemerkenswert ist folgender Satz, der sich auf der Rückseite einer Postkarte vom 27. 1. 1911 an den Freund Max Brod findet: »Kleist bläst in mich, wie in eine alte Schweinsblase.« (Kafka 1999, S. 132) Kafkas Postkartentext rückt den bewunderten Autor Kleist – über die Allusion der biblischen Schöpfungsgeschichte Gen. 2,7 sowie Platons Lehre vom göttlichen Ursprung der Kunst (*Ion*, 534a) – an die Stelle des Schöpfergottes: Der bereits tote Autor inspiriert den (noch) lebenden, indem er ihn mit poetischem Lebens-Geist versorgt. Allerdings wird das Bild des Einhauchens dichterischer Inspiration und göttlichen Lebensodems mit einem Abfallprodukt aus dem Schlachthaus kombiniert: dem wenig edlen Tierorgan der Schweinsblase. Kafkas Gott Kleist bläst in den jüngeren Autor wie in einen schweinischen Urinbehälter, der Göttlichstes und Tierischstes als Paradoxon übereinanderblendet und damit ein Schreib- und Lektüreprogramm performiert, das er seinem Vorgänger abgeschaut hat. Bereits anhand der Rezeption der *Penthesilea* (SBB 72, S. 150–158) lässt sich verdeutlichen, dass Kleist nicht nur von Kafka, sondern von vielen Dichtern der ersten Hälfte des 20. Jahrhunderts als Zeitgenosse wahrgenommen wurde. Ein besonders inniges Verhältnis verbindet Kafka allerdings mit Kleists *Kohlhaas*, der zu seinen Lieblingstexten zählte, wie Brod in seiner Autobiographie (1960) vermerkt (vgl. *Nachruhm* Nr. 422). An seine Verlobte Felice Bauer schreibt Kafka am 10. 2. 1913:

> »Gestern abend habe ich Dir nicht geschrieben, weil es über Michael Kohlhaas zu spät geworden ist (kennst Du ihn? Wenn nicht, dann lies ihn nicht! *Ich* werde ihn vorlesen!), den ich bis auf einen kleinen Teil, den ich schon vorgestern gelesen

hatte, in einem Zug gelesen habe. Wohl schon zum zehnten Male. Das ist eine Geschichte, die ich mit wirklicher Gottesfurcht lese, ein Staunen faßt mich über das andere, wäre nicht der schwächere, teilweise grob hinuntergeschriebene Schluß, es wäre etwas Vollkommenes, jenes Vollkommene, von dem ich gern behaupte, daß es nicht existiert. (Ich meine nämlich, selbst jedes höchste Literaturwerk hat ein Schwänzchen der Menschlichkeit, welches, wenn man will und ein Auge dafür hat, leicht zu zappeln anfängt und die Erhabenheit und Gottähnlichkeit des Ganzen stört.)« (Kafka 1967, S. 291 f.)

Bedenkt man den strikt antimetaphysischen Gestus beider Autoren, ihre Neigung zum Physischen (bis hin zum Brutalismus), die Bezüge zwischen der Kleist'schen und der Kafka'schen Syntax sowie die thematischen Übereinstimmungen der Texte (erfolglose Versuche, zur unbekannten Obrigkeit vorzudringen, Anklage, Urteil, Zorn, Rache, Recht und Schrift, Paradies- und Sündenfallumschriften), so wird der rege Text-Verkehr zwischen beiden Schrift-Stellern evident.

In der nächstfolgenden Rezeptionsphase, bis zur ersten Hälfte des 20. Jahrhunderts, wird die (nun primär politisch verstandene) Kohlhaas-Figur heroisiert und mythisiert. Als Urheber dieser ›Trendwende‹ gilt der österreichische Jurist Rudolf von Ihering (1818–1892), der Michael Kohlhaas in seinem berühmten Aufsatz »Kampf um's Recht« (1872) zum Märtyrer des Rechtsgefühls erhebt (vgl. Hamacher 2003a, S. 99–101). Zwar bemühten sich die Nationalsozialisten, Kleists Rosshändler zu einem Vor-Denker ihrer Blut- und Bodenideologie zu machen, indem sie dessen Kampfgeist, Opferbereitschaft, Brutalität und antidemokratische Gesinnung hervorhoben, gleichzeitig aber bereitete das Verhältnis Kohlhaas' zum Staat auch ideologische Deutungsprobleme, die den Germanisten Fritz Martini 1940 Kleists Erzählung entschieden ablehnen ließen: »Kohlhaas weckt Kräfte, in deren Aufbegehren, so berechtigt es ist, eine Gefahr droht, die das Gefüge des Staates überhaupt vernichten und einer gänzlich anarchischen Zerstörung Raum geben muß. […] Der Staat verbürgt, daß eine höhere Ordnung in dieser Welt lebt und wirklich ist, und wird so gleichsam zu einem Stellvertreter Gottes auf Erden.« (Martini 1940, S. 119, 130)

R. v. Ihering

F. Martini

Fand Kleists Text in der unmittelbaren Nachkriegszeit wenig Beachtung, vollzog sich im Laufe der 1960er-Jahre ein »Paradigmenwechsel vom *rechten* zum *linken* Kleist-Mythos« (Kanzog 1988, S. 316). In Auseinandersetzung mit der früheren juristischen Deutung durch von Ihering vertrat der Philosoph Ernst Bloch (1885–1977) in seinem Werk *Naturrecht und menschliche Würde* (1961) unter der Überschrift »Über Rechtsleidenschaft innerhalb des positiven Gesetzes (Kohlhaas und der Ernst des Minos)« die folgenreiche These von Kohlhaas als ›Querulanten‹:

E. Bloch

> »Nur einmal wurde ein Querulant aus Größe dargestellt und so kanonisch, wie er es verdient: Michael Kohlhaas. Nur bei ihm glüht der Paragraph eines vorhandenen Gesetzes so, als wäre göttliches Recht darin. Nur Kohlhaas hat auf die Befolgung eines Paragraphen so rebellisch gedrungen, als wäre hier Naturrecht, ja ein Glanzstück von Naturrecht. So verschaffte [sic!] er die stärkste und betroffenste Lehrnovelle über einen Paragraphenreiter aus Rechtsgefühl. Kleist stellt seinen Helden dar, wie er um eines Verlustes willen, den er verschmerzen könnte, wachsend furchtbar wird und werden muß. [...] Kohlhaas also wird einzig zum Verbrecher aus verletztem Rechtsbewußtsein und zum Landfriedensbrecher aus juristischer Leidenschaft. Der manifeste Inhalt dieser Leidenschaft freilich ist nichts anderes als ein bereits vorhandenes Gesetz. Ist nicht mehr als eine Bestimmung aus dem üblichen Pfandrecht, wie der Roßhändler sie kannte und vor Beginn seiner Manie kaum wichtig genommen hatte.« (Bloch 1961, S. 93 ff.)

Kohlhaas als Rebell bzw. Terrorist

In der links-progressiven Wahrnehmung fungierte Kohlhaas oft als positive Identifikationsfigur, als Held des Widerstands, während er im ordnungspolitischen Diskurs meist als Terrorist galt. Der damalige Präsident des Bundesverwaltungsgerichts, Horst Sendler, zeigte zudem bedeutende Parallelen zwischen Kohlhaas und dem Terrorismus der »Roten Armee Fraktion« (RAF) auf: »Beide, Michael Kohlhaas und die modernen Terroristen, verbindet eine *radikale Rechtsleidenschaft.* [...] Beide bedienen sich der Mittel des Terrors. Beide stimmen überein, in den von ihnen angewandten totalen Kampfmethoden und in der willkürlichen

Auswahl ihrer Opfer.« (Sendler 1985, S. 15) Diese Verknüpfung von Kleists Protagonisten mit dem zeitgenössischen deutschen Terrorismus wurde zum bestimmenden Merkmal der Rezeption der 1970er- und 80er-Jahre. Friedmar Apel sah in der Geschichte des Kohlhaas »Analogien« zum RAF-Terrorismus (Apel 1987, S. 149), Hartmut Boockmann verwies darauf, dass Kohlhaas' Taten in »ähnlicher Art, so könnte man sagen, wie Terrorakte heute von Bekennerbriefen begleitet werden, und zwar nicht zufälligerweise« (Boockmann 1985, S. 102), während Joachim Bohnert gerade die Differenzen hervorhob: »Erfahrungsgemäß sind Terroristen mit ihrer Bestrafung nicht einverstanden, und der Glückszustand des Kohlhaas im Gefängnis ist ihnen fremd, ob als politischen Terroristen oder als querulatorischen.« (Bohnert 1988/89, S. 406)

In den 15 Jahren der Studentenbewegung erlebte die literarisch-produktive Rezeption von *Michael Kohlhaas* einen wahren Produktionsschub, in dessen Zentrum vor allem Aktualisierungen oder zumindest Bezugnahmen auf die unmittelbare Gegenwart standen. In diesem Zusammenhang legte Volker Schlöndorff 1969 – auf der Grundlage eines von James Saunders verfassten Drehbuchs – mit *Kohlhaas der Rebell* die erste filmische Adaption des Stoffes vor, der in der Handlung die »gleichen Mechanismen« vollzogen sah, »wie sie auch in der Gegenwart« regieren (zit. n. Fischer-Lichte 1991, S. 73). 1977 schrieb der Dramatiker Heiner Müller (1929–1995) unter dem Titel »Heinrich von Kleist spielt Michael Kohlhaas« eine den de-/konstruktiven Bewegungen von Kleists Texten folgende kongeniale Szene, in der Kleist eine uniformierte Kleistpuppe mit einem Degen zerhackt, um sich anschließend die Pulsadern aufzubeißen:

V. Schlöndorffs Verfilmung

H. Müllers Pantomime

>»Verkommenes Ufer (See bei Straußberg): Kleist, in Uniform, Kleistpuppe. Frauenpuppe. Pferdepuppe. Richtblock. / Kleist berührt Gesicht Brust Hände Geschlecht der Kleistpuppe. Streichelt küsst umarmt die Frauenpuppe. Schlägt mit dem Degen der Pferdepuppe den Kopf ab. Reißt der Frauenpuppe das Herz heraus und isst es. Reißt sich die Uniform vom Leib, schnürt den Kopf der Kleistpuppe in die Uniformjacke, setzt den Pferdekopf auf, zerhackt mit dem Degen die Kleistpuppe: Rosen und Därme quellen heraus. Wirft den Pferdekopf ab,

setzt die Perücke (fußlanges Haar) der Frauenpuppe auf, zerbricht den Degen überm Knie, breitet das Frauenhaar über den Richtblock, beißt sich die Pulsader auf, hält den Arm, aus dem das Sägemehl rieselt, über das Frauenhaar auf dem Richtblock. Vom Schnürboden wird ein graues Tuch über die Szene geworfen, auf dem ein roter Fleck sich schnell ausbreitet.« (Müller 2001, S. 532 f.)

Müllers Pantomime führt Kleists wie Kohlhaas' destruktiven Charakter auf die Affektgeladenheit der preußischen Kriegsgesellschaft zurück, die Autor wie literarische Figur gleichermaßen determiniert. Gleichzeitig ist seiner Szene ein Hauptthema der Texte Kleists inhärent: die Frage der Disziplin, der äußeren und inneren Unterordnung samt der daraus resultierenden Spaltung des Subjekts. Die brachiale Kraft zur Destruktion der Tradition erwächst aus der Tradition selbst; das notwendig zu Zerstörende ist immer zugleich auch das Eigene, sodass die Fremd-Destruktion in Selbst-Destruktion umschlägt. Gegenüber einer Ästhetik der Bildung, des Geschmacks und der schönen Ordnung findet man bei Kleist die Vision einer Ästhetik des Exzesses und der Anarchie, nicht aus Geschmack am Extremen oder aus Lust an Destruktionen, sondern weil er die Gewissheit (Liebe, Wissen, Recht) zu erfahren und genau zu denken sucht und dabei auf ihre Konstitution durch Nichtwissen, Zufall, absurde Kontingenz stößt – ein Prozess, der auch das Risiko der Barbarei, der individuellen (Selbst-)Vernichtung und das Erschüttern der Ordnung aller ökonomischen, politischen, juristischen und sprachlichen (Zeichen-)Ordnungen selbst einschließt.

Ch. Hein Zuletzt hat sich der Schriftsteller Christoph Hein (*1944) mehrfach mit Kleist und *Michael Kohlhaas* auseinandergesetzt: Zunächst aktualisierte er die Handlung in seiner Erzählung *Der neuere (glücklichere) Kohlhaas. Bericht über einen Rechtshandel aus den Jahren 1972/73* von 1980 mit erkennbaren Anleihen an Kafka dadurch, dass er seine Hauptfigur, den Buchhalter Hubert K., einen verzweifelten Kampf gegen die Betriebs- und Gewerkschaftsleitung der volkseigenen Stuhlfabrik in H. kämpfen lässt. In seinem Essay zu den »unabdingbaren Voraussetzungen beim Kleist-Lesen« (1999) findet sich folgende bemerkenswerte Problematisierung der Figur des Rosshändlers:

»Rührt und entzückt uns ein Mörder? Begeistert uns die blutige und maßlose Rache eines Räubers? Schätzen wir das Rechtsgefühl und bewundern wir den frommen Sinn eines Verbrechers? Ist uns ein Krimineller Vorbild, prägend für unsere Rechtsauffassung, für unsere Auffassung von Gerechtigkeit, Rechtsstaatlichkeit, von Recht und Unrecht? […] Der uns als Vorbild gerühmte Räuber und Mörder mordete und raubte, weil ihm in diesem Rechtsstaat von einem Junker ein Unrecht zugefügt wurde. Aber davor ist kein Staat, kein Gemeinwesen gefeit, auch kein Rechtsstaat. Auch in einem Rechtsstaat geschieht Unrecht, der Rechtsstaat zeichnet sich nur dadurch aus, dass er post festum das geschehene Unrecht zu sühnen sucht. Gewiss, Kohlhaas kommt erst zu seinem Recht, nachdem er mit dem von ihm verübten Unrecht, mit Brandstiftung und Mord, die Rechtssprechung erzwingt. Aber auch in jedem Rechtsstaat wird nicht jedem Individuum Recht gesprochen, und schon gar nicht sein Recht. Nicht jedes Unrecht ist zu sühnen und zu tilgen, das Recht bleibt stets ein – verschiedentlich nicht einlösbares – Ideal. […] Mit diesen Texten, diesen Helden, diesen Leidenschaften füttern wir unsere Kinder und sind verwundert, wenn Samenkörner dieser Saat in ihnen aufgehen. Jene Gruppe von Räubern und Mördern, die sich selbst Armeefraktion nannte und die Bundesrepublik bis aufs Blut reizte und sie bis zur Aufgabe rechtsstaatlicher Grundsätze herausforderte, diese Leute waren ohne Zweifel Staatsfeinde. Für das, was sie für Recht hielten, waren sie wie Kohlhaas bereit, jene mit Mord und Feuer zu überziehen, die sie für schuldig hielten. Sie waren im Unrecht, ganz zweifellos, aber um zwei Pferde zumindest werden auch sie sich betrogen gesehen haben. Und ein Kohlhaas gehörte zu ihrer Sozialisation, zu ihrer Erziehung, zur Bildung ihres rechtsstaatlichen Gefühls und ihrer moralischen Auffassungen. […]« (Hein 2004, S. 121 ff.)

Schließlich hat Hein in seinem 2005 veröffentlichten Roman *In seiner frühen Kindheit ein Garten* das öffentliche Interesse an der Aufarbeitung des RAF-Terrors der 1970er- und 80er-Jahre mit Kleists Erzählung enggeführt (Hein 2005). Dort erzählt er die Geschichte Richard und Friederike Zureks, die die Ereignisse um den Tod ihres Sohnes Oliver psychisch, aber auch juristisch aufarbeiten. Vorbild für Oliver Zurek, den in seiner »Wahrheitsliebe« und seinem »ausgeprägte[n], unabdingbare[n] Rechtsgefühl« die »so gebrechliche und unvollkommene Welt unablässig beschäftigt hatte«, ist der RAF-Terrorist Wolfgang Grams, der im Juni 1993 auf dem Bahnhofsgelände in Bad Kleinen bei einem Schusswechsel mit GSG-9-Beamten zu Tode gekommen ist. Vor allem Richard Zurek, ein pensionierter Gymnasiallehrer und Schulleiter eines kleinstädtischen Gymnasiums bei Wiesbaden, der »Briefe querulatorischen Charakters« an das Innenministerium schickt, setzt sich intensiv mit der Frage auseinander, wie es dazu kommen konnte, dass sein Sohn zum Terroristen wurde. Angesprochen werden – zum Teil unter Verwendung direkter Zitate aus Kleists *Kohlhaas* – die juristischen Versuche der Eltern, das Ermittlungsverfahren wieder aufzurollen, aber auch die obrigkeitlichen Versuche, Transparenz zu verweigern, Akten zu unterschlagen oder die Medien gezielt zu nutzen, um Hetzkampagnen gegen die Familie zu initiieren. Gegen Ende des Romans entbindet sich Richard Zurek von seinem Amtseid, um resignativ festzustellen: »Und ein Staat muss siegen, möge auch die Gerechtigkeit dabei zugrunde gehen.«

Der kurze Gang durch die Wirkungsgeschichte sollte die Vielfalt unterschiedlicher Lesarten und Sinnbezüge, die Kleists Erzählung bietet, deutlich gemacht haben. Wie in einem unendlichen Prozess der Bedeutungsfindung scheint man sich dem Text nur annähern zu können, ohne ihn jemals ganz zu erfassen: »Kleists Text selbst legt den Akteuren und Beobachtern divergente, je für sich durchaus legitime Beurteilungen von Kohlhaas' Handeln in den Mund, die einseitig zu favorisieren nur etwas über den jeweiligen Interpreten aussagen würde, nichts jedoch über Kleists Text, der sich auf der Ebene des Plots einer eindeutigen Stellungnahme entzieht.« (Reuß 1990, S. 25)

Aspekte der Deutung

In keine der gängigen Epochen einzuordnen, mit keiner der ästhetischen Strömungen seiner Zeit zu vernetzen, alle bis dahin üblichen Grenzen der Syntax, Metaphorik und ›reinen Poesie‹ sprengend und im atemlosen Zusteuern seiner Texte auf immer neue Extremsituationen ist Heinrich von Kleists Werk eines, das gerade aufgrund seiner exzeptionellen Stellung zur wiederholten Lektüre anregt. Es bedurfte jedoch erst der extremen Erfahrungen des 20. Jahrhunderts, um in Kleist den sensiblen Seismographen einer Zeitenwende um 1800 zu entdecken, der so radikal wie kaum ein anderer Dichter die in ihr anhebende ›literarische Moderne‹ bezeugt hat. ›Welt‹ erscheint in seinen Erzählungen und Dramen, aber auch in den Briefen des Frühjahrs 1801, in dem der Dichter über die Erschütterung des Glaubens an seine Wahrnehmungs- und Erkenntnisfähigkeit durch die Philosophie Kants berichtet, nicht mehr als ein Sinn-Ganzes, sondern als ein Gewirr von Zeichen und Zufällen, in dem sich das Subjekt auf der Suche nach sich selbst oft zum ohnmächtigen Objekt eines dunklen Schicksals verwandelt sieht. Bereits in einem frühen Brief an die Schwester Ulrike vom Mai 1799 räsoniert der 21-jährige Kleist über die Fremdbestimmtheit von Menschen, um anschließend, allerdings noch ganz im Denken der Aufklärung verhaftet, seinen »eigenen Lebensplan« zu formulieren:

> »Tausend Menschen höre ich reden u[nd] sehe ich handeln, u[nd] es fällt mir nicht ein, nach dem Warum? zu fragen. Sie selbst wissen es nicht, dunkle Neigungen leiten sie, der Augenblick bestimmt ihre Handlungen. Sie bleiben für immer unmündig u[nd] ihr Schicksal ein Spiel des Zufalls. Sie fühlen sich wie von unsichtbaren Kräften geleitet u[nd] gezogen, sie folgen ihnen im Gefühl ihrer Schwäche wohin es sie auch führt, zum Glücke, das sie dann nur halb genießen, zum Unglücke, das sie dann doppelt fühlen. Eine solche sclavische Hingebung in die Launen des Tyrannen Schicksaal, ist nun freilich eines freien, denkenden Menschen höchst unwürdig. Ein freier denkender Mensch bleibt da nicht stehen, wo der Zufall ihn hinstößt; oder wenn er bleibt, so bleibt er aus

Gründen, aus Wahl des Bessern. Er fühlt, daß man sich über das Schicksaal erheben könne, ja, daß es im richtigen Sinne selbst möglich sei, das Schicksaal zu leiten. Er bestimmt nach seiner Vernunft, welches Glück für ihn das höchste sei, er entwirft sich seinen Lebensplan, und strebt seinem Ziele nach sicher aufgestellten Grundsätzen mit allen seinen Kräften entgegen.« (SWB 4, S. 38)

Knapp zwei Jahre später schränkt Kleist diese Überlegungen schon stark ein und entwickelt zunächst im November 1800, dann im Februar und März 1801 in einer Reihe von Briefen an Ulrike und die Verlobte Wilhelmine von Zenge jene Denkfiguren existenzieller Krisenerfahrung, die er in seinen späteren Texten immer wieder neu durchspielen wird. Konkret geht es (1) um eine »Erschütterungskunst«, die den Zerfall der Systeme des Rechts, der Gesellschaft und Familie, des Krieges und der Religion in ihre Teile durchspielt, bildhaft geworden in jener Metapher des bei seiner Würzburger Reise entdeckten, aufrecht stehenden Torbogens, der »als ins Bild gefasstes Modell physikalischer Kräfte gerade der drohenden Erschütterung, des eben noch ferngehaltenen Zusammenbruchs« bedarf (Eybl 2007, S. 9): »Da gieng ich, in mich gekehrt, durch das gewölbte Thor, sinnend zurück in die Stadt. Warum, dachte ich, sinkt wohl das Gewölbe nicht ein, da es doch keine Stütze hat? Es steht, antwortete ich, weil alle Steine aufeinmal einstürzen wollen – u[nd] ich zog aus diesem Gedanken einen unbeschreiblich erquickenden Trost, der mir bis zu dem entscheidenden Augenblick immer mit der Hoffnung zur Seite stand, daß auch ich mich halten würde, wenn Alles mich sinken läßt.« (SWB 4, S. 159) Es geht (2) um die kommunikative Unmöglichkeit zur Darstellung des Innersten: » [E]s gibt kein Mittel, sich den Andern ganz verständlich zu machen«, das »Innerste« der Seele adäquat darzustellen, da »es uns an einem Mittel zur Mittheilung fehlt. Selbst das einzige, das wir besitzen, die Sprache taugt nicht dazu, sie kann die Seele nicht mahlen u[nd] was sie uns giebt sind nur zerrissene Bruchstücke« (SWB 4, S. 196); (3) um die soziale Unmöglichkeit ungekünstelter Selbstrepräsentation und natürlicher Identität: »[I]ch passe mich nicht unter die Menschen [...], weil ich mich selbst nicht zeige, wie ich es wünsche. Die Nothwendigkeit, eine

Rolle zu spielen, und ein innerer Widerwillen dagegen machen mir jede Gesellschaft lästig [...]. Dazu kommt bei mir eine unerklärliche Verlegenheit, die unüberwindlich ist« (ebd., S. 198 f.); (4) um die im Rahmen der sogenannten ›Kant-Krise‹ problematisierte erkenntnistheoretische bzw. sprachphilosophische Unterscheidung von Schein und Wirklichkeit bzw. Zeichen und Bezeichnetem: »Wenn alle Menschen statt der Augen grüne Gläser hätten, so würden sie urteilen müssen, die Gegenstände, welche sie dadurch erblicken, sind grün – und nie würden sie entscheiden können, ob ihr Auge ihnen die Dinge zeigt, wie sie sind, oder ob es nicht etwas zu ihnen hinzutut, was nicht ihnen, sondern dem Auge gehört. So ist es mit dem Verstande. Wir können nicht entscheiden, ob das, was wir Wahrheit nennen, wahrhaft Wahrheit ist, oder ob es uns nur so scheint.« (Ebd., S. 205)

Entsprechend lange such(t)en Kleists sprachlich komplizierte und thematisch provokante Texte ihren Platz im literarhistorischen Spannungsfeld von Aufklärung, Weimarer Klassik und Romantik. Dabei übersieht man häufig, dass in diesen Texten die ästhetischen, philosophischen und theologischen Diskurse und Modelle der Zeit um 1800 skeptisch erprobt und nicht selten verworfen werden. Erahnbar wird ein Dichter, der durch Infragestellung kohärenter Sinnsysteme eine permanente Neu-Deutung seiner Texte provoziert. Gerhard Neumann hat treffend bemerkt, dass Kleists Schreiben »Experimentanordnungen« gliche, »in denen das ungeschützte und gleichsam hautlose, seiner Körperlichkeit ausgelieferte Subjekt [...] sich den Redeordnungen und Zeichensystemen einer durch Bürokratie und Verwaltung, durch Wissenschaft und Mächtespiel der Politik bestimmten Gesellschaft aussetzt, in unermüdlich wiederholten Versuchen der Bewahrheitung und Verantwortung seiner unveräußerlichen Eigentümlichkeit« (Neumann 1994, S. 9). Die bei Kleist wieder und wieder durchdachte und in neue Experimentanordnungen verfrachtete abgründige Problematisierung dessen, worauf Gemeinwesen und Subjekt eigentlich fundiert sind, erfolgt mittels der Artikulation von Grenzwerten des Ästhetischen: Exzess, Chaos, Wahnsinn, Schmerz, Ekel, Unverständlichkeit. Kleist denkt Recht, Gesetz, (ökonomische wie ästheti-

Kleists Schreiben als »Experimentanordnungen«

sche) Ordnung als notwendige, aber zugleich in dem Sinne gebrechliche Institutionen, dass nur das immer möglich bleibende Durchbrechen ihrer Regeln, sogar ihr durch Zufall oder Zusammenfall von Umständen erfolgendes Zusammenbrechen sie eigentlich halten kann, ähnlich wie das schon für den Würzburger Torbogen galt. Damit sucht der Dichter – als Reaktion auf das von Kant formulierte, von ihm jedoch als wenig tragfähig erachtete Versprechen der Kunst, Verstand und Vernunft miteinander zu verknüpfen (vgl. hierzu Greiner 2000) – in seinen Texten wiederholt nach einer Überschreitung der markierten Grenzen der Differenz in die Richtung eines ›Dritten‹, eines kulturellen Zwischenraums, den er in *Michael Kohlhaas* u. a. in Form der zum Oxymoron modellierten Hauptfigur zwischen ›Rechtschaffenheit‹ und ›Entsetzlichkeit‹ gestaltet. Über die literarische Konvention narrativer Konflikte kartiert Kleist in seinen Texten den Topos des ›Dazwischen‹, das Schwanken, die Uneindeutigkeit, die Unausdeutbarkeit, die Ununterscheidbarkeit vermeintlich binärer Logik:

Denkfigur des ›Dritten‹

> »Die Radikalität des ›alles oder nichts‹ läßt sich mit keinem dialektischen Kunststück überbrücken, bietet keine Möglichkeit zu einem hermeneutischen Verständnis. Hegels synthetisierende Methode erweist sich bei der Lektüre Kleists als genauso ungeeignet wie Schleiermachers hermeneutische Vorgehensweise, und Schlegels Hoffnung auf die harmonische Eigendynamik der ›progressiven Universalpoesie‹ ist ihm genauso fremd wie die mythische Abrundung des dichterischen Universums, wie sie Novalis vorgeschwebt hat. Während Kleist seine Figuren in extreme Situationen zwingt, versetzt er auch die Literatur in eine radikal neue Lage: er zerstört die im herkömmlichen Sinn verstandene Metaphysik [...], wodurch das Schreiben wie ein Feld toter Schlacke erscheint. Es gibt keine ›dahinter liegende Wahrheit‹, welcher die mit unendlicher Energie geladenen Worte dienen könnten, so daß sie nach innen zerspringen. Statt einer Explosion findet eine ständige Implosion, ein dunkles, inneres Glühen, statt.« (Földényi 1999, S. 104)

Während die klassische abendländische Episteme binär organisiert war und die Denkfigur des ›Dritten‹ nur in der Form des

Übergangs oder der Synthese, der Verbindung zu einer höheren Einheit dachte – und nicht als Größe, die neben den beiden Termen antagonistischer Semantiken vom Typ wahr/falsch, gut/böse, Kultur/Natur, eigen/fremd etc. bestehen bleibt –, räumt Kleist in seinen Texten, wie auch alle neueren Theorien, die sich mit Fragen der kulturellen Semiosis befassen, der Instanz des ›Dritten‹ eine entscheidende Rolle ein. Man geht nicht fehl in der Annahme, dass Kleist bereits um 1800 die Einführung dritter, den Binarismus der Metaphysik unterwandernder Größen in der Literatur und Literaturtheorie des 20. Jahrhunderts (etwa Jacques Derridas Denkfiguren der *différance* und der *chōra*) antizipiert hat, die in Erweiterung oder gar Überwindung der aristotelischen Logik und Poetik die Möglichkeit eines ›tertium datur‹ zu eröffnen versuchen (vgl. Eßlinger u. a. 2010).

Möglichkeit eines ›tertium datur‹

Kleists Texte wurden und werden jedoch – als Reaktion auf die in ihnen wahrgenommenen Figuren der ›Verfremdung‹ und ästhetischen ›Störung‹ des Binarismus – nicht selten zum Gegenstand einer Deutungspraxis, die die Zäsuren und Diskontinuitäten, ihre Gebrechlichkeit und Paradoxien, zunächst einmal als Hindernis auf dem Weg zu einer sinnstiftenden, einheitlichen Interpretation begriffen hat. Je hermetischer Kleists Texte wahrgenommen wurden, desto begieriger griff man auf einen metaphysischen oder ontologischen Rahmen zurück, der wie selbstverständlich eine auf Sinnhaftigkeit und Identität ausgerichtete Subjekt-Philosophie in seinen Texten fixieren sollte – nicht selten auch dadurch, dass man die Brüche und Diskontinuitäten in den Texten mit dem mehr oder weniger zerrütteten Geisteszustand des Dichters in Zusammenhang brachte. Damit wird man jedoch der spezifischen Herausforderung, die diese Texte an die Literaturwissenschaft stellen, in keiner Form gerecht – einer Herausforderung, die vor allem darin besteht, dass sie das, was als grundlegende Voraussetzung jeder literaturwissenschaftlichen Arbeit gilt, nachhaltig infrage stellt: die Möglichkeit des Verstehens selbst. Dabei geben Kleists Texte »weniger eine äußere Realität wieder, als daß sie die epistemologischen Grenzen der Referenz zum Thema machen. Gerade deshalb bietet sich sein Werk für Untersuchungen des Verhältnisses von Literatur und Philosophie, von Sprachlichkeit und Welterfahrung, Sub-

›Verfremdung‹ und ästhetische ›Störung‹ des Binarismus

jekt und symbolischer Ordnung, von Gesetz und Gerechtigkeit an« (Schuller/Müller-Schöll 2003, S. 8). Immer wieder scheinen eindeutige Lektüren seiner Texte möglich zu sein, die jedoch bei genauerem, ›zweiten‹ Hinsehen ihrerseits mit anderen, im Text ebenfalls angelegten Perspektiven und Diskursen kollidieren, was in letzter Konsequenz dazu führt, dass jede deutende Stellungnahme zu Kleists Dramen und Erzählungen sich in Widersprüche zu verwickeln droht und freigelegte Sinnzusammenhänge kollabieren. Damit ist mehr gemeint als das bloße Konstatieren von Ambivalenzen in einem Text; vielmehr geht es um die Verabschiedung der Vorstellung von einer per se harmonischen Geschlossenheit des Kunstwerks. Kleists Texte haben die bereits von Aristoteles in dessen *Poetik* zwingend geforderte Fähigkeit mimetischer Nach-Schrift von ›Welt‹ in den Hintergrund

Subversion von Mimesis gerückt, um stattdessen die Subversion solcher Mimesis zu akzentuieren. Die in seine Texte eingeschriebene Reflexion der Darstellungsmittel und die Dekonstruktion der Darstellungskonzepte verdeutlichen, dass das Paradoxe, das Verschwommene in ihnen Indiz für die Vorführung des Schreib- und Leseprozesses selbst ist.

Struktur von *Michael Kohlhaas* Auch die Struktur von *Michael Kohlhaas* ist so raffiniert angelegt, dass ihre Komplexität selbst nach mehreren Lektüredurchgängen kaum ausgeschöpft werden kann. »Mehr noch als bei den meisten anderen fiktionalen Werken scheint es notwendig zu sein, daß man die Erzählung wiederholt, um über sie zu reden, sie ›lesen‹, analysieren und bewerten zu können.« (Miller 2003, S. 192 f.) Für J. Hillis Miller ist Kleists Erzählung »eine Geschichte über die verheerenden Konsequenzen des Erzählens und Lesens von Geschichten« (ebd., S. 185), zumal die Erzählung die Perspektive auf einen weitgespannten literaturtheoretischen Horizont öffnet, indem sie die Urteilsproblematik und die Stabilität von Signifikationsprozessen selbst zum Thema macht. Am weitesten geht Bianca Theisen, die sich aus den von der Erzählung induzierten widersprüchlichen interpretatorischen Aussagen in eine Position der Beobachtung zweiter Ordnung zurückzieht, denn »[u]nmögliche Unterscheidungen treffen zu müssen, macht [...] auch das professionelle Unterscheiden oder ›Interpretieren‹ (fast) unmöglich« (Theisen 1996, S. 34). Kleists *Kohlhaas* zu le-

sen bedeute – so ihre Begründung unter Rekurs auf ein Hof-
mannsthal-Zitat – »[l]esen, was nicht geschrieben wurde« (ebd.,
S. 95), sodass die Interpretation durch die Beobachtung unaus-
weichlicher Fehl-Lektüren auf der Text- wie der Deutungsebene
ersetzt werden solle. »Kontroverse Deutungen können der
Grundlage der eigenen Urteilsbildung dienen und den Blick dafür
schärfen, dass die fortdauernde Bedeutung von Kleists Texten
gerade darin liegt, solche widersprüchlichen Lektüren immer
wieder von neuem zu generieren und damit die Auseinandersetzung über zentrale Fragen der Kultur und des menschlichen Lebens zu initiieren und zu befördern.« (Hamacher 2003b, S. 263)
Die im Folgenden nachzuzeichnenden, in Anlage und Ergebnis
recht unterschiedlichen Forschungspositionen zu *Michael Kohlhaas* machen aber auch deutlich, dass es Übergänge zwischen
den scheinbar so extremen (und einander ausschließenden) Positionen gibt und man nicht zu einer Verabsolutierung entweder
des Textes oder der gewählten Interpretationsmethode kommt.
Auf diese Weise wird gewährleistet, dass der Text sein Recht als
ästhetisches ›Kunstwerk‹ wahren kann, das als Artefakt der
Sprache mithilfe seiner Leerstellen zu unterschiedlichen (sinn-
vollen) Lektüren einlädt und dessen Wirkung seinen Ursprung in
der Beschaffenheit des Textes hat. Es soll daher versucht werden,
die ›subversiv-mimetische Schreibweise‹, die Erschütterungen
der Signifikationsprozesse im *Kohlhaas* zu registrieren, gleichzeitig den literarischen Text aber nicht vollständig von seinem
Kon-Text abzulösen. »Im Spiel mit der Sinnigkeit, das der Hermeneutik zugrunde liegt, hat Kleist eine spezifische, völlig indi-
viduelle Variante gefunden und in seinen Werken umgesetzt. Sie
spielen mit ihrer Unlesbarkeit, höhlen ihre künstlerische Form
fortwährend selbst aus, untergraben die Vereinbarungen jenes
Pakts zwischen Text und Leser, der im Vollzug des Kultursys-
tems ›Literatur‹ den Spielcharakter sicherstellt und eine Grenze
zur Lebenswirklichkeit einhält.« (Eybl 2007, S. 12)
Das Raffinement im Einsatz ambivalenter Informationen und
Wertungen beginnt bereits mit der einführenden Charakterisierung von Michael Kohlhaas als »eine[m] der rechtschaffensten
zugleich und entsetzlichsten Menschen seiner Zeit« – »ein zum
Leben erwachtes Oxymoron« (Földényi 1999, S. 390), das zu-

Charakteri-
sierung
von Michael
Kohlhaas

gleich die lutherische Anthropologie verkörpert, der zufolge der Mensch *simul iustus et peccator* (»zugleich gerecht und sündig«) ist. Das sich unmittelbar daran anschließende Urteil (»die Welt würde sein Andenken haben segnen müssen, wenn er in einer Tugend nicht ausgeschweift hätte«) kann nur als ironisch gedeutet werden, da das Ausschweifen in einer Tugend semantisch unvereinbar ist. Nach der aristotelischen Ethik und Affektenlehre ist ›Tugend‹ inhaltlich bestimmt als Maß und Mitte (*mesotes*) zwischen zwei Extremen und damit als Gegensatz von ›Ausschweifung‹. Günter Blamberger konnte durch den Bezug auf Kleists im *Allerneuesten Erziehungsplan* entwickelte ›gegensätzische Poetik‹ einen Weg über das Konstatieren einer »in die Erzählung mit ›einprogrammierte[n]‹ Ratlosigkeit« (Földényi 1999, S. 289) hinaus deutlich machen, dass Kohlhaas' Bewertung als entsetzlich oder rechtschaffen, davon abhänge, »zu wem er in Widerspruch gerät« (Blamberger 1999, S. 29). Nach Hamacher läuft »der Prozess der Subjektkonstitution [...] unter diesen Maßgaben ins Leere. Bei Kohlhaas gibt es keinen moralischen Kern der Person – was er ›ist‹, gilt nur in der jeweiligen agonalen Situation und nicht darüber hinaus.« (Hamacher 2009, S. 103)

Gleichwohl stellt die Bewertung der Rätselhaftigkeit des Protagonisten den zentralen Streitpunkt der Forschung und das Initialmoment zur Erprobung aktueller theoretischer Deutungsansätze dar. Daran war insbesondere in den Siebziger- und Achtzigerjahren des 20. Jahrhunderts die psychoanalytische Schule der Literaturinterpretation beteiligt. So führt Peter Dettmering die Ereignisse in Kleists Erzählung auf eine narzisstische Kränkung zurück, die Kohlhaas erleide und die durch die Rappen »als Repräsentanten des Selbstwertgefühls« symbolisiert werde (Dettmering 1975, S. 88). Aus der Kränkung durch die »Vaterinstanzen« entwickle sich ein »psychotische[r] Bruch mit der Realität«, und es komme »zur Etablierung einer vereinfachten, scharf in gut und böse zerfallenden Welt auf der Stufe des purifizierten Lust-Ichs« (ebd., S. 90 f.). In ihrem viel beachteten Buch *Das Textbegehren des »Michael Kohlhaas«* stellt Helga Gallas die Frage nach der Identität des Subjekts mithilfe der strukturalen Psychologie von Jacques Lacan als zentral heraus und in-

Psycho-
analytische
Deutungen

terpretiert Kohlhaas' Begehren nach einer Kette einander substituierender ›Phallus-Objekte‹ von den Pferden über Recht und
Gesetz bis zur Schrift als Gleiten des sich entziehenden Signifikats unter dem Signifikanten: »Wie funktioniert die Sprache, die
durch die Mitteilung der Tatsachen und ihrer Bedeutung hindurch das sprechende Subjekt und seinen Sinn aufscheinen läßt,
und wie ist das Subjekt beschaffen, das sich im Text entwirft –
ohne Herr dieses Sinns zu sein?« (Gallas 1981, S. 34) Nach Gallas' Verständnis erscheint der brandenburgische Kurfürst als positive, von der Zigeunerin als Mutter anerkannte, der sächsische
hingegen als schwache, negative Vaterinstanz, wobei das (nicht
erfüllte und immer wieder aufgeschobene) Begehren einer Deutung des sich entziehenden Textes mit Kohlhaas' Begehren in
Beziehung gesetzt wird:

> »Der Text bringt immer neue Identifizierungen, immer neue
> Entwürfe des Kohlhaas – bis er schließlich am Ende in den
> Propheten sich steigert und den Tod. Über der Grundstruktur
> erhebt sich eine Variation des Themas nach der anderen, über
> dem Problem der geschlechtlichen Identität oszilliert die Viel
> zahl der Bedeutungen. Der Text gleicht einem Fangnetz, ge
> knüpft aus Bezügen, das ausgeworfen ist, um den Sinn ein
> zuholen. Jedes Element des manifesten Textes verweist auf die
> zentralen Gedanken, und diese kehren in vielfältigen Elemen
> ten des manifesten Textes wieder [...].« (Ebd., S. 93)

Noch 17 Jahre später greift Dirk Grathoff Gallas' umstrittene
Lektüre wieder auf, um das ›Gleiten des Signifikats‹ zwar nicht
für die Figuren der Erzählung, aber für den Leser schließlich
doch wieder stillzustellen. So sehe sich Kohlhaas dem »Beliebigkeitsprinzip der Moderne« konfrontiert, dem er am Schluss
auch den Kurfürsten unterwerfen wolle:

> »Dagegen wird [...] keineswegs ›Kohlhaasens Kampf um
> Selbstbestimmung‹ [Müller-Salget 1990, S. 721] gesetzt, weil
> sich nach Kleists Geschichtsauffassung eine historische Rück
> wärtsbewegung nicht durchführen läßt, er will vielmehr
> umgekehrt den Kurfürsten von Sachsen, und damit stellver
> tretend einen der Herrschenden, unter dasselbe Gesetz der
> Beliebigkeit zwingen, dem er auch ausgesetzt ist. Kohlhaas
> wird nicht ›wieder zum selbstbestimmten Subjekt‹ [ebd.,

S. 721], er will lediglich erreichen, daß der Kurfürst ebenfalls der Beliebigkeit zwischen Selbst- und Fremdbestimmung unterworfen wird. Die Gewißheit um die Fortdauer der genealogischen Kette seiner Herrschaftsdynastie gab dem Kurfürsten eine soziale Identität in Selbstbestimmtheit. Kohlhaas ist mit dem Zettel im Besitz des Wissens um das Ende dieser Familienherrschaft. Und indem er den Zettel unmittelbar vor der Hinrichtung aufißt, nimmt er die Signifikanten des Wissens in seinen Leib auf, der als nichtssagendes Zeichen enthauptet zurückbleibt und den Kurfürsten in die Ungewißheit entläßt. Der paradox strukturierte revolutionäre Kampf des Michael Kohlhaas ist am Ende darauf gerichtet, die Ungewißheit, in der das Grauen der Moderne gipfelt, universal werden zu lassen. Er will die Herrschenden unter dieselben Gesetze zwingen, unter denen er als Bürger zu leiden hatte. Ungewißheitsuniversalisierung ist das Ziel des Michael Kohlhaas, der den Zettel ›nicht um die Welt, Mütterchen, nicht um die Welt!‹ hergeben will, und dessen erzwungener Scherz ›Kohlhaasenbrück sei ja nicht die Welt‹ am Ende doch recht ernsthaft klingt.« (Grathoff 1998, S. 64 f.)

Eine der größten Ungewissheiten in Kleists Erzählung stellt die außerhalb der Ständeordnung befindliche Figur der Zigeunerin dar, die seit Beginn der Rezeption in der Romantik im Zentrum einer bis heute nicht verstummten Realismusdebatte steht. Paul Michael Lützeler glaubt, dass Kleist mit ihrer Gestaltung »einen wichtigen Aspekt des Zeitkolorits und der Atmosphäre der Reformationszeit« einfange: »Wunderglaube und das Vertrauen in Wahrsagerei, Astrologie und in die Macht der Magie waren bei allen Ständen des 16. Jahrhunderts – einschließlich der Kirche – verbreitet.« (Lützeler 1981, S. 221) Jochen Schmidt sieht die Zigeunerin als »outcast«, die sich »außerhalb gängiger Wertvorstellungen und Wertungen« befinde »und deshalb eine ideale Verkörperung« der »in radikaler Unabhängigkeit aus dem eigenen Innern lebenden Verantwortlichkeit« Kohlhaas' darstelle (Schmidt 1974, S. 195). Claudia Breger hingegen untersucht die Rede über »Zigeunerinnen« und »Zigeuner« um 1800 aus diskursanalytischer Perspektive und gelangt zu dem Fazit, dass sie als leere Projektionsfläche des Fremden zum Zielfeld beliebiger

Zuschreibungen werde (Breger 1998, S. 324) – ein Ergebnis, das sich mit Földényis mikrologischer Lektüre des *Kohlhaas* deckt: »Die Episode mit der Zigeunerin: ein Schlüsselloch im Text, zu dem gerade jener Schlüssel fehlt, der das Schloß öffnen und das Rätsel lösen könnte.« (Földényi 1998, S. 530)

Wiederholten Dissens hat auch die Rolle des Erzählers ausge-löst. Lange bevor sich der Begriff etablieren konnte, wurde Kleists Erzähler als eine Art ›unzuverlässige‹ oder ›unglaubwür-dige‹ Instanz beschrieben, wie etwa von Jochen Schmidt: »Trotz seines Mitgefühls mit dem Schicksal des Helden befindet sich Kleists ›Chronist‹ keineswegs auf der Höhe der von ihm erzähl-ten Tatsachen. Sein Systemkonformismus, verbunden mit einer schläfrigen Durchschnittlichkeit des Urteils, zeigt sich vor allem in den negativ wertenden Aussagen über Kohlhaas und in seiner obrigkeitsfrommen Anteilnahme am Los des sächsischen Kur-fürsten. [...] Die Irritation durch die Chronistenperspektive wird nicht zur Warnung vor der nächstliegenden Fehlinterpre-tation, sondern auch zum Agens eigener Erkenntnisbemühung.« (Schmidt 1974, S. 181 f.) Demgegenüber wertet Klaus Müller-Salget die Verschiebungen in der Optik des Erzählens als Versuch Kleists, widersprüchliche Lesarten bewusst zu generieren: »[Der Erzähler] bleibt ohne klares Urteil über die Taten des Kohlhaas. Eben das ist der von Kleist beabsichtigte Effekt, der denn auch bis heute die widersprüchlichsten Deutungen provoziert hat.« (Müller-Salget 1990, S. 728) Földényi erweitert diesen Aspekt zu einer poetologischen Grundausrichtung des Textes:

> »Die Ratlosigkeit, die sich des Lesers bemächtigt, besteht seit nunmehr fast zwei Jahrhunderten. In den Deutungen von *Michael Kohlhaas* ist sie zu eine[m] wiederkehrenden Kli-schee geworden. Das hat jedoch tiefere Gründe als die Unent-schiedenheit des Interpreten. Es ist, als wäre die Ratlosigkeit des Lesers von vornherein in die Erzählung mit ›einprogramm-miert‹. Als säßen auch wir Leser in irgendeiner Nische der Geschichte. [...] Kleist hat, als er Kohlhaas' Geschichte schrieb, auch die Gestalt des in die Geschichte eingeflochte-nen, chamäleonartigen Lesers geschaffen, der durch das Schlüsselloch späht. [...] Indem Kleist eine Beurteilung Kohl-haas' unmöglich macht, zwingt er auch die Literatur in eine

Rolle des Erzählers

Grenzsituation. [...] Die Augenblicke der Ratlosigkeit [...] reißen Löcher in den Text und lösen den Zusammenhang auf.« (Földényi 1999, S. 289 f.)

Semiotische Deutungen Semiotische Deutungen von Kleists Erzählung belassen es nicht bei einer Ungewissheit der Lektüre oder einer Unlesbarkeit der Zeichen, sondern versuchen diesen Befund historisch zu kontextualisieren. Klaus-Michael Bogdal führt die Schwierigkeiten im Umgang mit dem rätselhaften Text auf die Widersprüchlichkeit historisch-unterschiedlicher Zeichenordnungen zurück, nämlich des eindeutigen, hierarchisierenden Zeichensystems der feudalen Welt einerseits und andererseits der »neuen, der Eindeutigkeit entzogenen Zeichen, die die Literaturwissenschaft als ›Goethe-Symbol‹ oder als ›Motiv‹ der Romantik begrifflich zu erfassen und als Teil der Autonomisierung der Kunst im 18. Jahrhundert darzustellen gesucht hat« (Bogdal 1988, S. 187). So ist für Bogdal die »Verwandlung der Zigeunerin zur verstorbenen Gattin Elisabeth durch Zeichen der Ähnlichkeit« ein Versuch, das Unbegreifliche »einem rationalen Sinngebungsprozeß« zu unterwerfen, die unheimliche Figur in eine vertraute zu verwandeln (ebd., S. 189). Bernd Hamacher macht darauf aufmerksam, dass auch bei der Zigeunerin verschiedene Intertexte amalgamiert und »unterschiedliche Bildvorstellungen übereinander geblendet« werden:

»Indem sie Kohlhaases Jüngstem einen Apfel reicht, erscheint sie einerseits in der Rolle der Eva, die Adam die verbotene Frucht anbietet, und andererseits im Bild der Madonna, die, als zweite Eva, dem Christuskind als zweitem Adam den Apfel als Lebensfrucht darbietet und damit den Sündenfall rückgängig macht. Aufgrund durchaus präziser erbrechtlicher Erwägungen ist Kohlhaas jedoch die Rückkehr ins Paradies verwehrt. Er muss das Angebot zur Flucht ausschlagen, um Rechtssubjekt zu bleiben, seine Ehre und sein Eigentum zu erhalten und damit seinen Kindern das Erbe zu sichern. Dies kann er nämlich nur, wenn er sich der ›ehrenvollen‹ Hinrichtung nicht widersetzt.« (Hamacher 2009, S. 104)

Bernhard Greiners Kleist-Lektüren schließlich laufen auf den Befund hinaus, dass »die Welt des Metaphorischen, mithin die Welt der Kunst selbst«, nicht »als Schutz, Halt und Orientierung

gegenüber einer undurchschaubaren, überall mit tödlichen Ge-
fahren bedrohenden Welt« dienen könne (Greiner 2000, S. 427).
Wie in anderen Texten, so erkennt Greiner auch in *Michael
Kohlhaas* das »Verfahren, [...] Zeichen aus dem Material des
Bezeichneten zu bilden«:

> »Wie im Caspar David Friedrich-Essay erwogen wird, das
> Bild des Ozeans mit dem Wasser des dargestellten Ozeans zu
> malen, wie die Guiskard-Tragödie des Scheiterns nur als
> Scheitern an der Tragödie machbar erscheint, und wie hier
> das Trödelweib, das die Zigeunerin nachahmen soll, die Zi-
> geunerin selbst ist, hat die Erzählung vom Selbsthelfer Kohl-
> haas in diesem Part mit der aus der bisherigen Logik der
> Handlung herausfallenden Wende in den Zufall gleichfalls
> zum Selbsthelfertum gegriffen, insofern die Willkür des Er-
> zählers nach Belieben Zufälle stiften kann.« (Ebd., S. 344)

Damit aber hat der Text, wie Greiner an anderer Stelle grundsätzlich unterstreicht, keine ablösbare Sinnaussage mehr, die als
ethisch-moralischer Gehalt formulierbar wäre.

Vor allem Roland Reuß sind wichtige Erkenntnisse über die ver- R. Reuß
weigerte Eindeutigkeit dargestellter Wirklichkeit in Kleists Texten und deren Konstruiertheit zu verdanken. Was Reuß über *Das
Erdbeben in Chili* in poetologischer Hinsicht ausführt, gilt für
die Erzählungen insgesamt, entfaltet Kleist doch »seine Poetik
nicht allein, ja nicht einmal vorwiegend, anhand expliziter Re-
ferenzen auf die Kunst [...]. Mindestens ebensogroße Aufmerksamkeit verdienen die, teilweise weit ins 20. Jahrhundert voraus-
greifenden, technischen Verfahren, mit denen dieser Text auf je
verschiedene Weise und auf unterschiedlichsten Ebenen das Pro-
blematische seines eigenen Status, Gemachtes zu sein und doch
den Anschein eines Lebendigen zu haben, hervorkehrt.« (Reuß
1993, S. 19) Reuß rekurriert damit auf den mit Begriffen des
Linguisten Ferdinand de Saussure zu bezeichnenden Sachverhalt, dass Kleists Texten eine doppelte Signifikat-Struktur einge-
schrieben ist. Konkreter: Im Verhältnis zwischen der erzählenden Signifikanten- und der erzählten Signifikat-Ebene wird die
Signifikanten-Ebene selbst wieder zu einer zweiten Signifikat-
Ebene, die den Prozess der Sinn- und Bedeutungskonstitution
qua poetischen Ausdruck und bewusst eingesetzte künstlerische

Verfahren thematisiert. Die »semantische Kraft der Syntax« und der Lexik (Reuß 1988, S. 11), die sich nicht nur im Referenziellen erschöpft, sondern aufgrund ihrer Eigenständigkeit eine zweite Bedeutungsebene über das Gemeinte legt, die dessen Verständnis unmöglich macht, führt zu einer Ambivalenz, zu einer Doppel-Signatur von Kleists Texten. Auch an den bisherigen Deutungen von *Michael Kohlhaas* kritisiert Reuß, dass »poetische Sprache« vorgestellt wird »als mittels der Zeichenfunktion [...] final bezogen auf eine ihr voraufliegende Wirklichkeit. Und gelungen ist sie dann, wenn sie dieser adäquat ist. Unbefragt bleibt hierbei, ob ein Primat bezeichnender Sprache für Kleists erzählerisches Werk überhaupt aufrechtzuerhalten, gar legitimerweise gegen es ins Feld zu führen ist.« (Reuß 1990, S. 35) Am Beispiel der Zigeunerin als Wahr-Sagerin verdeutlicht Reuß das Problem einer »Übereinstimmung von Sprache und Wirklichkeit«:

> »Eine Wahrsagung zielt darauf, daß das, was jetzt gesagt wird, von der Zukunft als wahr erwiesen wird. Eine Wahrsagerin in diesem Sinne ist eine Person, die Wahres sagt. Beide Momente gehören gleichermaßen zu der Person der Zigeunerin hinzu, und gerade das nicht stillzustellende Oszillieren zwischen den beiden Polen: nichtige Rede für ein und vor einem abergläubischen Publikum und das entschiedene und entscheidende Sagen des Wahren, macht ihre Faszination aus. Kleists Text [...] demonstriert eindrücklich die Vergeblichkeit, das fragliche Verhältnis ein für alle Mal dem Realitätsprinzip zu unterwerfen. Dieses Verhältnis macht zugleich den Grund-Riß der Dichtung aus.« (Ebd., S. 36f.)

Mit der Einführung der Zigeunerin in den Kontext der Erzählung von 1810 hat Kleist nach Reuß

> »einen ersten Versuch unternommen, die gebrechliche und stigmatisierte Stellung der Kunst in ihrem Verhältnis zur ›Wirklichkeit‹ darzustellen. Mit ihr biegt sich Kleists Erzählung auf sich selbst zurück, wird reflexiv. Diese Reflexion ist, wie jede wahrhafte Reflexion, unableitbar aus Prämissen. Sie ist, Kleists Text wird es selbst aussprechen: frei und niemand kann gezwungen werden, sie wahrzunehmen. Läßt man sie versuchsweise – und vielleicht hat jeder Kleistsche Text diesen

Experimentalcharakter – frei gewähren, dann wird man sich allerdings erst einmal der narzißtischen Kränkung ausgesetzt sehen, Kleist den ›Realisten‹ nicht mehr an dem ihm zugebilligten Ort zu finden.« (Ebd., S. 38)

Kleists *Kohlhaas* mag auf den ersten Blick als ›sinnloser‹ Text erscheinen; es bedarf jedoch einer ›zweiten‹, dekonstruktiv-hermeneutischen Lektürehaltung, um zu erkennen, dass es in diesem Text primär um die Möglichkeit und Unmöglichkeit von Sinn selbst geht, um Ordnungen und deren Transformation und Auflösung. Damit sind insbesondere familiale, juristische und ökonomische Ordnungen gemeint: Es geht um einen Pass-Schein, der nur *schein*bar existiert, gleichwohl aber den auf Erden unheilbaren (und nur durch Gewalt aufhebbaren) Bruch zwischen realer und idealer Ordnung markiert; ferner geht es um die Figur einer Wahr-Sagerin und um die Validität von Schrift-Stücken und damit um Auswirkungen auf eine Sprache, die den Schein affirmiert, sie sei eine unmittelbare und bruchlose Abbildung der voraufliegenden Wirklichkeit. Abbilden kann sie, wenn überhaupt, nur die Zäsur, die Kluft, die sie als poetisches Produkt von jener Wirklichkeit trennt; somit stellt die Sprache bei Kleist stets »ihren fiktionalen Charakter aus« (ebd., S. 42) bzw. reflektiert sich im Zusammenhang mit dem immer formal gehaltenen Hinweis auf den Zettel in der Kapsel als Leer-Stelle, die zum Nach-Denken anregt. Alle im Text ansichtig werdenden Ordnungen sind immer auch als Zeichenordnungen zu verstehen; und ihre Auflösung wird immer auch als Zeichen-Prozess, als Auflösung der Bedeutung von Zeichen, geschildert. Aber mit jeder Auflösung geht eine (vorläufige) Neukonstitution von Sinn einher. Die Signifikation der Zeichen in einem geordneten (juristischen, ökonomischen) System ist die Grundlage von ›Sinn‹ und die Voraussetzung von Interpretation und Interpretierbarkeit. Umgekehrt provoziert die Subversion der Signifikation erneute Interpretation(en); genau diesem Phänomen gilt das Hauptaugenmerk der Dekonstruktion.

Auf der Ebene des *Kohlhaas*-Textes von 1810 ist auffällig, welch eminent hohe Bedeutung die permanente Zirkulation von Schrift(en) – der Pass-Schein, die Eingaben Kohlhaas' und die darauf erfolgten Bescheide, Rechtssprüche, Mandate, Flugblätter, Reskripte, Luthers Plakat, die Aufschrift des Zettels in Kohlhaas' Kapsel etc. – und die (verhinderten bzw. ins Leere laufenden) Deutungsprozesse spielen. Damit sind Kleists Figuren immer auch Herme(neu)ten in eigener Sache und die literaturwissenschaftlichen Deuter drohen auf einer zweiten Ebene ihrerseits zu Kleist'schen Figuren zu werden, die sich heillos in den selbstreflexiven, rhizomartigen Schleifen der Lektüre verfangen. Auffällig ist, dass der Text durch zwei mehr oder weniger deutlich fundierte Äußerungsformen, die auf einer bestimmten Zeichenstruktur basieren, strukturiert wird: Am Anfang steht die am »Schlagbaum« erhobene junkerliche Forderung nach einem Pass-Schein, dessen Vorlage Kohlhaas gestatten würde, seinen Geschäften im »Ausland« nachzugehen – eine Neuerung, die der bisherige Grenz-Verkehr mit dem mittlerweile jedoch am »Schlagfluß« verstorbenen Vater Wenzel von Tronkas nicht vorsah; am Ende steht ein Urteilsspruch, der auf einer zweiten, parallel dazu angeordneten Sinn-Ebene von dem in einer Kapsel eingeschlossenen Zettel der Zigeunerin flankiert wird. Und beide sind aufeinander bezogen: Die Situation, die durch den Pass-Schein ihren Ausgang nimmt, wird durch den Urteilsspruch des Kurfürsten von Brandenburg aufgehoben, durchgestrichen. Indem dem Urteil so Sinn verliehen wird, wird gleichzeitig der Sinn der Gesamtstruktur des Textes subvertiert: Der Sinn des Pass-Scheins, der in der Regulierung des Grenz-Verkehrs zwischen Sachsen und Brandenburg besteht, wird durch den Sinn des Urteils wieder aufgehoben; seine Nicht-Existenz fungiert als Initial für obrigkeitliche Willkür, Gewalt und die Herrschaft des Zufalls in einer heillosen, »gebrechlichen« Welt. Der Sinn des Urteils besteht vordergründig darin, Kohlhaas – durch die Verurteilung des Junkers – als Rechtssubjekt zu restituieren, um ihn gleichzeitig als Landesverräter und Aufrührer zum Tode zu verurteilen; hintergründig soll jedoch der Kurfürst von Sachsen »ebenfalls der Beliebigkeit zwischen Selbst- und Fremdbestimmung unterworfen« werden. Kohlhaas ist mit dem Zettel im Besitz des Wissens um das Ende der kurfürstlichen Familienherrschaft und destruiert damit die soziale Identität des Landesherrn (vgl. Grathoff 1998, S. 64 f.). Nominell soll durch das doppelte Urteil die Rückkehr der ›Welt‹ in den Zustand der Unversehrtheit (auch im theologischen Sinn: *restitutio in integrum* als Aufhebung des Sündenfalls) erzwungen werden, was zwar – gegen alle biologische Wahrscheinlichkeit – mit dem Zustand der beiden Pferde gelingt, nicht aber mit der Wiederherstellung des Paradieses.

Allein im ersten Teil der Erzählung bis hin zu Kohlhaas' »Rechtsschluß« erscheinen an Rechtsschriften ein Inventar (»Verzeichnis der Sachen [...], die der Großknecht im Schweinekoben zurückgelassen«), ein Kaufkontrakt sowie Briefe über den Wert der Dresdener Besitzungen; zahlreiche Briefe ergehen an den »Rechtsgehülfen«, als Beilage bei Supliken und bei Resolutionen, als Kundmachung in Gestalt eines (vermutlich gedruckten) Briefs an die Bewohner Wittenbergs. Während Kohlhaas in seinem ersten Mandat für sich in Anspruch nimmt, mit dem Junker Wenzel von Tronka in einem »gerechten Krieg« zu liegen und die Unterstützung von allen Bürgern Sachsens einzufordern, bezeichnet er sich selbst in seinem zweiten Mandat – in einem scheinbar unvermeidbaren Crescendo – als »einen Reichs- und Weltfreien, Gott allein unterworfenen Herrn«. Auf dieser Grundlage lädt er »jeden guten Christen« dazu ein, sich ihm anzuschließen. Als Endpunkt der Klimax fungiert ein drittes Mandat, in dem sich Kohlhaas als »einen Statthalter Michaels, des Erzengels [definiert], der gekommen sei, an allen, die in dieser Streitsache des Junkers Partei ergreifen würden, mit Feuer und Schwert, die Arglist, in welcher die ganze Welt versunken sei, zu bestrafen«. In geradezu ver-rückter Logik ruft Kohlhaas das Volk dazu auf, »sich zur Errichtung einer besseren Ordnung der Dinge, an ihn anzuschließen«. Als performativer (schriftlicher) Akt wird die Einrichtung einer revolutionären neuen Weltordnung gesetzt.

Oder, um den Mittelteil mit all den darin geschilderten Anschlägen, Mandaten, Briefen und Plakaten zu überschlagen und allein die Gefangennahme und Hinrichtung Kohlhaas' im dritten Teil ins Auge zu fassen: Es wird ein Testament angefertigt, ein Brief Luthers mit der Absolution trifft ein, die Alte gibt ein »Blatt« ab, das mit den Worten »Deine Elisabeth« unterschrieben ist, der kaiserliche Anwalt hält »eine Abschrift des Todesurteils in der Hand«, Kohlhaas' eigener Anwalt ein »Konklusum des Dresdner Hofgerichts«, und schließlich verzehrt Kohlhaas den in der Kapsel eingelagerten mysteriösen Zettel. Elias Canetti hat in *Masse und Macht* (1960) das Phänomen der Macht als Chiffre für die Gewalt und das sich absolut setzende Subjekt beschrieben – ein Vorgang, der im Akt der Einverleibung und des Verdauens entfaltet wird, den Canetti als »zentralste[n], wenn auch verborgenste[n] Vorgang der Macht« betrachtet: »Etwas Fremdes wird ergriffen, zerkleinert, einverleibt und einem selbst von innen her angeglichen; durch diesen Vorgang allein lebt man.« (Canetti 1960, S. 232) Der Akt der Einverleibung gerät daher zum Zeichen der paradoxen Struktur von Selbstbehauptung und Selbstverlust.

De-/konstruk-
tion von ›Sinn‹
als Rezeptions-
erfahrung
Kleists Text entfaltet mit dem Spannungsbogen vom Pass-Schein zum Urteil eine Schrift-Bewegung, in der die De-/konstruktion von ›Sinn‹ zu einer Rezeptionserfahrung für den Leser wird. So wie sich der Umschlag der Machtverhältnisse vollzieht, so vollziehen sich gleichzeitig die de-/konstruktiven Textbewegungen, indem die Erzählung selbst die Zeichenordnungen, die sie aufbaut, permanent unterläuft. So konkretisiert sich der ›Sinn‹ des Urteils in der Feststellung der Sinnlosigkeit des Pass-Scheins. Der letzte Sinn, der diesen Text beschließt und damit erst für die Interpretation öffnet, ist die Negation von Sinn selbst. Sinn ist also nur noch im Medium seiner Negation zu erhalten, man könnte sogar sagen: im Medium einer absoluten Negation, nämlich des Todes des Rosshändlers und der Interruption der genealogischen Kette des Kurfürsten von Sachsen durch Kohlhaas' Vertilgung des Zettels. Eine ähnliche Verklammerung von Schriften in Kleists Text konstatiert auch Eybl:

> »Die Exposition beruht auf einer Schrift, die nicht existiert und die deshalb niemand lesen kann, deren Signifikat, die inexistente Verordnung, jedoch die Handlung auslöst. Der Schluss beruht auf einer Schrift [gemeint ist der Zettel in der Kapsel], die nur einer liest, auf einem Signifikanten, den zugleich mit dessen Signifikat sich Kohlhaas einverleibt. Beide Signifikate bewirken die nachhaltigsten Folgen, obwohl sie den Lesern wie den Figuren vorenthalten bleiben. Die Präsenz und Absenz von Texten stiftet die Klammer zwischen den so häufig als gegensätzlich wahrgenommenen Handlungsträ-

gern, zwischen der Rechts- und der Zigeunerinnenhandlung: Denn es führt die Erzählung vom nichtexistenten Text einer neuen Verordnung, den Kohlhaas, obzwar als Adressat verantwortlich gemacht, nicht gelesen haben kann, zum existenten Text der Weissagung, den einzig Kohlhaas im Augenblick der Buße seiner Verantwortung liest, nicht aber der Adressat.« (Eybl 2007, S. 199)

Des Weiteren hat Eybl plausibel gemacht, dass sowohl »das Sterben des Paares durch Schrift in ihrer verbindlichsten Form aufeinander bezogen« ist (Lisbeth hat schweigend auf die Botschaft der Bibel zur Vergebung gewiesen; Kohlhaas tilgt die Weissagung des Amuletts und lehnt Vergebung/Versöhnung ab) als auch im Text »zwischen Offenbarung und Zauberwort« ein Gegensatz aufgespannt wird: Während Martin Luther, der Dolmetscher Gottes (»unter den Engeln, deren Psalmen Ihr aufschreibt, seid Ihr nicht sicherer, als bei mir«), als ein Mann zwischen aufgenommenen, abgelegten und verschobenen Schriften erscheint, wird die Zigeunerin im Kontrast hierzu als »Frau der Weissagung«, im Medium der Stimme, präsentiert, deren Anrede Kohlhaas aus der Menge heraushebt (ebd., S. 199 f.).

Darüber hinaus erscheint die im *Kohlhaas* durch ›Texte‹ aufgebaute ›Welt‹ insgesamt nicht mehr als ein teleologisch verfasstes Sinn-Ganzes, sondern als Gewirr von Zufällen, Undurchsichtigkeiten und Paradoxien. Dem gleichsam aus der Schöpfung gefallenen Subjekt gelten die es determinierenden Ereignisse als Chiffre für die Rätselhaftigkeit einer sinnfernen Welt, die dem Menschen nur noch als zeichenhafte Oberfläche zugänglich ist. Als Zufall kann angesehen werden: a) dass die Zigeunerin in Jüterbog den Wahrheitsbeweis für ihre Wahrsagekünste erbringt: dass der Akt, der ihre Voraussage als falsch erweisen soll, deren Bewahrheitung geradezu ermöglicht, b) dass Kohlhaas bei der Szene in Jüterbog anwesend ist und die Zigeunerin ihm die prophetischen Zeilen gibt, obwohl es sich um einen erzählerisch falsch berechneten bzw. ausdrücklich als unstimmig erwiesenen Umstand handelt, c) dass der sächsische Kurfürst (durch den Einfluss der Dame Heloise) Kohlhaas persönlich begegnet und in diesem den gesuchten Besitzer der Kapsel erkennt, d) dass die alte Frau, die die Zigeunerin spielen soll, um Kohlhaas den prophetischen Zettel in der Kapsel abzunötigen, eben die Zigeunerin selbst ist, die ihm den Zettel gegeben hat, was der Erzähler im Text selbst entsprechend kommentiert: »[U]nd wie denn die Wahrscheinlichkeit nicht immer auf Seiten der Wahrheit ist, so traf es sich, daß hier etwas geschehen war, das wir zwar berichten: die Freiheit aber, daran zu zweifeln, demjenigen, dem es wohlgefällt, zugestehen müssen.«

›Wirklichkeit‹ konstituiert sich in Kohlhaas' Perspektive als In- und Gegeneinander unverständlicher Texte, deren Sinn sich dem Subjekt – wenn überhaupt – nur ex post enthüllt. Die Entzifferungsarbeit des Subjekts beschränkt sich demzufolge darauf, die Bedeutung eines Ereignisses oder einer Ereigniskette bloß noch rekonstruktiv aus der Position des ›Zu-spät‹ oder hypothetisch aus der Position des ›Als-ob‹ zu erschließen. Diese Struktur der (ins Leere laufenden) interpretativen Aufschlüsselung von unbegriffenen Vor-Fällen, die über Kohlhaas' Kopf hinweg ein fatales Geschehen in Gang setzen, ist ein zentrales Merkmal von Kleists Text. ›Welt‹ ist in *Michael Kohlhaas* dem jeweiligen Subjekt nur noch als eine im doppelten Sinne ›verzeichnete‹ verfügbar: als durch Zeichen repräsentierte und als eben dadurch entstellte, verzerrte Welt. Auch Kohlhaas bewegt sich stets auf der zeichenhaften Oberfläche von Welt, die aber gleichwohl nur in ihrer sinnlich-materiellen Qualität als Sprach- bzw. Schrift-Zeichen erfahrbar wird: als Brief, gerichtliche Verfügung, öffentliche Verlautbarung in Form von Plakaten, schriftlichen Urteilen oder als auf einen (leeren) Zettel gekritzelte Wahr-Sagung. Gegen das Wuchern der Zeichen, die die sinnlich-konkrete Welt unmerklich hinter einem vom menschlichen Geist gewobenen Text zum Verschwinden bringen, hält Kleist dergestalt an einem Modus der Welterfahrung fest, der dem Physischen (bis hin zur brachialen Gewalt) eine Wirklichkeit einräumt, die sich der Verzeichnung und dem subjektiven (und damit willkürlichen) Lesevermögen widersetzt. Andererseits aber legt diese Welterfahrung immer wieder auch Zeugnis ab vom Eigensinn der Zeichen, von deren performativer Potenz. Darin zeigt sich, dass der Kontrolle des (deutenden) Subjekts letztlich beides entgleitet: die Materie und das Zeichen, die Natur und der Geist, das (vermeintlich) Bezeichnete und das Bezeichnende (so in Kohlhaas' Mandaten und seinem »Rechtsschluß«).

Entzifferungs-arbeit des Subjekts

Das Wuchern der Zeichen

Bei Kleist wird bereits das ansichtig, was der französische Philosoph Jacques Derrida in den 6oer-Jahren des 20. Jahrhunderts rigoros ablehnt: die Idee eines geschlossenen Systems der Signifikation. Umgekehrt führt die Offenheit des Systems, das so nicht mehr die einzelne Signifikation garantieren kann, zu einer Verunendlichung der Zeichenstruktur. Streng genommen könnte man mit Derrida sagen: Es gibt gar kein Signifikat mehr; es gibt nur noch Differenzen von Signifikanten in einem offenen System. Dementsprechend verweisen die Schrift-Stücke im *Kohlhaas* nicht darauf, was ›Recht‹ ist, sondern markieren nur Bereiche von ›Nicht-Recht‹ usw. Das konstitutive Prinzip von Sprache ist somit die Differenz, nicht die Identität. Das bedeutet: Kein einziges sprachlich-semantisches Element (Pass-Schein, Brief, Plakat, gerichtliche Verfügung, Zettel) garantiert ›Sinn‹: Immer wird man auf das andere verwiesen, das nicht das ist, von dem man ausgegangen ist. Und wenn man den Ursprung sucht, von dem alle Differenzen ihren Ausgang nehmen, dann wird man immer ins Leere gehen: Der von junkerlicher Seite geforderte Pass-Schein existiert nicht; der Zettel der Zigeunerin (als Produkt ihrer Wahr-Sagung) zur Sicherstellung der genealogischen Kette ist durch Kohlhaas' Einverleibung unverfügbar, wenn er nicht gar vorher schon ›leer‹ war, wie einige Interpreten vermuten. Die Kette setzt sich nach vorn und hinten unendlich und uneinholbar fort.

Hat die (frühneuzeitliche) Philosophiegeschichte den Begriff des Subjekts vorrangig über ein Wissen über sich selbst definiert (vgl. etwa das cartesische *cogito, ergo sum*), besteht die ›Modernität‹ von Kleists Texten darin, dass das Subjekt nicht mehr ›weiß‹, sondern ›gewusst wird‹ (Kohlhaas, Kurfürst von Sachsen), da es nicht selbst die Zeichengebung beherrscht, sondern dieser – im eigentlichen Wortsinn von ›Subjekt‹ (von lat. subicere, ›unterwerfen‹) – unterworfen ist. Mit dem Todesurteil am Ende des Textes scheint nun allerdings ein Element in das differenzielle Spiel hineinzukommen, das eben dieses Spiel aufhebt. Denn mit dem Urteil scheint eine Äußerungsform gegeben zu sein, die Bedeutung arretiert und die Signifikation garantiert. Immerhin wird das über ihn verhängte Todesurteil von Kohlhaas nicht einmal ansatzweise infrage gestellt; scheinbar mögliche Auswege über den Einsatz des Zettels werden explizit verworfen. Umso mehr haben sich die Interpreten gefragt, wie denn dieses Urteil und seine Vollstreckung einzuschätzen seien. Im Urteil ist sowohl Signifikation als auch deren Subversion gegeben: Der Schluss ist ein Trug-Schluss, indem er die Ankunft eines unparteiischen ›Dritten‹ im Sinne einer *dea ex machina* (Zigeunerin) bzw. eines *deus ex machina* (Kurfürst von Brandenburg) zu realisieren scheint, gleichzeitig aber nicht der Schilderung der triebhaft-obsessiven, ›prozessierenden‹ Machtbeziehungen, Interessenverflechtungen und Begehren widerspricht. Das Urteil löst die Interpretation gerade deswegen aus, weil es nur scheinbar die Endgültigkeit des Sinns markiert. Es evoziert die Idee, dass mit dem Tod das differenzielle Spiel des Sinns an ein Ende kommt, Kohlhaas wieder zum Subjekt des Rechts (genitivus subiectivus!) wird. Allein auf der Textebene betrachtet, könnte man sagen, dass der Tod in der Tat den Sinn fixiert, dies allerdings nur im Modus der Negation: ›Sinn‹ als Sinn-Negation.

Folglich erscheint das Recht als unendlich prozedierendes Phänomen, das keine letztgültige Stabilität garantiert. Die von Hans H. Hiebel benannten neun juristischen Entscheidungen, die im Text vorgeführt werden (von der Niederschlagung von Kohlhaas' Klage beim Dresdner Gerichtshof, über diverse Amnestierungen und Amnestieaufhebungen bis zu Kohlhaas' nach Reichsrecht erfolgter Verurteilung wegen Landfriedensbruch zum Tod durch das Schwert; Hiebel 1988, S. 286 ff.), folgen ihrerseits einer paradoxen Struktur: »Die letzte, die neunte Entscheidung, widerspricht der achten [Endurteil Brandenburgs], die achte der sechsten [Aufhebung der Amnestie als Selbst-Widerspruch der Dresdner Gerichtsbarkeit], die sechste der vierten [Amnestierung], die vierte der dritten [›landesherrliche Resolution‹, Kohlhaas möge die Pferde abholen und ›bei Strafe, in das Gefängnis geworfen zu werden, nicht weiter in dieser Sache einkommen‹, womit der juristische Diskurs ad absurdum geführt wird und der Fehde- und Rachekrieg initiiert wird.] ...« (Ebd., S. 290) Ein ›oberstes Gesetz‹, das die Totalität der Handlungen und Machtverflechtungen organisiert, ist nicht erkennbar. An Kohlhaas wird somit demonstriert, wie der Versuch, sich die Zeichen erst juristisch, dann qua Gewalt zu unterwerfen, zur

Neun juristische Entscheidungen

Unterwerfung unter die Zeichen führt. Auch das Urteil reiht sich in eine Signifikantenstruktur ohne Signifikat(e) ein; seine Kraft und seine Bedeutung erhält es eben nicht durch einen Sinn, sondern sein ›Sinn‹ besteht in seiner Verschiebung, im Aufschub von Sinn. Diesem Gesetz unterworfen zu sein bedeutet, »Ungewißheitsuniversalisierung« zu perpetuieren. Im Mittelpunkt von Kleists Texten steht daher – im krassen Gegensatz zu den anthropologischen Modellen der Weimarer Klassik – der seiner selbst nicht-bewusste Mensch, der den heteronomen Kräften seines Inneren und einer unverständlichen Welt des Äußeren nahezu widerstandslos ausgesetzt ist.

Der den Text organisierende Chiasmus einer unlösbaren Verknüpfung von Sein und Schein, Schuld und Unschuld, Recht und Unrecht hat auch Auswirkung auf dessen Struktur. Kleists Konzept einer »Synchronie der Antinomien und Paradoxien bzw. des Konzepts einer unausdeutbaren Verwirrung und Verflechtung der kontingenten Phänomene der Wirklichkeit« ergibt eine solche Sinnvielfalt, dass der Leser es, wie Hiebel treffend bemerkt hat, mit einer Art Bedeutungsgestrüpp, einem Kafka'schen »Rhizom« (Deleuze/Guattari 1976; 1977) zu tun hat: **»Rhizom«** In der Wurzelform des Rhizoms kann – im Gegensatz zur Struktur einer Baumwurzel, die sich durch eine strenge Hierarchie auszeichnet – ein jeder Punkt mit jedem anderen Punkt verbunden werden. Keine Struktur verbindet feststehende Elemente, sondern verweist immer auf andere. »Die ›rhizomatische Chronik‹ legt uns ein Geflecht von Fakten und Kontingenzen vor, über das sich sozusagen ein Netz von Diskursen legt, von Diskursen, die einander widersprechen und dadurch zu Verwirrungen, Paradoxien und Aporien führen.« (Hiebel 1988, S. 284 ff.; vgl. hierzu ausführlicher die Wort- und Sacherläuterungen)

In diesem Sinne ist *Michael Kohlhaas* (1810), wie der kurze Forschungsüberblick gezeigt hat, ein atemberaubend moderner, hochaktueller und zentraler Text des literarischen Kanons, gleichzeitig aber auch ein Text, der hohe Anforderung an die Lektüre stellt: Eine komplexe und verschlungene Sprachstruktur, die Infragestellung traditioneller Sinnebenen, erzählte Paradoxa, eine wundersame, unbegreifliche Zigeunerin als (verhinderte) *dea ex machina*, Protagonisten, die sich und andere nicht mehr verstehen, der Ausfall eines zuverlässigen Erzählers und vieles andere mehr erschweren die Deutung. Je tiefer man in die Welt des Rosshändlers Michael Kohlhaas eindringt, desto vielfältiger und vieldeutiger erscheinen die zahlreichen Sinnbezüge, die der Text anbietet, und desto deutlicher tritt die kunstvolle Komposition, das Miteinander-Konfligieren verschiedener Schrift-Stücke, der von ihnen geforderten Lesarten, Ideen und Kausalzusammenhänge hervor. Es ist durchaus Gewinn bringend, mit Marianne Schuller und Nikolaus Müller-Schöll eine »Verschiebung des Blicks [vorzunehmen] von dem, was angeblich gesagt wird, zu der Art und Weise, wie ein Text etwas sagt, eine neue Aufmerksamkeit für buchstäbliche Merkwürdigkeiten [aufzubieten], die in der Vergangenheit häufig als Fehler oder irrelevanter Zufall betrachtet wurden« (Schuller/Müller-Schöll 2003, S. 8).

»Verschiebung des Blicks«

Durch die komplexe Anlage des Protagonisten und die subversive Struktur des Textes verbieten sich hermeneutisch eindimensionale Deutungen von *Michael Kohlhaas*. Kleists geniale Erzählung gehört stattdessen zu den Texten, bei denen eine ›zweite‹, dekonstruktiv-hermeneutische Lektüre, die die Widersprüche, Zäsuren, Konflikte und Ungereimtheiten des Textes in das Zentrum der Betrachtung stellt und nicht über sie hinwegliest, besonders angebracht erscheint. Daher nimmt es nicht wunder, dass neben Franz Kafka vor allem Kleist auf dem Weg ist, zu einer literarischen Leitfigur der Dekonstruktion zu werden. So betrachtet sind alle Texte für den, der auf hermeneutische Eindeutigkeit zielt, ›unlesbar‹. Eine Lektüre aber, die hermeneutische Widersprüche ertragen kann und nicht zwanghaft auflösen muss, findet in *Michael Kohlhaas* ihren kongenialen Text-Gegenstand.

Literarische Leitfigur der Dekonstruktion

Literaturhinweise

Ausgaben

Michael Kohlhaas, in: Phöbus. Ein Journal für die Kunst. Hg. v. Heinrich v. Kleist u. Adam H. Müller. Erster Jahrgang. Mit Kupfern. Sechstes Stück. Juni 1808. Dresden, gedruckt bei Carl Gottlob Gärtner. [Seiten 20–34] (Photomechanischer Nachdruck mit Nachwort und Kommentar von Helmut Sembdner). Stuttgart 1961)

Michael Kohlhaas, in: Heinrich von Kleist. Erzählungen. Berlin: Realschulbuchhandlung, 1810, S. 1–215

Heinrich von Kleists hinterlassene Schriften, hg. v. L.[udwig] Tieck. Berlin 1821

Heinrich von Kleists gesammelte Schriften, hg. v. Ludwig Tieck, T. 1–3. Berlin: Reimer, 1826

Heinrich von Kleist: *Sämtliche Werke und Briefe*, hg. v. Helmut Sembdner. 2 Bde. 9., vermehrte und revidierte Auflage. München: Hanser, 1993 [*Michael Kohlhaas* in Bd. 2]

–: *Sämtliche Werke und Briefe in vier Bänden*, hg. v. Ilse-Marie Barth, Klaus Müller-Salget, Stefan Ormanns u. Hinrich C. Seeba. Frankfurt/ M.: Deutscher Klassiker Verlag, 1987–1997 [*Michael Kohlhaas* in Bd. 3: Erzählungen. Anekdoten. Gedichte. Schriften, hg. v. Klaus Müller-Salget, S. 11–142, abgedruckt sind die ›Phöbus‹- und die Buchfassung] (zit.: SWB [mit Band- und Seitenangaben])

–: *Sämtliche Werke*. Brandenburger [1988–1991: Berliner] Ausgabe, hg. v. Roland Reuß u. Peter Staengle. Basel/Frankfurt/M.: Stroemfeld/ Roter Stern, 1988 ff. [*Michael Kohlhaas* in Bd. II/1, Basel/Frankfurt/ M. 1990]

Quellen und Quellengeschichte

Burkhardt, Carl August Hugo: *Der historische Hans Kohlhase und Heinrich von Kleist's »Michael Kohlhaas«. Nach neu aufgefundenen Quellen dargestellt.* Leipzig 1864

Dießelhorst, Malte/Duncker, Arne: *Hans Kohlhase. Die Geschichte einer Fehde in Sachsen und Brandenburg zur Zeit der Reformation.* Frankfurt/M. u. a. 1999

Hein, Christoph: »Von den unabdingbaren Voraussetzungen beim Kleist-Lesen«, in: ders.: *Aber der Narr will nicht. Essais.* Frankfurt/M. 2004, S. 117–126

–: *In seiner frühen Kindheit ein Garten.* Roman. Frankfurt/M. 2005

Kafka, Franz: *Briefe an Felice und andere Korrespondenz aus der Verlobungszeit.* Hg. v. Erich Heller u. Jürgen Born. Mit einer Einleitung v. Erich Heller. Frankfurt/M. 1967

–: *Briefe 1910–1912.* Kritische Ausgabe. Hg. v. Hans-Gerd Koch. Frankfurt/M. 1999

Leutinger, Nicolaus: *Opera omnia quotquot reperiri potuerunt. Georgius Gothofredus Kusterus recensuit, epitomen singulis libris, et lemmata, ubi deerant, addidit, indicemque, adiecit.* Frankfurt/M. 1729

[Mentz, Balthasar:] *Stambuch und kurtze Erzehlung. Vom ursprung und Hehrkomen der Chur und Fürstlichen Heuser/Sachsen/Brandenburg/ Anhalt und Lawenburg. Durch M. Balthasar Mentzen.* Wittenberg 1598

Müller, Heiner: »Heinrich von Kleist spielt Michael Kohlhaas«, in: ders.: *Werke.* Bd. 4: *Die Stücke 2.* Hg. v. Frank Hörnigk. Frankfurt/M. 2001, S. 532 f.

Müller-Tragin, Christoph: *Die Fehde des Hans Kohlhase. Fehderecht und Fehdepraxis zu Beginn der frühen Neuzeit in den Kurfürstentümern Sachsen und Brandenburg.* Zürich 1997

– : »Hans Kohlhase und Michael Kohlhaas. Unwahrscheinliche Wahrhaftigkeiten«. In: *Heilbronner Kleist-Blätter* 7 (1999), S. 9–40

Reuß, Roland: »Nachrichten von Hans Kohlhase«, in: *Berliner Kleist-Blätter* 3 (1990), S. 44–54

[Schöttgen/Kreysig:] *Diplomatische und curieuse Nachlese der Historie von Ober-Sachsen, und angrentzenden Ländern. Zu einiger Erläuterung derselben, gehalten von Christian Schöttgen und George Christoph Kreysig.* Dritter Theil. Dresden/Leipzig 1731. [S. 528–541: Nachricht von Hans Kohlhasen, einem Befehder derer Chur-Sächsischen Lande. Aus Petri Haftitii geschriebener Märckischen Chronik.]

–: *D. Martin Luthers Werke.* Kritische Gesamtausgabe. Luthers Briefwechsel. Bd. 7. Hg. v. Otto Clemen. Weimar 1937

Hilfsmittel

Adelung, Johann Christoph: *Grammatisch-kritisches Wörterbuch der Hochdeutschen Mundart, mit beständiger Vergleichung der übrigen Mundarten, besonders aber des Oberdeutschen.* Mit D. W. Soltau's Beyträgen, revidirt und berichtiget von Franz Xaver Schönberger. 4 Bde. Wien 1811

Allgemeines Landrecht für die Preußischen Staaten von 1794. Textausgabe. Mit einer Einführung von Hans Hattenhauer und einer Bibliographie von Günter Bernert. Frankfurt/M./Berlin 1970

Campe, Joachim Heinrich: *Wörterbuch der Deutschen Sprache.* 5 Bde. Braunschweig 1807–11

Constitutio criminalis Carolina: peinliche Gerichtsordnung Kaiser Karls V. Faksimile-Druck der Ausgabe 1533. Osnabrück 1973

Grimm, Jacob und Wilhelm: *Deutsches Wörterbuch.* 16 Bde. (in 33 Teilbdn.). Leipzig 1854–1954. Reprogr. Nachdr. München 1984

Handwörterbuch des deutschen Aberglaubens. Hg. v. Hanns Bächtold-Stäubli. 10 Bde. Berlin/Leipzig 1927–1942

Materialien und Dokumentationen

Hamacher, Bernd: *Heinrich von Kleist. Michael Kohlhaas. Erläuterungen und Dokumente*. Stuttgart 2003 (=Hamacher 2003a)
Heinrich von Kleists Lebensspuren. Dokumente und Berichte der Zeitgenossen. Hg. v. Helmut Sembdner. Erweiterte Neuausgabe. Frankfurt/M./Leipzig 1992 (zit.: Lebensspuren [mit Dokumentennummer])
Heinrich von Kleists Nachruhm. Eine Wirkungsgeschichte in Dokumenten. Hg. v. Helmut Sembdner. Frankfurt/M. 1984 (zit.: Nachruhm [mit Dokumentennummer])

Interpretationen

Apel, Friedmar (Hg.): *Kleists Kohlhaas. Ein deutscher Traum vom Recht auf Mordbrennerei*. Berlin 1987
Barthes, Roland: *Die Lust am Text*. Aus dem Französischen von Traugott König. Frankfurt/M. 1974
Blamberger, Günter: »Agonalität und Theatralität. Kleists Gedankenfigur des Duells im Kontext der europäischen Moralistik«, in: *Kleist-Jahrbuch 1999*, S. 25–40
Bloch, Ernst: *Naturrecht und menschliche Würde*. Frankfurt/M. 1961
Bogdal, Klaus-Michael: »›Mit einem Blick, kalt und leblos, wie aus marmornen Augen‹. Text und Leidenschaft des Michael Kohlhaas«, in: *Heinrich von Kleist. Studien zu Werk und Wirkung*. Hg. v. Dirk Grathoff. Opladen 1988, S. 186–203
–: »Erinnerungen an einen Empörer. Heinrich von Kleist, Michael Kohlhaas (1810)«, in: *Deutsche Novellen. Von der Klassik bis zur Gegenwart*. Hg. v. Winfried Freund. München 1993, S. 27–36
Bohnert, Joachim: »Kohlhaas der Entsetzliche«, in: *Kleist-Jahrbuch 1988/89*, S. 404–431
Boockmann, Hartmut: »Mittelalterliches Recht bei Kleist. Ein Beitrag zum Verständnis des *Michael Kohlhaas*«, in: *Kleist-Jahrbuch 1985*, S. 84–108
Breger, Claudia: *Ortlosigkeit des Fremden. »Zigeunerinnen« und »Zigeuner« in der deutschsprachigen Literatur um 1800*. Köln/Weimar/Wien 1998
Canetti, Elias: *Masse und Macht*. Hamburg 1960
Cohn, Dorrit: »Kleist's Marquise von O.... The Problem of Knowledge«, in: *Monatshefte (Wisconsin) 67* (1975), S. 129–144
Deleuze, Gilles/Guattari, Félix: *Kafka. Für eine kleine Literatur*. Frankfurt/M. 1976
–: *Rhizom*. Berlin 1977
Derrida, Jacques: *Dissemination*. Hg. v. Peter Engelmann u. übersetzt von Hans-Dieter Gondek. Wien 1995
Dettmering, Peter: *Heinrich von Kleist. Zur Psychosomatik in seiner Dichtung*. München 1975

Eybl, Franz M.: *Kleist-Lektüren*. Wien 2007

Fischer-Lichte, Erika: *Heinrich von Kleist, »Michael Kohlhaas«*. Frankfurt/M. 1991

Földényi, László F.: *Heinrich von Kleist. Im Netz der Wörter*. Aus dem Ungarischen von Akos Doma. Berlin 1999

Gallas, Helga: *Das Textbegehren des ›Michael Kohlhaas‹. Die Sprache des Unbewußten und der Sinn der Literatur*. Reinbek b. Hamburg 1981

Giuriato, Davide: »›Wolf der Wüste‹. *Michael Kohlhaas* und die Rettung des Lebens«, in: *Ausnahmezustand der Literatur. Neue Lektüren zu Heinrich von Kleist*. Hg. v. Nicolas Pethes. Göttingen 2011, S. 290–306

Grathoff, Dirk: »Michael Kohlhaas«, in: *Kleists Erzählungen*. Hg. v. Walter Hinderer. Stuttgart 1998

Greenblatt, Stephen: *Verhandlungen mit Shakespeare. Innenansichten der englischen Renaissance*. Frankfurt/M. 1993

Greiner, Bernhard: *Kleists Dramen und Erzählungen. Experimente zum ›Fall‹ der Kunst*. Tübingen 2000

Hamacher, Bernd: »Schrift, Recht und Moral. Kontroversen um Kleists Erzählen anhand der neueren Forschung zu *Michael Kohlhaas*«, in: *Heinrich von Kleist. Neue Wege der Forschung*. Hg. v. Inka Kording/ Anton Philipp Knittel. Darmstadt 2003, S. 254–278 (=Hamacher 2003b)

–: »Michael Kohlhaas«, in: *Kleist-Handbuch. Leben – Werk – Wirkung*. Hg. v. Ingo Breuer. Stuttgart 2009, S. 97–106

Hiebel, Hans H.: »Das Rechtsbegehren des Michael Kohlhaas. Kleists und Kafkas Rechtsvorstellungen«, in: *Heinrich von Kleist. Studien zu Werk und Wirkung*. Hg. v. Dirk Grathoff. Opladen 1988, S. 282–311

Kanzog, Klaus: »Vom rechten zum linken Mythos. Ein Paradigmenwechsel der Kleist-Rezeption«, in: *Heinrich von Kleist. Studien zu Werk und Wirkung*. Hg. v. Dirk Grathoff. Opladen 1988, S. 312–328

Kittler, Wolf: *Die Geburt des Partisanen aus dem Geist der Poesie. Heinrich von Kleist und die Strategie der Befreiungskriege*. Freiburg/Br. 1987

Klein, Ernst: *Deutsche Bankengeschichte*. Bd. 1: Von den Anfängen bis zum Ende des alten Reichs (1806). Frankfurt/M. 1982

Lange, Henrik: »Säkularisierte Bibelreminiszenzen in Kleists *Michael Kohlhaas*«, in: *Kopenhagener germanistische Studien 1* (1969), S. 213–226

Lützeler, Paul Michael: »Heinrich von Kleist: ›Michael Kohlhaas‹ (1810)«, in: *Romane und Erzählungen der deutschen Romantik. Neue Interpretationen*. Hg. v. Paul Michael Lützeler. Stuttgart 1981, S. 213–239

Martini, Fritz: *Heinrich v. Kleist und die geschichtliche Welt*. Berlin 1940

Miller, J. Hillis: »Die Festlegung des Gesetzes in der Literatur – am Beispiel Kleists«, in: *Kleist lesen*. Hg. v. Nikolaus Müller-Schöll und Marianne Schuller. Bielefeld 2003, S. 181–208

Müller-Salget, Klaus: [Kommentar zu:] Heinrich von Kleist: *Michael Kohlhaas*. Frankfurt/M. 1990 (*Sämtliche Werke und Briefe in vier Bänden*, hg. v. Ilse-Marie Barth, Klaus Müller-Salget, Stefan Ormanns und Hinrich C. Seeba. Frankfurt/M. 1987–1997, Bd. 3: *Erzählungen. Anekdoten. Gedichte. Schriften*, S. 675–768)

Müller-Scholl, Nikolaus/Schuller, Marianne (Hg.): *Kleist lesen*. Bielefeld 2003

Neumann, Gerhard: »Das Stocken der Sprache und das Straucheln des Körpers. Umrisse von Kleists kultureller Anthropologie«, in: ders. (Hg.): *Heinrich von Kleist. Kriegsfall – Rechtsfall – Sündenfall*. Freiburg i.Br. 1994, S. 13–29

Reuß, Roland: »›Die Verlobung in St. Domingo‹ – eine Einführung in Kleists Erzählen«, in: *Berliner Kleist-Blätter 1* (1988), S. 3–45

–: »*Michael Kohlhaas* und *Michael Kohlhaas*. Zwei deutsche Texte, eine Konjektur und das Stigma der Kunst«, in: *BKB 3* (1990), S. 3–43

–: »›Im Freien‹? Kleists ›Erdbeben in Chili‹ – Zwischenbetrachtung ›nach der ersten Haupterschütterung‹, in: *BKB 6* (1993), S. 3–24

Rückert, Joachim: »»… der Welt in der Pflicht verfallen …‹. Kleists *Kohlhaas* als moral- und rechtsphilosophische Stellungnahme«, in: *Kleist-Jahrbuch 1988/89*, S. 375–403

Schmidt, Jochen: *Heinrich von Kleist. Studien zu seiner poetischen Verfahrensweise*. Tübingen 1974

–: *Heinrich von Kleist. Die Dramen und Erzählungen in ihrer Epoche*. Darmstadt 2003

Sendler, Horst: *Über Michael Kohlhaas – damals und heute*. Berlin/New York 1985

Staengle, Peter: *Heinrich von Kleist*. München 1998

Theisen, Bianca: *Bogenschluß. Kleists Formalisierung des Lesens*. Freiburg/Br. 1996

Ziolkowski, Theodore: »Kleists Werk im Lichte der zeitgenössischen Rechtskontroverse«, in: *Kleist-Jahrbuch 1987*, S. 28–51

7.1 **Michael Kohlhaas:** Bei der Konzeption seiner Erzählung hat sich Kleist offenkundig auf eine gedruckte Version der *Nachricht von Hans Kohlhasen / einem Befehder derer Chur-Saechsischen Lande* aus der noch im 16. Jh. entstandenen *Maerckischen Chronic* des Schulrektors Peter Hafftitz gestützt, deren Druckfassung er in dem von Christian Schöttgen und George Christoph Kreysig herausgegebenen Band *Diplomatische und curieuse Nachlese der Historie von Ober-Sachsen, und angrentzenden Ländern* (1731) fand. Kleists hist. Vorbild Hans Kohlhase bleibt namentlich erkennbar, fungiert aber im Folgenden als Palimpsest, über dem sich die ›korrigierte‹ Geschichte des Michael Kohlhaas entfaltet. Der erste Text ist 1808 im 6. (Juni-)Heft der Zeitschrift ›Phöbus‹ erschienen, der zweite, hier vorliegende Text 1810 im ersten Band der *Erzählungen*.

9.3–4 **einer der rechtschaffensten [...] seiner Zeit:** Prägnante Verschärfung der Charakterisierung Kohlhaas' gegenüber dem ›Phöbus‹-Druck, wo es noch heißt, er sei »einer der außerordentlichsten und fürchterlichsten Menschen seiner Zeit«. Mit diesem zentralen Paradoxon markiert Kleist gleich zu Beginn seiner Erzählung nicht nur die Zerrissenheit und Gespaltenheit der Kohlhaas-Figur, sondern mehr noch eine binäre Differenz, ein semiotisches Arrangement von unaufhebbaren Antagonismen als Ausgangspunkt des Erzählens überhaupt. In der Beziehung zwischen der erzählenden ersten Signifikanten-Ebene (»*Michael Kohlhaas*« → »einer der rechtschaffensten Menschen seiner Zeit«) und der erzählten Signifikat-Ebene (Michael Kohlhaas$_1$) wird die zweite Signifikanten-Ebene (»*Michael Kohlhaas*« → »einer der entsetzlichsten Menschen seiner Zeit«) zu einer zweiten Signifikat-Ebene (Michael Kohlhaas$_2$), die den Prozess einer Bedeutungssetzung qua sprachlichen Ausdruck in seiner ganzen synchronen Widersprüchlichkeit (»zugleich«) und verweigerten Eindeutigkeit reflektiert. Evident ist bereits hier das komplexe In- und Gegeneinanderwirken von ›Recht‹ und ›Gewalt‹, das den gesamten Text strukturiert: Das Dilemma, dass Kohlhaas aufgrund (oder: trotz) einer Tugend (Rechtschaffenheit) ›entsetzlich‹ wird, fordert nach traditioneller Hermeneutik das *tertium comparationis* des Verstehens, in dem der Gegensatz beider Denkfiguren dialektisch aufgehoben würde. Im Gegensatz dazu experimentiert Kleist im Verlauf des Textes mit diesem und anderen Paradoxa und Oxymora und lässt dabei die Negativität des fehlenden ›Dritten‹ als positive Kraft erscheinen, die dadurch konstruktiv wird, dass sie Eindeutigkeit verweigert bzw. destruiert, indem sich wiederholt eine zweite Bedeutungsebene über das Gemeinte legt. Die Radikalität der Doppelsignatur von Kleists Texten versucht in der Figur des ›Sowohl/Als auch‹ das zu eröffnen, was innerhalb der Logik der Identität und der Oppositionen, die zitiert werden, ausgeschlossen ist: einen a-topischen Ort des Un-Denkbaren. Gerade die Abwesenheit des (hermeneutischen) ›Dritten‹ zerstört die im herkömmlichen Sinne verstandene Metaphysik und negiert eine hinter den Worten verborgene ›Wahrheit‹; stattdessen entwickeln die Worte eine Eigendynamik und erwachen als subversive Kräfte zum Leben. »Diese Koinzidenz der Gegensätze [in einer paradoxalen Figur; A.S.] ist dem vordergründig versöhnlichen Ende des Textes zum Trotz weit davon entfernt, auf eine Schlichtung des Widerspruchs ausgerichtet zu sein, sondern kehrt eine genauer zu bedenkende Gesetzlosigkeit des Gesetzmäßigen hervor.« (Giuriato 2011, S. 296)

bis in sein dreißigstes Jahr: Denkbare Anspielung auf Jesus von Nazareth, dessen erster öffentlicher Auftritt mit dreißig Jahren stattgefunden haben soll (Lk 3,23).   9.5–6

Staatsbürgers: Legt man Johann Heinrich Campes Definition (Campe, Bd. 4, S. 567) zugrunde, der Staatsbürger sei ein Mitglied des Staates, dem Stimmrecht bei der Gesetzgebung zukomme, wird ein weiterer Widerspruch evident: Kohlhaas ist als »Muster eines guten Staatsbürgers« gerade nicht in den juristischen Kodifikationsprozess involviert, sondern steht in seinem Rechtsbegehren und der Forderung nach Anerkennung als autonomes Rechtssubjekt stets ›vor dem Gesetz‹.   9.6

in einem Dorfe, [...] den Namen führt: Der Ort Kohlhaasenbrück am Griebnitzsee zwischen Berlin und Potsdam erhielt seinen Namen nicht von dem hist. Hans Kohlhase. Die hier vom Text angebotene Bedeutung, Kohlhaas habe dem Dorf seinen   9.7–8

Namen gegeben, wird an späterer Stelle durchgestrichen, geradezu in ihr Gegenteil verkehrt, wenn man liest, Kohlhaasenbrück sei der Ort, »nach welchem der Roßhändler heiße« (92.30–31). Dieser Widerspruch lässt sich nicht als Anzeichen für die Unzuverlässigkeit des Erzählers (oder gar als Beispiel für das ungenaue Arbeiten des Autors) deuten, sondern eher als weiteres Beispiel für die von Kleist verweigerte Eindeutigkeit, für eine in sich paradoxale, kontradiktorische Struktur der Zeichenordnungen und damit für die – unter hermeneutischen Gesichtspunkten betrachtet – Unverständlichkeit des Textes.

9.10–13 **Furcht Gottes [...] Arbeitsamkeit [...] Treue [...] Wohltätigkeit [...] Gerechtigkeit**: Gleich zu Beginn des Textes preist der Erzähler Kohlhaas' musterhaftes staatsbürgerliches Verhalten, indem er den christl. Tugendkatalog heranzieht: Der Rosshändler erzieht nicht nur seine Kinder in der Furcht Gottes, auch er selbst wird wegen »seiner Wohltätigkeit, oder seiner Gerechtigkeit« als vorbildlich dargestellt.

9.13–15 **die Welt würde [...] nicht ausgeschweift hätte**: Ironische Anspielung des Erzählers auf den Gegenstand seiner Tätigkeit: Ohne ›Ausschweifung‹ hätte es gar kein (literarisches) »Andenken« an Kohlhaas gegeben. Der aristotelischen Affektenlehre (*Nikomachische Ethik*, Buch II-VII) zufolge fungiert die Tugend als Mitte *(mesotes)* zwischen den extremen Affekten. Die Ausschweifung in einer Tugend würde demnach die Vernachlässigung der anderen Tugenden bewirken und damit die erstrebte Balance stören und das geforderte Maß verletzen.

9.15 **Rechtgefühl**: Zum ›Rechtgefühl‹ als oberster Tugend-Instanz vgl. *Die Familie Schroffenstein* (v. 1814–1819): »Denn über alles siegt das Rechtgefühl, / Auch über jede Furcht und jede Liebe, / Und nicht der Herr, der Gatte nicht, der Vater / Nicht meiner Kinder ist so heilig mir, / Daß ich den Richterspruch verleugnen sollte, / Du bist ein Mörder.«

9.22 **Elbe**: In der ›Phöbus‹-Fassung fehlen alle auf Sachsen hinweisenden Ortsnamen – die Elbe heißt dort schlicht »Gränzfluß«, Dresden »die Hauptstadt« –, was einerseits durch Zensurrücksichten erklärt wird (der ›Phöbus‹ erschien in Dresden); andererseits nimmt man an, Kleist habe 1808 die spätere antisächsische Ausrichtung des Textes noch nicht erwogen. In jedem Fall war die Elbe nicht Grenzfluss, da die polit. Grenze zwischen Sachsen und Brandenburg im 16. Jh. nordöstlich der Elbe verlief.

Ritterburg: Die Ritter, im Mittelalter berittene, in der Regel mit schwerer Rüstung in den Kampf ziehende adlige Krieger, waren noch um 1250 ein hoch angesehener Stand, um 1500 jedoch größtenteils verarmt. Während die einen sich als Raubritter betätigten und plündernd umherzogen, wurden andere den Landesfürsten untertan, indem sie in deren Verwaltung eingesetzt wurden. Durch Schlagbäume, die nicht nur an den Grenzen, sondern auch innerhalb der Staaten eingesetzt wurden, versuchten die Ritter, sich zusätzliche Einnahmequellen zu verschaffen. 9.23

Junker Wenzel von Tronka: Die Bezeichnung ›Junker‹, junger Herr, wurde zu Kleists Zeit zumeist ugs. für einen Jungen von niederem Adel verwendet; mitunter auch für einen erwachsenen Edelmann, »obgleich mit einiger Verachtung« (Adelung, Bd. 2, Sp. 1454 f.). In besonders negativem Ansehen befanden sich die Landjunker, die »die feinern Sitten der Stadt und des Hofes« nicht kannten (ebd., Sp. 1888). – Der Name Wenzel von Tronka ist unhistorisch, da Hans Kohlhases Fehdegegner Günter von Zaschwitz hieß. 9.32

Handel und Wandel: Kleist greift hier für seine Erzählung den im Rahmen der preuß. Reformen aktuellen Diskurs der Gewerbefreiheit auf, mit dem er sich im Rahmen seiner finanzwissenschaftlichen Studien als Diätar der Domänenkammer in Königsberg intensiv beschäftigte. Vor allem die tradierten Privilegien des Landadels galten ihm als Hindernis für den einsetzenden bürgerlichen Handel. Vgl. Kleists Brief vom 10.2.1806 an den preuß. Finanzminister Karl Freiherrn von Stein zum Altenstein: »Wenn es mir vergönnt wird, noch diese Zeit über bei der hiesigen Kammer zu arbeiten, so werde ich das Befreiungs-Geschäfft der Zünfte (mein Lieblings-Gegenstand) völlig auslernen. Bisher ist man nur mit Hinwegschaffung der Misbräuche, und Befreiung der Gewerbe innerhalb der Zunft-Schranken, beschäfftigt gewesen; vor wenig Tagen ist aber ein Rescript eingegangen, das die völlige Auskaufung der Zunft-Gerechtsame, und gänzliche Wiederherstellung der natürlichen Gewerbsfreiheit eingeleitet hat.« (SWB 4, S. 354) 10.6–7

10.25 **betreten**: Von Kleist wiederholt eingesetzte Formulierung zur Kennzeichnung eines verstörten Bewusstseinszustands der Figuren, die zumeist eine Situationsveränderung ankündigt.

10.27 **ein Ding des Herrn**: In seiner wörtl. Bedeutung könnte man an einen von Gott geschaffenen Gegenstand denken; hier aber handelt es sich um ein von dem Junker als ›jungem Herrn‹ erwirktes Repressionsmittel.

11.15 **Es traf sich**: Die Uneindeutigkeit und Instabilität der Wahrheit exemplifiziert Kleist mit der Häufung von Zufällen und plötzlichen, unerwarteten oder auch unwahrscheinlichen Wendungen, in denen die überraschende Konfrontation von Geschehen und Personen verdeutlicht wird. Neben der hier genannten Formel finden sich Ausdrücke wie »eben, als«, »aber wie groß war unser Erstaunen, als«, »aber wer beschreibt das Entsetzen, als« usw. Damit wird innerhalb des Textes ein Spannungsverhältnis zwischen einer kontingenten Welt und dem menschlichen Handeln aufgebaut, in der der Zufall für eine latente Gefährdung der Einheit steht.

12.5 **Tafelrunde**: Anspielung auf die Sage von Artus, dem sagenhaften König der kelt. Briten, vmtl. einem britannischen Heerführer, der um 500 n. Chr. gegen die eindringenden Sachsen gekämpft und in der Schlacht am Camlann 537 gefallen sein soll. Die aus dem kelt. Mythos erwachsene Sage um Artus, Parzival, vom Gral, der Feeninsel Avalon und von Tristan verbreitete sich in Prosa- und Verserzählungen in ganz Europa.

12.14 **äußerten nicht undeutlich**: Angesichts des im Text deutlich dominierenden Wortfeldes ›Undeutlichkeit/Unverständlichkeit/Unlesbarkeit‹ wird an dieser Stelle ein bemerkenswerter Kontrast erkennbar, der das anfangs noch mögliche Gelingen von Kommunikation und Signifikation anzeigt, zumal die späteren Kombattanten sich nur hier direkt miteinander verständigen könnten: Hätte der Junker die Eindeutigkeit des Signifikationsprozesses (akustisch und ökonomisch) richtig verstanden (Aussage der Ritter über den Wert der Pferde) und wäre es folglich zu einem Abschluss des Gewerbe-Handels gekommen (rechtmäßiger Verkauf der Pferde unter Zugrundelegung des wirklichen Wertes), wäre die spätere anarchische Spirale aus Recht(suche) und Gewalt nicht in Gang gekommen.

Geheimschreiberei: ›Geheim‹ steht hier zwar noch in der urspr.   12.33
Bedeutung von ›zum Heim, zum Haus gehörig‹ und bezeichnet
die Kanzlei als zuständige landesherrliche Behörde; gleichwohl
ist nicht undenkbar, dass Kleist auch mit diesem Begriff semi-
otisch ›experimentiert‹: Legt man eine zweite, im 18. Jh. (wie
auch heute) ebenso geläufige Bedeutung von ›geheim‹ im Sinne
von ›das mit den Mitteln der menschlichen Vernunft allein nicht
Erklärbare und daher Verborgene und Unverständliche‹ zugrunde, dann gleicht die Suche nach dem geforderten »Paß« für
Kohlhaas der Suche nach einem verborgenen, mit den Mitteln
der Ratio nicht erklärbaren Schrift-Stück, das bisher nicht benötigt wurde und das gar – wie sich alsbald herausstellt – inexistent ist. Weil Signifikationsprozesse dadurch ins Leere laufen, dass dem Signifikanten (»Paß«) kein Signifikat entspricht,
erscheint die Kanzlei – und mit ihr alle obrigkeitlichen Behör-
den, die ›im Geheimen‹ Schrift(en) produzieren – für die Außen-
stehenden als Ort unverständlicher Schreib-Tätigkeiten.

wegen der Rappen: Signifikanter Versprecher – Kohlhaas soll   13.8–9
das Pfand nicht wegen der Rappen, sondern wegen des Pass-
Scheines zurücklassen –, in dem sich bereits eine »dunkle Vor-
ahndung« auf das weitere Geschehen konkretisiert.

ist der Paß [...] Zeit wieder abholen: Mit diesem als Realis sich   13.12–13
maskierenden Konditionalsatz erscheint die das Ich bedrohende
obrigkeitliche Willkür (als primäre Aufhebung gesellschaftli-
cher Ordnung) in aller Deutlichkeit: Kohlhaas kann den von ihm
geforderten »Paß«, der ihm Rechtssicherheit und die Fortsetzung seiner Gewerbetätigkeit garantieren könnte, nicht »lösen«,
da er nicht existiert; folglich kann er auch nicht die Pferde, so wie
er sie zurückgelassen hat, »zu jeder Zeit wieder ablösen«, was
dem Schlossvogt natürlich bekannt ist.

spannte die Rappen [...] bei ihnen zurück: Hamacher (2003a,   13.23–25
S. 13) verweist diesbezüglich auf das bei Klein beschriebene, bei
Darlehensgeschäften seit dem späten 12. Jh. existierende
»Rechtsinstrument des ›Einlagers‹, bei dem Schuldner und Bür-
gen sich verpflichteten, mit mindestens zwei Pferden und einem
Knecht an einem bestimmten Ort einzureiten und dort Herberge
zu halten, bis sie sich ausgelöst haben würden« (Klein 1982,
S. 69).

13.29 **wegen aufkeimender Pferdezucht**: Auf der Suche nach einer
›sinn-vollen‹ Erklärung zieht Kohlhaas (im Sinne der Hermeneutik: als Deuter ihm unverständlicher Zeichen) in Betracht, dass
es sich bei der Pass-Forderung um einen Schutzzoll gegen Im-
porte zu Gunsten des in Sachsen neu entstehenden Wirtschafts-
zweigs der Pferdezucht handeln könnte.

13.32–33 **In Dresden [...] Ställen besaß**: Kohlhaas hat Besitzungen in
Brandenburg und Sachsen, die ihn unter Umständen (nach heu-
tigem Verständnis) zu einem ›doppelten Staatsbürger‹ machen
könnten (später bezeichnet er beide Kurfürsten als seine Herren). Diese erneute Doppelsignatur des ›Sowohl/Als auch‹ verhindert eine eindeutige (politische und ökonomische) Ver-Or-
tung des Rosshändlers und deutet auf die Problematik des
Grenzverkehrs und die Kollision der Rechtssysteme voraus. Verwirrung stiftet Kleist auch mit der hier skizzierten Ambivalenz
der hist. Zeichen, da Dresden zwar zu Lebzeiten des Dichters die
Hauptstadt Sachsens war, nicht aber zur Zeit des Hans Kohlhase, wo der Kurfürst in Wittenberg residierte. Darüber hinaus
ignoriert Kleist in seinem Text, dass Sachsen von 1485 bis 1547
durch dessen Aufteilung zwischen der Ernestinischen und der
Albertinischen Linie der Wettiner in das Kurfürstentum und das
Herzogtum Sachsen gespalten war. Interessanterweise besitzt
Kohlhaas im ›Phöbus‹-Druck nur die Meierei in Kohlhaasenbrück; weitere mögliche Besitzungen finden auch in den Ver-
kaufsverhandlungen mit dem Amtmann keine Erwähnung.

14.3–4 **die Geschichte [...] ein Märchen sei**: Es wird deutlich, dass sich
das Zeichen (»Paß«) aus dem konventionellen, die Stabilität der
Bedeutung garantierenden binären Zeichenmodell löst und sich
an die Stelle des ihm zugehörigen Signifikats setzt, das selbst
niemals existierte. Das vom Text entfaltete anarchische Spiel um
Sein und Schein wird daher fast folgerichtig als »Märchen« gedeutet.

14.5–6 **einen schriftlichen Schein über den Ungrund**: Erneut wird deutlich, dass Kohlhaas die Welt nur als eine im doppelten Wortsinn
verzeichnete verfügbar ist: als durch Zeichen repräsentierte und
als eben dadurch entstellte, ›gebrechliche‹ und ›sinn-lose‹ Welt.
Kohlhaas erhält »auf sein Ansuchen« von der obrigkeitlichen
Behörde eine qua Schrift (»Schein«) stabilisierte Signifikation

(»Ungrund« = Unwahrheit) darüber, dass die ursprünglich qua Schrift geforderte Signifikation (»Paß«) fehlgeschlagen ist. Ähnlich wie der »Paß-*Schein*« ist jedoch auch dieser »*Schein*« ein Indiz für die Instabilität des Sinns und die bloße *Schein*haftigkeit der Welt, zumal Kohlhaas' Verstehensversuche erneut ins Leere laufen (»obschon er [Kohlhaas] nicht recht einsah, was er [Wenzel von Tronka] damit bezwecken mochte«) und der Schlossvogt es nicht für nötig erachtet, sich über Kohlhaas' Schriftstück zu äußern (»ließ sich nicht weiter darüber aus«), sodass auch er als Hermeneut, als Zeichen-Deuter, der für eine Wiederherstellung der (Zeichen-)Ordnung Sorge tragen könnte, ausfällt.

Gefühl seiner Ohnmacht: Ohnmacht ist bei Kleist oft ein physisches Zeichen für die Unbegreiflichkeit des Geschehens, hier ein Zeichen dafür, dass Kohlhaas die obrigkeitliche Willkür, die sich im Widerspruch von Wort und Wirklichkeit (Pass, Zustand der Pferde) manifestiert, und das Fehlen einer sinnstiftenden Instanz nicht aushalten kann. Nach Cohn fallen Kleists Helden immer dann in Ohnmacht, wenn das Bild, das sie von sich und von der Welt gemacht haben, erschüttert wird (Cohn 1975, S. 134).   15.5

menschlich: Der Umstand, dass Kohlhaas für die Behandlung der Tiere ein ›menschliches‹ Verhalten einfordert, verweist auf die symbolische Bedeutung der Pferde in Kleists Text.   15.13

Doch sein Rechtgefühl [...] wankte noch: Erneutes Paradoxon: Gerade das äußerst feine und genaue Messinstrument der Goldwaage liefert kein zuverlässiges Ergebnis (»wankte noch«).   15.27–28

Kohlhaas hätte [...] Pferde darum gegeben: Hier wird deutlich, dass es Kohlhaas weniger um den materiellen Verlust, als um den Verlust von Rechtssicherheit und Wahrheit geht, konkret: um das an ihm, seinem Knecht und den Tieren verübte Unrecht.   16.5–6

als sich die Szene plötzlich änderte: Weiteres Beispiel für die durch den Zufall bedingte Unberechenbarkeit der Wirklichkeit.   16.10

das *sind* nicht meine Pferde: Eine der zentralen Fragen des *Michael Kohlhaas* ist die nach der Identität des Subjekts, die in einem permanenten Wandel begriffen ist. So bilden etwa Kohlhaas' Pferde auf ihrer im Text entfalteten Reise durchs Tierreich eine ›animalische‹ Signifikantenkette. Nachdem sie anfänglich   16.22–23 mit den höchsten feudalen Jagdobjekten gleichgesetzt werden (»wie Hirsche«), geben sie nach ihrer Beschlagnahmung »das *wahre Bild* [Hervorhebung; A.S.] des Elends im Tierreiche« ab. Kohlhaas betont denn auch an dieser Stelle nachdrücklich, dass die Pferde ihre Identität verloren haben; die leibliche Identität ist bei den Pferden also die Voraussetzung für ihre soziale Identität und ihren ökonomischen Wert. Die Performativität dieser Aussage (»das *sind* nicht meine Pferde«; Hervorhebung, A.S.) führt zur Aufkündigung der sprachlichen Signifikation: Signifikant und Signifikat bildet keine Einheit mehr, stattdessen gleitet das Signifikat unter den Signifikanten, kommt im (scheinbar) unendlichen Signifikationsprozess abhanden (vgl. Gallas 1981).

16.29–31 **indem er sich [...] den Beinkleidern schüttelte**: Denkbarer Bezug auf die Worte Jesu von Nazareth in Mt. 10,14: »Und wenn euch jemand nicht aufnehmen wird noch eure Rede hören, so geht heraus von jenem Hause oder jener Stadt und schüttelt den Staub von euren Füßen.« Hamacher verweist zu Recht auf eine erneute Widersprüchlichkeit in Kleists Zeichnung der Figur des Kohlhaas: Durch die Geste des Junkers erscheint Kohlhaas hier als Gegner Jesu, während er anfangs als Christus-Figuration eingeführt wurde (Hamacher 2003a, S. 15 f.).

16.33 **Abdecker**: Die ›unehrliche‹, weil ›unreine‹ Tätigkeit desjenigen, der Tierleichen beseitigt und durch Abziehen des Fells (›Schinden‹) verarbeitet, findet hier ihre erste Erwähnung; Kohlhaas' Aussage deutet auf die spätere Zirkulation der Pferde und deren Zustand voraus. Wie die wichtige Marktszene in der Mitte der Erzählung deutlich macht, steht der Abdecker außerhalb der ständischen Gesellschaft.

17.2–3 **sich Recht zu verschaffen**: Kleist bedient sich hier einer reflexiven Form des Verbs, die verdeutlicht, dass das Subjekt (›Kohlhaas‹) aktiv die Handlung des Prädikats (›verschaffen‹) vollzieht und gleichzeitig (passiv) von ihr betroffen wird. Die dem ›dynamischen Medium‹ des Griechischen vergleichbare Diathese lässt Kohlhaas' Absicht erkennen, die im Vertrauen auf die staatliche Ordnung mit intensiver körperlicher und geistiger Dynamik vollzogen werden soll – ein Trugschluss, da der Text im Folgenden entfaltet, dass die Deutung gesetzlicher Vor-Schriften von obrigkeitlicher Willkür und Fehl-Lektüre nicht zu trennen

Kommentar

ist, womit das aktiv Recht suchende Subjekt zum passiven Objekt degradiert und die vermeintlich herrschende Ordnung als Un-Ordnung demaskiert wird.

Denn ein richtiges [...] zu verschmerzen.: Die illusionslose Erkenntnis des Zustandes »der allgemeinen Not der Welt«, als Resultat des Sünden-Falls, des beschädigten Anfangs, und der dadurch unvermeidlichen Schuldhaftigkeit aller Menschen, die absolute Gerechtigkeit als unrealisierbares Ideal erscheinen lassen, führt Kohlhaas zu der Erkenntnis, dass er nicht außerhalb des Tun-Ergehen-Zusammenhangs steht und damit auch ein (von ihm selbst oder in seinem Namen) begangenes Unrecht hinzunehmen hat.   17.11–16

der Welt [...] zu verschaffen: Bereits an dieser frühen Stelle erschließt sich die Dimension der Kausalität von Kohlhaas' Handeln: Das Gefühl, jenes »Rechtgefühl, das einer Goldwaage glich«, ist tiefer verwurzelt als die Idee, die einer Abwägung von Argumenten folgt; es prägt den Charakter und fundiert den naturrechtlichen Vorsatz, für sich und seine Mitbürger die Durchsetzung der Rechte zu erkämpfen. Kohlhaas' Rechtsbegehren gilt also von Beginn an nicht nur der Wiedergutmachung selbst erlittenen Schadens, sondern, im Rahmen seines repräsentativen Falls, der Erwirkung von Rechtssicherheit für sich und seine Mitbürger, wie es dann später durch die ›Kohlhaasischen Mandate‹ in pointierter Form zum Ausdruck gebracht wird.   17.23–26

Das muß ich doch erst untersuchen: Auch an dieser Stelle versucht sich Kohlhaas als ›Hermeneut‹, der im Rahmen einer Untersuchung Klarheit in die von Widersprüchen bestimmten Vor-Fälle während seiner Abwesenheit von der Tronkenburg bringen will. Gleichzeitig verstärken sich – auch für den Leser – die Indizien, die auf eine hinsichtlich ihres Sinns brüchige und undurchschaubare Welt hindeuten und das Geschäft der Hermeneutik als Sinn-Suche nahezu unmöglich machen.   18.26–27

mag es [...] ich will's nicht!: Bereits zu diesem Zeitpunkt wird deutlich, dass Kohlhaas die – später von Lisbeth und Luther geforderte – allseitige Vergebung ablehnt. Während sein im zweiten und dritten Erzählabschnitt aktiv betriebenes »Geschäft der Rache« deutlich pathologische Züge aufweist (religiöse Stilisierung der Rache), beschwört er hier – noch in Passivität ver-   19.5

harrend – das (apokalyptische) Bild eines rächenden Gottes, der es unternimmt, das Böse in der Welt radikal auszutilgen, um Platz für den Neubeginn des Guten zu schaffen.

19.13 **Verwirrung**: Der Zustand der Verwirrung spielt unter Kleists Denkfiguren eine vorrangige Rolle, so auch im Verwirr- und Entwirrspiel des *Michael Kohlhaas*. Sobald in Kleists Texten eine ›Verwirrung‹ entsteht, handelt es sich gewöhnlich nicht um ein kurzfristiges Unverständnis, sondern um ein Indiz für den Verlust des Gleichgewichts zwischen dem unerschütterlichen Inneren und der zerbrechlichen Welt. Kohlhaas' im Verhör mit Herse sich entwickelnde und an späteren Stellen häufiger auftretende »Verwirrung«, die Gefährdung seiner inneren Gewissheit, ist das Initial seines Rachebegehrens. »Kleists Helden nehmen es auch mit der ganzen Welt auf, wenn sie das Gefühl ihrer inneren Gewißheit gefährdet sehen. Sobald sie ihren schwer erkämpften inneren Frieden durch etwas bedroht glauben, nehmen sie auf *nichts* mehr Rücksicht. Sie werden starrsinnig, entschlossen, sogar hysterisch – wie *Besessene* verlieren sie jedoch nie jenen unsichtbaren Punkt aus dem Auge, nach dem sich ihr Inneres die ganze Zeit richtet.« (Földényi 1999, S. 488 f.)

20.18 **sieben Ritter**: Mögliches erstes Zeichen für eine eschatologische Lesart des Textes, die sich aus der Anspielung auf die apokalyptische Bedeutung der Siebenzahl in der neutestamentlichen Offenbarung (Offb. 8,2; 12,3; 15,1) ergibt.

21.4 **wie Gänse**: Vgl. Erl. zu 16.22–23.

22.8–10 **hetz, Kaiser! [...] über mich her**: Anspielung auf die orgiastische Szene der Zerreißung *(sparagmos)* des Achilles durch Penthesileas Hunde in der gleichnamigen Tragödie (v. 2421–2426), die durch Teichoskopie vor Augen gestellt wird (v. 2590 ff.) – mit dem bezeichnenden Unterschied, dass Herse sich hier zu wehren weiß und, »von jämmerlichen Zerfleischungen gequält«, »weichen« kann.

22.27–30 **Nun, nun! [...] darauf nehmen.**: Beispiel für die berühmten ›Verhör‹-Szenen in Kleists Texten. Hier erfolgt das Verhör nach dem Vor-Bild der »Lehre vom Gegensatz« und der ›gegensätzischen Schule‹, wie sie der Dichter in seiner Schrift *Allerneuester Erziehungsplan* (SWB 4; S. 545–552) entwickelt hat: Wie ein elektrischer Körper einen neutralen in die ihm entgegengesetzte

Spannung versetze, so werde ein indifferenter Mensch in der Gegenwart eines anderen ein jenem entgegengesetztes Wesen annehmen. Im Zusammenhang des *Kohlhaas* bedeutet dies: Der Verhörte (Herse) wird so lange mit falschen Vorhaltungen und Unwahrheiten konfrontiert, bis seine Reaktion den Verhörenden (Kohlhaas) von der Wahrhaftigkeit seiner Aussage überzeugt.

Wiederherstellung der Pferde in den vorigen Stand: Der hier gebrauchte lat. Terminus der ›restitutio in integrum‹ lässt mehrere Lesarten zu: Auf jurist. Ebene soll die beschädigte Sache (Pferde) wieder in den früheren, unversehrten Zustand versetzt werden; auf relig. Ebene wird eine Wiederherstellung der Welt in den Zustand vor dem Sünden-Fall verlangt; auf semiot. Ebene geht es um die Restitution der Zeichenordnung: Dem Signifikanten (›Pferd‹) soll wieder ein Signifikat (Pferd) entsprechen, damit Kohlhaas sein urspr. Urteil (»das *sind* nicht meine Pferde«) revidieren kann. – Ziolkowski hat gezeigt, dass diese Forderung ebenso wie die nach »Ersatz [...] des Schadens [...], den er sowohl, als sein Knecht, dadurch erlitten hatten«, laut dem 1794 in Kraft getretenen *Allgemeinen Landrecht für die Preußischen Staaten* (ALR) gilt. So wird dort etwa zur Frage des Schadensersatzes Folgendes ausgeführt: »Wenn ein Schade geschehen ist, so muß alles, so viel als möglich, wieder in den Zustand gesetzt werden, welcher vor der Anrichtung des Schadens vorhanden war.« (ALR I 6 § 79) Auch die daraus folgende Inpflichtnahme des Junkers ist gerechtfertigt, obwohl der Schaden von dessen Gefolge verursacht wurde: »Wer aber wissentlich geschehen läßt, daß sein Gesinde [...] einem Andern einen Schaden zufüge, der wird als Theilnehmer an der unerlaubten Handlung des Gesindes angesehn.« (ALR I 6 § 61; zit. n. Ziolkowski 1987, S. 46) Kohlhaas rekurriert hier (wie auch im mittelalterlichen Rechtskontext) auf positives Recht und in beiden Rechtsbezügen – so konträr sie sich auch zueinander verhalten mögen – ist die »Rechtssache [...] in der Tat klar«.

Die Rechtssache war in der Tat klar.: Der erste nicht-ambivalente Erzählerkommentar geht in dieselbe Richtung wie die frühere Aussage der Ritter (vgl. Erl. zu 12.14). Die An-Erkenntnis der Eindeutigkeit des jurist. Signifikationsprozesses durch die

23.24

23.26–27

Obrigkeit hätte auch an dieser Stelle das bald einsetzende anarchische Spiel um Recht und Gewalt verhindern können. – Konkret war Kohlhaas hinsichtlich zweier Punkte Unrecht geschehen: Zum einen war als landesherrliche Erlaubnis vom Junker ein Pass-Schein von ihm verlangt worden, der sich in Dresden als inexistent und damit rechtswidrig herausstellte; zum anderen war auch die Pfandnahme der Pferde nicht durch den fehlenden Pass, den es gar nicht gibt, gedeckt, geschweige denn ihr Einsatz als Ackertiere. Sucht man nach einem plausiblen Grund für das Kohlhaas angetane Unrecht, wird man ihn in der obrigkeitlichen Willkür finden: »Im äußerlich geringen Unrecht zeigt sich aber die Wahrheit der Anderen, die sinnenfrohe, gedanken- und planlose, den Pöbel verachtende Stimmung einer Runde weltseliger, Arbeit und Selbstzucht gleichermaßen verachtender Adliger, die lieber göttergleich lachen als den Verstand bemühen, um Verbrechenspläne zu schmieden.« (Bohnert 1988/89, S. 412) Neben dem materiellen Schaden muss Kohlhaas noch die Verletzung seiner Würde ertragen, die er jurist. jedoch nicht einfordern kann.

23.30 **einen bloßen Zufall:** Erneut begegnet der ›Zufall‹ als Initialmoment für die Verkörperung des Unerwarteten, das rasch zu einem unabwendbaren Verhängnis anschwillt. Földényi zufolge ergibt sich der Zufall bei Kleist »nicht aus einem *Mangel* an Regeln oder ihrem *Zerfall* [...], sondern im Gegenteil: er bestätigt die Regeln und Notwendigkeiten – allerdings erst *im nachhinein*, nach den Katastrophen. Deshalb spielt der Zufall eine so herausragende Rolle.« (Földényi 1999, S. 533) Ähnlich wie Kleist – im Lauf seiner sogenannten ›Kant-Krise‹ – scheint für Kohlhaas der einzig mögliche Ausweg aus der Ratlosigkeit, die ihn nach dem Zerbrechen der (gesellschaftlichen und jurist.) Wahrheiten beherrscht, darin zu liegen, aus der Gebrechlichkeit, der Hinfälligkeit Kraft zu schöpfen und sein weiteres Schicksal dem Zufall zu überlassen. Erst der grenzenlos zerbrechliche Zufall ermöglicht die Evidenz und das Durchleben der Paradoxie seiner Existenz; damit wird Kohlhaas zu einer ›zufälligen Persönlichkeit‹: Er lässt sich »weder mit der Welt noch mit der göttlichen Ordnung – noch mit sich selbst – in Einklang bringen« (ebd., S. 536). Der sich im Folgenden entfaltende ›casus Kohlhaas‹ ist ein Zu-Fall, ein Voranschreiten von Zufall zu Zufall: »Die Zufälle reißen den Menschen in Kleists Werk aus dem Zusammenhang, doch gerade das belegt ihre Sehnsucht nach dem Zusammenhang. Indem sie die Notwendigkeit verneinen, bestätigen sie sie. Nach einer Reihe bodenloser Notwendigkeiten fällt Licht auf Düsternis und Gebrechlichkeit der Welt [...]. Der Zufall bei Kleist: die Entfesselung des am Grund der Welt lauernden Wahnsinns. Doch nicht, damit die Welt am Wahnsinn zugrunde geht, sondern damit sie endlich von ihren Verdrängungen, die die Maske der Notwendigkeit aufgesetzt haben, geheilt wird. Erst durch die Einwirkung der zerbrechlichen Zufälle gewinnt die hinfällige und zerbrechliche Welt wirklich an Kraft« (ebd., S. 536 f.) – ohne jedoch in einer dialektischen Einheit aus Zufall und Notwendigkeit aufzugehen.

eine Träne [...] fallen ließ: Die aktivische Verwendung des Verbs steht quer zum sonstigen Gebrauch des Wortfelds ›fallen, Fall‹, das fast ausschließlich Passivität indiziert: Sünden-Fall, Zu-Fall, Un-Fall, Rechts-Fall. Darüber hinaus steht die Formulierung im Widerspruch zu dem eigentlich skizzierten unwillkürlichen Vorgang. Hamacher (2003a, S. 19 f.) zufolge klingt hier »ein Kleist'sches Generalthema« an: »die stets denkbare Inszenierung von Gefühlen, die die Zeichendeutung erschwert und es unmöglich macht, von einem äußeren, körperlichen Indiz zuverlässig auf ein Inneres, ein zu Grunde liegendes Gefühl, zu schließen«. 25.21–22

unfehlbar: Auch hier errichtet der Text eine widersprüchliche Sinn-Ordnung: Der an Kleists paradoxalen syntaktischen und semantischen Strukturen schon geschulte Leser erkennt die Unvereinbarkeit des Eindeutigkeit evozierenden Adverbs »unfehlbar« und deren sofortiger Destruktion durch die unmittelbar folgende konditionale Wendung »wenn es die Verhältnisse zuließen«. Das Sinnangebot ›unfehlbar stattfindende Hilfeleistung‹ wird umgehend dementiert. 26.6

der einzige Fall [...] gefaßt war: Die umständliche Wendung bezeugt den wirren Gefühlszustand, in den Kohlhaas durch das Voranschreiten seines eigenen ›Falls‹ geraten ist. Der hier imaginierte Fall der Rückführung der »abgehungert[en] und abgehärmt[en]« Pferde nebst Entschuldigung durch den Junker wür- 27.30–32 de einen Wider-Streit, eine Nicht-Entsprechung seiner »von der Welt wohlerzogenen Seele« (Kohlhaas als der ›rechtschaffenste Mensch‹) mit der »widerwärtigsten Erwartung, die seine Brust jemals bewegt hatte« (›Kohlhaas als der entsetzlichste Mensch‹) auslösen, wozu es jedoch zu diesem Zeitpunkt noch nicht kommt.

28.1–4 **Schmerz, die Welt [...] Ordnung zu sehen**: Fortsetzung des Paradoxons: Kohlhaas' Schmerz über die »ungeheure Unordnung« der Welt wird mit der »innerlichen Zufriedenheit« über die Ordnung der eigenen Seele synchronisiert.

30.25–26 **Pohlen und Türken [...] im Streit lagen**: Die kriegerischen Auseinandersetzungen zwischen Polen, unter den Jagiellonen im 16. Jh. stärkste osteurop. Macht von der Ostsee bis zum Schwarzen Meer und Abwehrbollwerk des Abendlandes gegen Mongolen und Türken, und den von der Türkei unterstützten Krimtataren fanden bereits im 15. Jh. statt; um die Mitte des 16. Jh.s herrschte zwischen den beiden politischen Mächten ein immer wieder verlängerter Waffenstillstand, seit 1533 sogar ein feierlich beschworener Frieden. – Für den weiteren Handlungsverlauf werden später Streitigkeiten zwischen Polen und Sachsen wichtig (vgl. 91.24–26).

31.5 **Mißverständnis**: Signalwort für die nachhaltige Zerstörung des sinnhaften Verstehens, eine Einsicht, aus der für Kleists Figuren eine Verzweiflung entspringt, die sie zugrunde richtet.

31.11–12 **in welchem man [...] nicht schützen will**: Das sich hier artikulierende Kohlhaas'sche Dilemma entsteht durch fortlaufende Rechtsverweigerung und den fehlenden Rechtsschutz gegen obrigkeitliche Willkür: Nicht nur, dass der Dresdner Gerichtshof seinen ›Fall‹ über Monate verschleppt und den Kläger im Ungewissen lässt, vielmehr wird dem formlosen Rechtsersuchen um landesherrlichen Schutz per brandenburgischer Resolution erwidert, »er sei, nach dem Bericht des Tribunals in Dresden, ein unnützer Querulant« und seine Bittschrift wird abgewiesen.

31.22–25 **Der Herr selbst [...] verschaffe mir Recht**: Anspielung auf Psalm 11,7: »Denn der Herr ist gerecht und hat Gerechtigkeit lieb. Die Frommen werden schauen sein Angesicht.« Deutlich wird zudem ein Grundproblem des Textes: die Unmöglichkeit mit den Recht sprechenden Herrschenden direkt zu kommunizieren, da die Kommunikation durch diverse Zwischeninstanzen blockiert oder bewusst verhindert wird. Deutlich wird dies in der tödlichen Verletzung Lisbeths durch den »bloßen rohen Eifer einer Wache, die ihn umringte«. Franz Kafka, der stark von Kleists *Kohlhaas* beeinflusst wurde, nimmt dieses Leit-Motiv in seinem *Schloß*-Roman (1922) wieder auf: Auch hier begegnet uns zum einen der (erfolglose) Versuch, zur Obrigkeit, zur Autorität vorzudringen und zum anderen die (ebenso erfolglose) Instrumentalisierung von Frauen, um das gesteckte Ziel zu erreichen.

Und das Entsetzen [...] ihr die Sprache.: Zentraler Hinweis auf 31.35–32.1 Kohlhaas' Unverständlichkeit, die auch bei seinen Nächsten Entsetzen bewirkt: »[W]egen der Unbegreiflichkeit ihres Mannes ist auch die Frau ent-setzt, sie wird gleichsam zerrissen. Sie ist buchstäblich außer sich: zwar lebt sie noch, aber es deutet sich in ihr schon die spätere Zigeunerin an, die Gesandte aus dem Jenseits. Das Entsetzen: die Spaltung der Existenz. Dieses Entsetzen läßt sich jedoch nicht zu der Deutung des Entsetzens in der mittelalterlichen Mystik in Bezug setzen: bei Kleist bleibt die Spaltung irreparabel. Statt in der göttlichen Sphäre zu sich zu finden, entfremden sich seine Figuren immer mehr von sich selbst. [...] Im Augenblick des Entsetzens und des Grauens bricht das ganz Andere, das Nichtirdische, in das Leben der Figuren ein. Zu seiner Beschreibung sind Worte nicht geeignet. [...] Das Entsetzen ist ein Abgrund, der sich im Inneren der Figuren auftut. Dennoch handelt es sich nicht um einen ›Seelenzustand‹. Durch den ›Spalt‹ des Entsetzens blickt der Leser nicht in die Seele, sondern hinter die Seele – in die neue Konstruktion der Existenz, die ›diesseits‹ der Seele nicht sichtbar ist.« (Földényi 1999, S. 115 f.) Ebenso wie Kohlhaas wird auch Lisbeth deshalb in die Verzweiflung und ins Entsetzen getrieben, weil es keinen Sinn gibt, den man über den Tod hinaus mit sich nehmen könnte. Je stärker sich die Figuren jedoch an einen (vermeintlichen) Sinn klammern, der eine Erklärung für die »gebrechliche Einrichtung der Welt« bereithielte, umso verzweifelter sind die Mittel, derer sie sich bedienen.

daß er es [...] Vorteil zu ziehen: Ebenso wie die Tronka-Sippe 33.13–15 versuchen auch Kohlhaas und seine Frau Lisbeth, persönliche

Beziehungen in der Rechtssache zu nutzen, hier allerdings mit dem nicht unwesentlichen Risiko, dass die frühere Bekanntschaft beider Ehre gefährden könnte.

33.28–29 **konnte nichts Zusammenhängendes [...] erfahren**: Die Sprachlosigkeit Lisbeths, »von aus dem Munde vorquellendem Blute« verstärkt, ist ein weiteres Zeichen für die Unaussprechlichkeit einer Wirklichkeit, die bewusstseinsmäßig und sprachlich nicht gebannt werden kann. In seinem Aufsatz *Über die allmähliche Verfertigung der Gedanken beim Reden* (1807/08; SWB 3, S. 534 ff.) stellt Kleist die Sprache in Analogie zur elektrischen Spannung: Wer bis dahin nicht sprechen konnte, reißt auf die Einwirkung eines Blitzes hin unvermittelt das Wort an sich und bringt etwas Unverständliches hervor. Aus alledem folgert Kleist in seinem Aufsatz, dass »nicht *wir* wissen, es ist allererst ein gewisser *Zustand* unsrer, welcher weiß« (ebd., S. 540). Dieser Zustand ist es, der die Personen in Kleists Texten zu unaussprechlichen und unverständlichen Figuren ›entstellt‹, ›zerstreut‹.

34.19–21 **Man versuchte vergebens [...] Aufschlüsse zu erhalten**: Der Verlust von Lisbeths ›Bewusst-Sein‹ verstärkt die Unmöglichkeit, über den Vor-Fall in Berlin und damit über den weiter zurückliegenden Sünden-Fall Aufschluss zu erhalten. Die Rückkehr ins Paradies als zukünftige Vergangenheit ist buchstäblich verriegelt: Der Lisbeth die »Bittschrift« abnehmende »Wächter«/»Ritter« vor dem Schloss des Kurfürsten von Brandenburg ist dem (in Kleists Texten wiederholt vorkommenden) Cherub vergleichbar, dem »Lichtengel« bzw. »Vertreibungsengel des Paradieses« (1. Mose 3,24). In Kleists poetologischem Essay *Über das Marionettentheater* (1810), in dem auf den endgültigen Verlust des Paradieses angespielt wird, spielt dieser eine prominente Rolle: »Doch das Paradies ist verriegelt und der Cherub hinter uns; wir müssen die Reise um die Welt machen, und sehen, ob es vielleicht von hinten irgendwo wieder offen ist.« (SWB 3, S. 559)

34.24–35.4 **Denn da ein [...] verließ das Gemach.**: Im Vergleich zum ›Phöbus‹-Druck ist die Sterbeszene hier prägnanter und problematischer gestaltet. Der Hinweis auf Lisbeths Bekenntnis zur lutherischen Religion – »nach dem Beispiel ihres Mannes« – deutet

Kommentar

nach Ansicht Müller-Salgets bereits auf das Luther-Gespräch voraus: »[I]n Lisbeths Abneigung gegen den ›empfindlich-feierlichen‹ Vortrag des Priesters mag schon die Fragwürdigkeit geistlicher Autorität angedeutet werden, die ebenfalls in der Begegnung mit Luther zutage tritt. Vor allem aber scheint Lisbeths ›finsterer Ausdruck‹, ›als ob ihr daraus nichts vorzulesen wäre‹, darauf zu deuten, daß sie ihren Mann der geistlichen Belehrung für entschieden bedürftiger hält.« (Müller-Salget 1990, S. 741) Das neutestamentliche Gebot der Feindesliebe, das Lisbeth mit ihrem »überaus seelenvollen Blick« besonders betont, wird von ihr jedoch ungenau zitiert; in Mt. 5, 44 f. heißt es: »Ich aber sage euch: liebet eure Feinde; segnet, die euch fluchen; tut wohl denen, die euch hassen; bittet für die, so euch beleidigen und verfolgen. Denn er lässt seine Sonne aufgehen über die Bösen und über die Guten und lässt regnen über Gerechte und Ungerechte.« – Kohlhaas' gleichwohl unversöhnliche Gedanken (»so möge mir Gott nie vergeben, wie ich dem Junker vergebe«, d. h., Gott möge ihm mehr Gnade zuteil werden lassen, als er selbst es dem Junker gegenüber vermag) waren 1808 im ›Phöbus‹-Druck noch nicht formuliert.

ein Leichenbegängnis [...] angeordnet schien: Das hier geschilderte fürstliche Begräbnis ist vmtl. im Kontext der folgenden Fehdehandlung zu lesen: Kohlhaas nutzt die politische Symbolik, um sich mit dem adligen Junker auf eine gesellschaftliche Stufe zu stellen.   35.6–7

er solle die Pferde [...] Sache einkommen: Damit ist Kohlhaas die Möglichkeit, auf legalem Weg zu seinem Recht zu kommen, versperrt. Der hist. Hans Kohlhase hätte noch das Reichskammergericht in Speyer anrufen können. Kleists Protagonist kann nur noch resignieren oder durch Eskalation der Gewalt seine Sache vertreten, zumal das Scheitern auf dem Klageweg und die unglückliche Tötung seiner Frau durch eine Wache des Kurfürsten eine weitere zentrale Verletzung einer wesentlichen Rechtsnorm der Schreibgegenwart des Dichters indizieren: »Der Staat ist für die Sicherheit seiner Unterthanen, in Ansehung ihrer Personen, ihrer Ehre, ihrer Rechte, und ihres Vermögens, zu sorgen verpflichtet.« (ALR II 17 § 1; zit. n. Ziolkowski 1987, S. 45)   35.18–20

Geschäft der Rache: Hatte Kohlhaas in seiner jurist. *argumen-*   35.25

tatio das eingeforderte positive Recht naturrechtlich begründet, begibt er sich an diesem Wendepunkt des Textes in den ideengeschichtlichen Diskurs des Gesellschaftsvertrags, wenn er nun selbst »das Geschäft der Rache« übernimmt und »kraft der ihm angeborenen Macht« einen »Rechtschluß« verfasst. Boockmann hat gezeigt, dass sich hinter der ›nüchternen‹, ›geschäftsmäßigen‹ Formulierung vom »Geschäft der Rache« ein ›Rechtsgeschäft‹ verbirgt: Im Kontext des mittelalterlichen Fehdewesens durfte der Geschädigte dem Schädiger legitimerweise bei Versagen der Justiz einen Schaden zufügen (vgl. Boockmann 1985). Gleichwohl stellt das »Geschäft der Rache« für Kohlhaas die Fortführung seiner bisherigen Tätigkeit mit anderen Mitteln dar, da die Durchsetzung des Rechts, der sein Kampf gilt, Voraussetzung für die Ausübung seines Berufes ist.

35.27–28 **kraft der ihm angeborenen Macht:** Ferner wird deutlich, wie Kleist das in den Quellen zum hist. Kohlhase dokumentierte Fehderecht mit neuzeitlichem Verständnis verknüpft: Statt dem Junker einen Fehdebrief zu schicken und eine Fehde mit dem Ziel zu führen, »den Gegner vor Gericht oder zu einer Sühneverhandlung zu zwingen« (Boockmann 1985, S. 91), verfasst Kohlhaas unter Rekurs auf die »ihm angeborene Macht« einen »Rechtschluß« mit dem Zweck, den Junker selbst zur Dickfütterung der Pferde zu zwingen, wie er sich ebenso nicht damit zufrieden gibt, Wenzel von Tronkas Existenz zu vernichten, sondern darum bemüht ist, des zum »allgemeinen Feind aller Christen« stilisierten Gegners selbst habhaft zu werden.

35.30 **binnen drei Tagen nach Sicht:** Gemeint ist die Zeitspanne, die dem Junker nach Erhalt des Rechtsschlusses zur Verfügung steht. Drei Tage, eine von Kleist leitmotivisch in den Text einmontierte Zahl, betrug die fehderechtliche Frist, die vom Erhalt des Fehdebriefes bis zum Beginn der Fehdehandlungen verstreichen musste.

35.34–35 **Da die drei Tage [...] verflossen:** Erneuter offenkundiger Widerspruch in der Darstellung der Ereignisse, da Kohlhaas später bereits »genau am Tage nach dem Begräbnis meiner Frau« nach Jüterbog aufgebrochen sein will. Kleist setzt ein weiteres Signal für die paradoxale Struktur des Erzählerberichts, dessen Darstellungen und Wertungen damit generell in Zweifel zu ziehen sind, sodass die Verunsicherung des Lesers angesichts instabiler Zeichenprozesse und zunehmender Unverständlichkeit des Textes wächst.

Der Engel des Gerichts [...] vom Himmel herab: Als »Engel des Gerichts« startet Kohlhaas seinen Rachefeldzug, gefolgt von »seine[n] sieben Knechte[n]« – ähnlich den sieben Engeln der Offenbarung, die mit den sieben Plagen den Zorn Gottes vollenden. Als mögliche Bildvorlage dieser mit dem Erzengel Michael verknüpften Vorstellung sieht Hamacher (2003a, S. 25 ff.) Raffaels Gemälde *Sankt Michael mit dem Schwert* (um 1504/05), das Kleist mit hoher Wahrscheinlichkeit im Pariser Louvre gesehen hat; vgl. seinen Brief an Adolfine von Werdeck vom November 1801: »Zuletzt ist noch unter den wenigen aufstellten Raphaelen ein Erzengel, von dem man recht sagen kann, daß er *heranwettert*, einen Teufel niederzuschmettern.« (SWB 4, S. 280)

36.24–25

Kohlhaas, der [...] besetzen zu lassen.: Erstes Beispiel für die von Müller-Salget in Kleists Texten beobachtete syntaktische Dreierstruktur, die vor allem dann greift, wenn der Sprechende für sein weiteres Handeln Auskünfte anderer Personen benötigt. Das Grundmodell dieser triadischen Struktur lautet: »Kohlhaas [...] fragte, [...] und da [...]; so [...].« »Stets enthält der erste Teil eine Schilderung der Situation und die daraus resultierende Frage, der zweite die Antwort, der dritte die ihr entspringende Aktion. Rhythmisch gestaltet sich der erste Teil als eine durch zahlreiche Sperrungen (Schachtelsätze) hervorgerufene Stauung, der zweite (meist recht kurze) als Anspannung auf den Ausgang (das ›und da‹ fordert das ›so‹, der Kausal- den Hauptsatz), der dritte als Erguß der aufgestauten Spannung, der sich meist in einer Sturzflut von Prädikaten zum Ausdruck bringt. [...] Wenn man von der konkreten Situation abstrahiert, kann man in diesen Sätzen das Grundmodell für Kleists Auffassung von der Stellung des Menschen in der Welt erkennen: Die Personen finden sich (erster Teil) einer verwirrenden, undurchschaubaren Realität gegenüber; sie reagieren darauf mit einem Anspruch auf Eindeutigkeit der anderen Personen [...] bzw. der Situation [...], allgemein: auf Sinnhaftigkeit des Geschehens, auf Erkennbarkeit und Berechenbarkeit. Die im dritten Teil dargestellte Aktion

36.31–37.8

ist kausal gebunden (›und da‹) an die ›Antwort‹, die dem Anspruch des Protagonisten zuteil wird (zweiter Teil), d. h. er kommt zum Handeln erst durch den Kontakt mit dem ›anderen‹. Kleists Personen handeln nicht autonom, sondern werden ›sie selbst‹ erst durch die Konfrontation mit einem zufällig und plötzlich hereinbrechenden Ereignis.« (Müller-Salget 1990, S. 687 f.) Dementsprechend spiegelt auch die Syntax das (nach traditioneller Hermeneutik) fehlende *tertium comparationis* des Verstehens, in dem der Gegensatz beider Denkfiguren dialektisch aufgehoben würde. – Weitere Beispiele für die syntaktische Dreierstruktur finden sich u. a. 37.32–38.7; 38.21–29; 40.5–8; 40.22–23; 40.34–41.14.

39.6 **»Kohlhaasisches Mandat«**: Als die in seinem »Rechtschluß« gesetzte Frist von drei Tagen verstreicht, beginnt Kohlhaas mit dem Versuch, des Junkers habhaft zu werden. Im Rahmen seines im Kloster Erlabrunn verfassten Mandats, das im Kontext des spätmittelalterlichen Fehdewesens zu sehen ist und eigentlich einen landesherrlichen oder obrigkeitlichen Befehl/Bestimmung einer einzelnen Handlung darstellt, rechtfertigt er sein Verhalten damit, dass er sich mit dem Junker in einem »gerechten Krieg« befinde. Ankündigungen dieser Art dienen sowohl zur Betonung der Rechtmäßigkeit der Fehde als auch zur Wahrung der eigenen Ehre. Durch diese Schrift-Setzung verdeutlicht Kleist, dass selbst das sich unmittelbar daran anschließende Niederbrennen von Wittenberg und Leipzig nicht als blindwütige Handlung eines Rasenden erscheint, sondern vollumfänglich der Logik Kohlhaas’ folgt, wonach auch die Bürger dieser Städte Schuld tragen, indem sie den Junker vor ihm verstecken.

39.8 **gerechten Krieg**: Diese Begründung verdeutlicht sowohl die moralische wie jurist. Haltung ihres Urhebers, denn Kohlhaas hält sein Verhalten für gerecht und rechtmäßig, sieht er sich doch schon als »Reichs- und Weltfreien, Gott allein unterworfenen Herrn«, der das Volk aufruft, zur »Errichtung einer besseren Ordnung der Dinge« sich seinem Feldzug anzuschließen.

39.13–14 **Diese Erklärung […] in der Gegend aus**: Die Vorstellung vom ›Ausstreuen‹ (lat. disseminare) der Schrift gehört zu den zentralen Aspekten dekonstruktiver Literaturtheorie (vgl. Derrida 1995). Derrida zufolge sind die sprachlichen Signifikanten nicht festen Signifikaten zugeordnet, sondern in einem ständigen Prozess der Differenzierung, der inneren Entzweiung und gegenseitigen Ersetzung begriffen. Das Spiel der Zeichen, das Kohlhaas mit seiner ersten öffentlichen Schrift-Setzung initiiert, ist ein Spiel von Bedeutungssetzung und zugleich Bedeutungsauslöschung, das – wie der weitere Handlungsverlauf verdeutlicht – niemals stillzustellen oder auf einen in sich abgeschlossenen Sinnzusammenhang einzugrenzen ist.

sein Herz [...] gestellt: Dieses Charakteristikum des Kohlhaas 39.27–28
lässt einen pessimistischen, möglicherweise gar misanthropischen Grundzug seiner Persönlichkeit erkennen.

als ein ungeheurer Wetterschlag [...] zur Erde niederfiel: Kohl- 40.32–33
haas wird sozusagen durch ein Zeichen ›von oben‹ daran gehindert, Unrecht zu tun. Földényi vermutet, Kleist könne bei seiner häufigen Verwendung des Blitzes (als Wetterstrahl, Donnerkeil, Blitzstrahl, Blitzgott oder Blitz-Element) durch Pierre-Jean-Georges Cabanis' Buch *Rapports du physique et du moral de l'homme* (1802; dt.: *Über die Verbindung des Physischen und Moralischen in dem Menschen*, Halle 1804) angeregt worden sein. Cabanis widmet seine Aufmerksamkeit in erster Linie der bei der Kontraktion von Muskeln erfahrbaren Elektrizität bzw. der auf elektrischem Weg vor sich gehenden Verbreitung der Impulse in den Nerven. Nach Földényi kann es »keineswegs als Zufall gewertet werden, daß Kleist in seinem Aufsatz über die allmähliche Verfertigung der Gedanken gerade mit Hilfe der Analogie der Elektrizität jenen Energiestrom erklärt, der zwischen zwei Menschen fließen kann: einerseits beweist er damit die Übereinstimmung zwischen der physischen und der moralischen Welt, andererseits die Geburt des Gedankens als *Blitz*« (Földényi 1999, S. 68).

folgt mir meine Brüder: Vgl. Phil. 3,17: »Folget mir, liebe Brü- 41.13
der, und sehet auf die, die so wandeln, wie ihr uns habt zum Vorbilde.«

Reichs- und Weltfreien: In der Wertung dieser Selbstbezeich- 41.27
nung ist sich die Forschung nicht einig. Während die meisten Kommentatoren der Ansicht sind, Kohlhaas stelle sich hier außerhalb des Reichsverbundes und sogar über die Autorität des Kaisers (so Müller-Salget 1990, S. 744), vertritt Hamacher

(2003a, S. 28) die Auffassung, dass Kohlhaas zwar die Autorität des Landesherrn, des Kurfürsten, negiere, gleichwohl aber die Autorität Gottes als des Herrn der Welt und zumindest prinzipiell – als Reichsfreier – auch die des Kaisers anerkenne. Dass er sich – in seinem protestantischen Selbstverständnis – allein Gott und nicht dem kath. Kaiser Karl V. unterstellt, ist durchaus logisch.

41.28–29 **eine Schwärmerei krankhafter und mißgeschaffener Art**: Weiterer Kommentar des Erzählers, der, obwohl grundsätzlich auf Kohlhaas' Seite stehend, die Maßlosigkeiten in der Selbsteinschätzung seines Protagonisten missbilligt und mit Sorge bemerkt, dass dessen Gefolge sich aus »Gesinde« rekrutiert.

42.6–7 **am heiligen Abend vor Pfingsten**: Mit der Nennung der symbolischen Zeit des Pfingstfestes, in den abendländischen Kirchen das Fest der Sendung des Heiligen Geistes und der Begründung der Kirche (vgl. Apg. 2,19 f.), wird das Geschehen in den Bereich eines Erlösungswunders gerückt. Wenn somit die Einäscherungen Wittenbergs als Werk des Heiligen Geistes erscheinen, entsteht dadurch eine (weitere) Ambivalenz des evozierten relig. Zeichens, die sich nicht auflösen lässt: Die Tat des Kohlhaas ist *sowohl* äußerste Blasphemie *als auch* zugleich durch die höchste Instanz (als erneutes Zeichen ›von oben‹) gerechtfertigt.

43.18 **am Tage des heiligen Gervasius**: Der Legende nach soll Gervasius um 100 n. Chr. in Mailand aufgrund seines christl. Bekenntnisses als Märtyrer gestorben sein. Sein Gedenktag ist in der kath. Kirche der 19. Juni. Müller-Salget (1990, S. 745) führt zudem aus, dass dessen Reliquien im Kampf gegen Häretiker von Bedeutung gewesen sein sollen, und stellt dementsprechend eine mögliche Verbindung zum Kampf des Staates gegen den relig. Schwärmer Kohlhaas her.

43.18–19 **um den Drachen, der das Land verwüstete**: Der Drache fungiert in der christl. Religion als Symbol gottfeindlicher Mächte. Diese Charakterisierung ist das Gegen-Bild zu Kohlhaas' späterer Selbststilisierung als »Statthalter Michaels, des Erzengels«. Vgl. Offb. 12,7: »Und es erhob sich ein Streit im Himmel: Michael und seine Engel stritten wider den Drachen.« Wie schon an anderen Stellen arbeitet der Erzähler weiter an dem ›Oxymoron Kohlhaas‹, der nach der Textlogik *sowohl* Drache *als auch* Engel ist.

der Krieg […] wie er war: Mit den milit. Aktionen greift Kleist   46.9–11
auf die zu Beginn des 19. Jh.s neue Form des Partisanenkriegs
zurück, die in Preußen nach span. Vorbild als Muster eines Wi-
derstandskampfes gegen Napoleon diskutiert wurde. Dabei
bilden Partisane Gruppen oder Verbände von Freiwilligen aus
den Bewohnern eines besetzten Gebietes, um außerhalb der
Streitkräfte den Kampf gegen den eingedrungenen Kriegsgegner
zu führen. Im Sommer 1808 entwickelte der preußische Heeres-
reformer Neidhardt von Gneisenau (1760–1831) eine erste
Theorie des Partisanenkriegs: »Man muß sich in keine entscheidenden Treffen einlassen, es sei denn der Sukzeß wäre auf das
gewisseste gesichert. Man beschäftigt den Feind den Tag über
durch zerstreute Gefechte, hält unsere Kolonnen zurück, und
wenn der ermüdete Gegner sich der Ruhe überlassen will, so fällt
man über ihn her, um ihn zum entscheidenden Handgemenge zu
bringen. Nachtgefechte sind uns immer günstig und entziehen
dem Feinde die Vorteile seiner Schießwaffen. Wo der Feind mit
Übermacht vordringt, da weicht man zurück, verödet das Land
vor ihm her, wirft sich in dessen Flanke und Rücken und schnei-
det ihm die Zufuhren ab. Es ist nicht möglich, daß er diese
Kriegsart lange aushalte. Es wird ihm bald an Munition und
Menschen mangeln und die Ergänzung dieser Gegenstände muß
ihm schwer werden, da sie ihren Weg durch uns befreundete
Länder nehmen müssen. Während seine Truppen in einem ihnen
verhaßten Kriege zusammenschmelzen, vermehren sich unsere
Kriegshaufen durch Erfolge, gewinnen an Kriegserfahrung, und
nach einem rühmlich durchgefochtenen Kampf steht die deutsche Unabhängigkeit gesicherter als je da.« (Zit. n. Kittler 1987,
S. 223) Im Gegensatz dazu steht ein rechtlicher Krieg im Sinne
des 18. Jh.s, in dem es, wie Carl Schmitt in seiner »Theorie des
Partisanen« verdeutlicht hat, klare Unterscheidungen gibt, »vor
allem die von Krieg und Frieden, von Kombattanten und Nicht-
Kombattanten, und von Feind und Verbrecher. Der Krieg wird
von Staat zu Staat als ein Krieg der regulären, staatlichen Ar-
meen geführt, zwischen souveränen Trägern eines *jus belli*, die
sich auch im Kriege als Feinde respektieren und nicht gegenseitig
als Verbrecher diskriminieren, so daß ein Friedensschluß möglich ist und sogar das normale, selbstverständliche Ende des

Krieges bleibt.« (Zit. n. ebd., S. 218) Der Partisanenkrieg dient Kleist demnach auch dazu, eindeutige Distinktionen, wie sie die Kriegstheorie des 18. Jh.s für ›rechtliche‹ Kriege vorsieht, aufzuheben und in die kriegerische Auseinandersetzung zwischen Kohlhaas' Haufen und den landesherrlichen Truppen selbst ein Moment des Unverständlichen einzubauen.

46.19 **Herrenzwingers**: Möglicherweise ein Neologismus Kleists, der als Synonym für die vorher genannte Ritterhaft fungiert. Urspr. wurde mit ›Zwinger‹ der zwischen der inneren und äußeren Ringmauer einer mittelalterlichen Stadtbefestigung oder Burg liegende Umgang oder der zur Vorburg gehörende freie Platz bezeichnet, der bei größeren Burgen zu ritterlichen Übungen, zur Haltung von wilden Tieren, als Baumgarten, auch als Acker diente. Zwinger-Anlagen als Gefängnisräume verbreiteten sich im Abendland seit den Kreuzzügen, kommen aber bereits bei altgerman. Burgen vor.

47.2 **Mühlberg**: Stadt an der Elbe, in der Mitte zwischen Wittenberg und Dresden gelegen. In Mühlberg wurde während des Schmalkaldischen Krieges am 24.4.1547 der sächs. Kurfürst Johann Friedrich von Kaiser Karl V. und Herzog Moritz von Sachsen besiegt.

47.27 **Statthalter Michaels, des Erzengels**: Michael war der Überlieferung nach der Engel mit dem Schwert, der Adam und Eva aus dem Paradies vertrieb und den Lebensbaum bewachte (1. Mose 3,23 f.) und der Seth einen Zweig vom Baum der Erkenntnis reichte. Er zeigte Hagar, der von Abrahams eifersüchtiger Frau Sara vertriebenen Magd, die Quelle zur Rettung ihres und ihres Sohnes Leben (1. Mose 16,7–12). Michael gilt ferner als einer der drei Männer, die Abraham besuchten (1. Mose 18,1–16), diesen hinderte er an der Opferung Isaaks (1. Mose 22, 11–18), und er rang mit Jakob (1. Mose 32,24–29). Michael teilte zudem das Rote Meer beim Auszug aus Ägypten (2. Mose 14,19–22), führte das Volk Israel ins Gelobte Land und kämpfte mit dem Teufel um Moses Seele. In den Darstellungen der Apokalypse (Offenbarung des Johannes) erfüllt Michael seine besondere Aufgabe beim jüngsten Gericht: Seine Posaune erweckt die Toten aus den Gräbern, er befreit die Frau mit dem Kind und tötet im endzeitlichen Kampf – mit einem Schwert und großen Flügeln gerüstet – den Drachen zu seinen Füßen (Off. 12,4–7). Michael wird auch als der Engel identifiziert, der den Drachen in den Abgrund stürzt (Off. 20,2 f.), wobei der Drache das Symbol der gottfeindlichen Mächte ist. Folglich ist Michael der Engel, der gegen alles kämpft, was die Macht Gottes einzuschränken sucht. Er wird nach Kommentaren zur Offenbarung beim Erscheinen des Antichristen auch diesen töten (Offb. 12, 7 ff.). So verhindert Michael die uneingeschränkte Herrschaft des Satans in der Zeit bis zum jüngsten Gericht und besiegt diesen dann endgültig. – Kohlhaas sieht sich, verführt durch seinen Taufnamen, in seinem »Mandat« mit jenem Erzengel verbunden. Mit seiner Selbststilisierung übergeht er jedoch die warnende Bedeutung des ursprünglich hebräischen Namens »Michael« (»Wer ist wie Gott?«). Zudem gehörte der mit dem Schwert bewaffnete Erzengel Michael seit dem Mittelalter zu den Schutzheiligen des Heiligen Römischen Reiches und später dann auch des dt. Volkes. Diese Funktion wurde vor allem durch die bildende Kunst vermittelt, zu denken ist an einen Holzschnitt Albrecht Dürers (um 1500) sowie Raffaels Gemälde *Sankt Michael, den Drachen tötend*. Trotz deutlich anklingender Hybris in Kohlhaas' Selbststilisierung erscheint es als durchaus konsequent, dass der Rosshändler Allmachtsphantasien entwickelt und vom Sitz seiner »provisorischen Weltregierung« die Bevölkerung dazu aufruft, sich seinem Kampf »zur Errichtung einer besseren Ordnung der Dinge« anzuschließen.

die Arglist [...] an ihn anzuschließen: Höhepunkt von Kohl- 47.29–33
haas' von Realitätsverlust zeugender Fixierung, in der er sich ›einer Welt von Feinden‹ gegenübersieht und die Repräsentativität seines ›Falls‹ ins Absolute steigert.

mit einer Art von Verrückung: Die Ver-Rückung der Schrift 47.34
steht nicht nur für den abermaligen Aufschub, die wiederholte Ver-Rückung des Sinns, sondern auch für Kohlhaas' Zustand insgesamt, seine eigene Ver-Rückung von der Norm, seinen sich mit relig. Motiven aufladenden Wahn-Sinn. Gegenüber der ›Verrücktheit‹, mit der die Wörterbücher der Zeit (von Adelung bis Grimm) den gegebenen Zustand beschreiben, betont die hier konstatierte »Verrückung« eher den Prozess des Realitäts- und Sinnverlusts als das Endgültige eines Zustands, der nicht wieder ›zurechtgerückt‹ werden kann.

47.35–48.1 **provisorischen Weltregierung**: Obwohl sich Kohlhaas in seiner
Hybris zum »Statthalter Michaels, des Erzengels« erhoben hat,
kann kein Zweifel daran bestehen, dass seine Auffassung einer
besseren Ordnung keineswegs rein utopischer Natur ist oder auf
die radikale Änderung des Staatsaufbaus zielt, sondern weiterhin die Durchsetzung positiven Rechts anstrebt. Der Terminus
der »provisorischen Weltregierung« verweist im doppelten Sinn
auf den Aspekt der ›Vorläufigkeit‹: Zum einen bezweckt Kohlhaas die Etablierung einer auf dem Naturrecht begründeten Regierung, mit dem Ziel der Überführung in einen staatl. Rechts-
zustand (Neu-/Gründung des Gesellschaftsvertrags); vgl. hierzu
Kants Erläuterung des Begriffs in seiner *Metaphysik der Sitten*
(§ 9) im Hinblick auf das Privatrecht: »Ein Besitz in Erwartung
und Vorbereitung eines solchen Zustandes, der allein auf einem
Gesetz des gemeinsamen Willens gegründet werden kann, der
also zu der *Möglichkeit* des letzteren zusammenstimmt, ist ein
provisorisch-rechtlicher Besitz, wogegen derjenige, der in einem
solchen *wirklichen* Zustande angetroffen wird, ein *peremtori-
scher* Besitz sein würde.« (*Metaphysik der Sitten*, B 74 f.) Der
Begriff »Weltregierung« begegnet ebenso bei Kant (in seinem
Entwurf *Zum ewigen Frieden*, 1795) sowie in Thomas Hobbes'
Leviathan (1651). – Zum anderen verweist das Attribut ›provi-
sorisch‹ erneut auf den instabilen Zustand der (polit., jurist.)
Zeichen: Auch die »Errichtung einer besseren Ordnung der Dinge« kann angesichts der ›zerbrechlichen Welt‹ nur als vorläufig
gedacht werden und ist damit stets prekär.

48.3 **wegen eines anhaltenden [...] vom Himmel fiel**: Erneut unterstreicht Kleist die direkte Abhängigkeit der Gewalttaten des
Rosshändlers wie der gesamten Handlung vom Zufall; hier bestimmt wiederum das Wetter als Zufallsmoment die Unberechenbarkeit der Wirklichkeit. Kurz zuvor schon revidierte »ein
ungeheurer Wetterschlag, [der] dicht neben ihm zur Erde niederfiel«, Kohlhaas' Entscheidung, das Kloster Erlabrunn anzu-
zünden. Und während Wittenberg »wegen eines scharf wehenden Nordwindes« besonders gut brannte, verhindert das Wetter
an dieser Stelle, dass Leipzig größeren Schaden nimmt.

49.4–5 **Doktor Martin Luther**: Der in Eisleben geborene Martin Luther
(1483–1546), Sohn eines Kleinunternehmers, brach 1505 ein

Jurastudium ab, um Augustinermönch zu werden. Nach seinem Theologie-Studium an der Universität Wittenberg lehrte er dort ab 1512 als Professor für Altes und Neues Testament. 1517 veröffentlichte er seine 95 Thesen über die Kritik am Ablasshandel und behauptete später, Papst und Konzilien könnten sich irren, wofür er vom Papst gebannt wurde. Auch auf dem Reichstag zu Worms 1521 widerrief er diese Auffassungen nicht, woraufhin ihn der Kaiser unter die Reichsacht stellte. Der sächs. Kurfürst ließ Luther daraufhin zum Schein auf die Wartburg ›entführen‹, wo er bis 1522 das NT aus dem Griech. ins Dt. übersetzte. Zusammen mit dem bis 1534 übersetzten AT entstand die »Lutherbibel«, die für die Entwicklung der neuhochdt. Schriftsprache eine maßgebliche Bedeutung hatte. Im Kontext der Bauernaufstände 1524/25 kritisierte Luther im April 1525 in seiner »Ermahnung zum Frieden« die Fürsten und Herren und rief beide Seiten – Obrigkeit und Bauern – zum Frieden auf. Bei der Niederschlagung der Aufstände kooperierten lutherische und altgläubige Obrigkeiten, gestützt auf Luthers Plädoyer gegen die Bauern. – In der Phase von Kohlhaas' Selbsterhöhung lässt Kleist den Reformator aus eigenem Antrieb mit einem Schreiben an Kohlhaas in das Geschehen eingreifen. Als gewichtiger Gegenspieler in der sinnbildlichen Auseinandersetzung um die treffendere Auslegung der göttlichen Botschaft darf Luther in diesem Kontext als Personifikation kirchlichen, konkret: aufgeklärtprotestant. Handelns verstanden werden, der – provoziert durch Kohlhaas' Hybris – um das Ansehen der Reformation besorgt ist. Der (Kleist vmtl. unbekannte) hist. Brief Luthers an Hans Kohlhase (als Replik auf einen nicht erhalten gebliebenen Brief des Kohlhase, in dem dieser um Rat in seiner Fehdesache nachgesucht hatte) ist in einem viel milderen Ton gehalten als der von Kleist konstruierte, obwohl auch hier der Versuch unternommen wird, dem Aufrührer ins Gewissen zu reden, damit er von seiner Fehde ablasse. Demgegenüber schreibt sich Luther bei Kleist nicht mit »beschwichtigenden Worten« in den Konflikt ein, sondern wird in seinem Bestreben, den (metaphorisch) als reißenden, das Umland überschwemmenden Strom erscheinenden Kohlhaas »in den Damm der menschlichen Ordnung zurückzudrücken«, nach den heftig verurteilenden Schriften des hist. Luther gegen die aufständischen Bauern modelliert.

49.28–30 **nach den ersten […] dir zu verschaffen**: In Kleists Text bestreitet
Luther die Rechtmäßigkeit von Kohlhaas' Fehde, da er die
Rechtsmittel nicht ausgeschöpft habe. Ihm ist dabei jedoch ent-
gangen, wie geduldig und vertrauensvoll Kohlhaas in mehreren
Anläufen bei den Obrigkeiten um die Behandlung seiner Klage
nachgesucht hat und dass Kohlhaas schließlich unter Strafan-
drohung die weitere Beschreitung des Rechtswegs verweigert
wurde. Die Vorwürfe Luthers, die Obrigkeit wisse von
Kohlhaas' »Fall« gar nichts und selbst sein Name sei ihr unbekannt, werden vollends unverständlich, wenn man sich die kurz
zuvor erfolgte Mitteilung des Erzählers vergegenwärtigt, der
sächs. »Kurfürst, durch einen Eilboten, von der Not, in welcher
sich die Stadt Leipzig befand, benachrichtigt«, habe erklärt,
»daß er bereits einen Heerhaufen von zweitausend Mann zu-
sammenzöge, und sich selbst an dessen Spitze setzen würde, um
den Kohlhaas zu fangen«.

49.33 **Obrigkeit**: In Luthers Rechtfertigung der weltlichen Herrschaft
(vgl. die Ausdeutung des Römerbriefs: »Ein jedermann sei untertan der Obrigkeit, die Gewalt über ihn hat«, Röm. 13,1) ist
dieser Begriff von zentraler Bedeutung für sein Staatsverständ-
nis.

50.9 **Rad und Galgen**: Die barbarische Hinrichtungsart des Räderns
wurde in Preußen erst 1811 endgültig abgeschafft. Der hist.
Quelle zufolge ist Hans Kohlhase gerädert worden.

50.33 **Cherubsschwert**: Die Cherubim (zur Hälfte tier-, zur Hälfte
menschengestaltige Wesen im Dienste Gottes) bewachen mit
dem Flammenschwert das Paradies, aus dem die Menschen ver-
trieben wurden. – Das Schwert fungiert hier als Zeichen der Exekutive und ermöglicht es Kohlhaas, sich als Beauftragten Gottes
zu stilisieren. Boockmann (1985, S. 102; 104) macht darauf aufmerksam, dass Kleist mit den zuletzt zitierten Mandaten des
Kohlhaas auch eine Anspielung auf die chiliastisch-utopischen
Vorstellungen der Wiedertäufer im Sinn gehabt haben könnte.

50.35 **zwölf Knechte**: Die seit der Antike bedeutende Zahl dürfte hier
auf die zwölf Geschlechter der Kinder Israels (Offb. 21,12–14)
oder auf die zwölf Jünger Jesu und damit erneut auf Kohlhaas'
relig. Hybris verweisen.

51.35–52.1 **Luther […] Pulte saß**: Luther erscheint in Kleists Text v. a. als

Schrift-Steller. Nach dem gegen Kohlhaas erlassenen »Plakat«, einer Flug-Schrift (Flugblatt, fliegendes Blatt), die man in der Frühen Neuzeit zur Aufklärung, öffentlichen Meinungsbildung rasch und weit zu verbreiten suchte, befindet er sich hier »unter Schriften und Büchern an seinem Pulte«, die zum einen auf seine Tätigkeit als »Dolmetsch« hinweisen: als ›Übersetzer‹ der Bibel aus dem Griech. und Hebr. ins Dt., aber auch als ›Mittler‹ zwischen Untertanen und Obrigkeit in der Reformation. – Im Gegensatz zum fehdeführenden Kaufmann Hans Kohlhase, den der hist. Luther bereitwillig empfangen und mit dem er in Gesellschaft anderer Theologen fast eine ganze Nacht lang voll ernster Teilnahme diskutiert haben soll, muss Kleists Kohlhaas sich die Begegnung mit dem von ihm verehrten Reformator geradezu mit Waffengewalt erzwingen.

weiche fern hinweg!: Vgl. Mt. 7,23: »Weichet von mir, ihr Übel- 52.7
täter!« und Mt. 16,23: »Hebe dich, Satan, von mir!«

freies Geleit: »Unter ›Geleit‹ versteht das *Deutsche Rechtswör-* 52.19
terbuch »die Zusage an jem[anden], daß er auf dem Wege zum (und zurück vom) Gericht nicht festgenommen, noch sonst behelligt würde, sowie daß er gegen fremde Angriffe geschützt würde.« (Zit. n. Müller-Salget 1990, S. 750) Die spätere Hinzufügung des Attributs »frei« dient der Präzisierung.

Verstoßen, [...] in die Hand.: Kohlhaas argumentiert hier so- 53.1–9
wohl auf der Basis von Rousseaus naturrechtlichen Theorie des Gesellschaftsvertrags (1762), die eine wichtige Rolle in der zwischen 1807 und 1810 besonders virulenten Diskussion um das Recht auf Widerstand gegen ungerechte Herrschaft spielte, als auch auf der Grundlage des ALR (1794; II, 17, § 1). Nach beiden jurist. Prätexten ist der Herrscher nicht mehr nur seinem eigenen Willen, sondern dem Wohlergehen aller verpflichtet; er verkörpert nicht mehr den Staat in toto, sondern ist nur noch ein – wenn auch herausgehobener – Teil des Ganzen. Das im Gesellschaftsvertrag geregelte Verhältnis zwischen Herrscher und Untertan ist für diesen nicht mehr alternativlos gegeben, sondern beruht auf Freiwilligkeit (vgl. Kleists Brief an Ulrike von Kleist vom 25.11.1800, SWB 4, S. 167 ff.). Daraus ergibt sich das Recht des Einzelnen, den Vertrag zu kündigen, falls der Herrscher ihm gegenüber seine Pflichten verletzt hat. Ob sich daraus

jedoch auch ein Recht auf aktiven Widerstand (im Sinne des mittelalterlichen Fehdewesens) herleiten lässt, war zumindest umstritten. Der Ausschluss aus der politischen Gemeinschaft macht aus dem handelnden Subjekt Kohlhaas, das Recht begehrt, ein reagierendes Objekt, das *nolens volens* zur Gewalt gezwungen wird (»er gibt mir [...] die Keule [...] in die Hand«). Mit der »Keule« als Waffe wird die – nach dem Zerbrechen der Ordnung zwangsläufige – Regression in einen vorgesellschaftlichen Naturzustand evoziert. In seinem Brief an den sächs. Kurfürsten leugnet Luther diesen Sachverhalt dann tatsächlich nicht mehr. Auch Christiern von Meißen ist der Ansicht, dass man Kohlhaas »das Schwert, das er führt, selbst in die Hand gegeben« habe.

53.27–28 **Die trotzige Stellung [...] verdroß ihn:** Während Kohlhaas (hist. unmöglich!) mit Rousseau (und Kant) argumentiert, vertritt Luther – zwar hist. korrekt, gleichwohl negativ überzeichnet – die Interessen des sich im 16. Jh. ausbildenden Absolutismus. An dieser Stelle offenbart sich die Verknüpfung von klerikaler und weltlicher Macht: Luther geht es nicht um Kohlhaas' Seele, sondern – unter Rekurs auf die Obrigkeits-Vorstellung des Römer-Briefes – um das Wohl der Herrschenden und einen äußeren Rahmen, der ihm für seine Schrift-Stellerei die notwendige Ruhe lässt. Hinter dem Signifikanten ›Luther‹ verbirgt sich nicht das bekannte Signifikat (der mutige Kirchenreformer Luther), sondern ein theoretisierender »Pult«-Denker, dem es an theolog. Kompetenz und an christl. Mitleid gebricht.

54.13–14 **rasender, unbegreiflicher und entsetzlicher Mensch!:** In Luthers Klimax wird Kohlhaas ausschließlich auf dessen ›Entsetzlichkeit‹ reduziert – als Reaktion auf das sich in ihm akzentuierende »Dritte«, das Zeichen an der Oberfläche einer ›unbegreiflich‹ gewordenen Welt ist, die sich keiner Naturteleologie, keiner geschichtl. Vernunft oder Metaphysik mehr subsumieren lässt. Die von Kohlhaas herangezogenen rechtsphilosoph. Positionen von Rousseau und Kant verweisen – im Rahmen der Handlung – auf das ›ganz Andere‹ der Vernunft, das für den Luther des 16. Jh.s ›Unbegreifliche‹ schlechthin.

54.21–23 **es hat mich [...] umgekommen ist:** Mit diesem Argument rekurriert Kohlhaas auf den Beginn seines Rachefeldzuges, dürfte aber nur von sekundärer Bedeutung sein, da sein primäres Begehren in dem Erweis der Gerechtigkeit seines Anliegens liegt.

Willst du [...] heimreiten?: Während dem hist. Kohlhase am   56.1–5
Ende seines Besuchs von Luther die Absolution erteilt und das
Abendmahl gereicht wird, weigert sich Kleists fingierter Luther
in unnachgiebiger Weise, die diesbezügliche Bitte von Kohlhaas
zu erfüllen, sofern dieser nicht bereit sei, seinen Feinden zu vergeben – und damit auf eine Behandlung seiner Klage gegen den
Junker zu verzichten. Mit dieser Abweisung wiederholt Luther
den (hier nun religiösen) Akt der Exkommunikation aus der Gemeinschaft, den die Regierungen Sachsens und Brandenburgs
nach Kohlhaas' Ansicht bereits an diesem vollzogen haben.

Sendschreiben: Urspr. jede Form von Urkunde; von einem sol-   57.3
chen Schrift-Stück Luthers im Falle des hist. Kohlhase ist nichts
bekannt.

Amnestie: Von griech. amnēmoneō, »vergessen«; Straferlass   57.12
für eine unbekannte Zahl von Fällen, entweder durch Erlass bereits rechtskräftig verhängter Strafen oder durch Einstellen der
Strafverfolgung. Damit geht Luthers Vorstellung über Kohlhaas'
Bitte nach freiem Geleit hinaus.

daß derselbe [...] betrachten müsse: In seinem Sendschreiben   57.24–31
verwendet Luther just die – für ihn vorher noch »unbegreifliche« – jurist. Argumentation des Rosshändlers, die zum Ziel hat,
den Fehdeführer als völkerrechtl. Subjekt zu definieren, um die
Souveränität des neuzeitl. Staates zu schützen und die Durchsetzung des staatl. Gewaltmonopols zu unterstützen (vgl.
Boockmann 1985).

eben, als: Das Sendschreiben Luthers erreicht den Kurfürsten   57.32
zufällig in dem Moment, als der Staatsrat zusammenkommt. Die
anschließenden Diskussionen bieten eine analytische Kritik an
der Lenkung des Staates. Der Kurfürst erscheint weiterhin als
entschlussschwach, wenn er mit »ungewissen Blicken« zum
Tisch des Hinz von Tronka geht oder indem er angesichts der
eigenen Verfehlungen bezüglich Kohlhaas »über das ganze Gesicht rot ward«; auch die schließlich von ihm getroffene Entscheidung, die Rechtssache gegen Kohlhaas nochmals aufzurollen, ist allein dem Umstand »der allgemeinen Unzufriedenheit,
die wegen der Unziemlichkeiten des Kämmerers herrschte«, ge-

schuldet und keineswegs moralisch oder rechtlich motiviert. Bei genauerer Lektüre wird deutlich, dass auch hier Richtschnur des Handelns allein die eigenen privaten Interessen sind und nicht das Wohl des Staates oder gar seiner Bürger.

58.24 **Feuer der Beredsamkeit**: Müller-Salget (1990, S. 752 f.) macht – angesichts der zu beobachtenden Häufung der Alliterationen auf ›r‹ in Kunz' Argumentation sowie auf ›f‹ in Wredes Entgegnung – darauf aufmerksam, dass es sich bei den Ausführungen der Staatsratsmitglieder um einen Agon in forensischer Rhetorik handelt.

59.18–21 **Die Ordnung des Staats [...] einrenken können.**: Erneuter Hinweis auf die Ver-Rückung der vormals scheinbar stabilen politischen Ordnung in Richtung einer unkontrollierbaren ›Ambivalenz‹ (»diese Sache zweideutiger Art«).

59.25 **aufgepflanzt**: Metonymie: Vom Feldzeichen her gedacht, das Kohlhaas auf dem Sitz seiner »provisorischen Weltregierung« errichtet hat.

60.32 **bloß freies Geleit**: Der bereits zuvor angedeutete Unterschied zwischen Amnestie und freiem Geleit wird aufgegriffen und präzisiert: Das »Plakat« des Kurfürsten verspricht Amnestie nur für den Fall, dass Kohlhaas in eigener Sache vor Gericht Recht erhalten sollte; Hinz dagegen will Kohlhaas in *jedem* Fall angeklagt sehen.

61.8 **eine staatskluge Wendung**: Die Bezeichnung von Hinz' Lösung als »staatskluge Wendung« (im Sinne von ›im scheinbaren Interesse des Staates‹) ist negativ konnotiert, wobei zu bedenken ist, dass die spätere Lösung von Kohlhaas' ›Fall‹ präzise seiner – hier noch auf Missfallen stoßenden – Empfehlung folgt.

61.25–27 **bei der allgemeinen [...] im Lande herrschte**: Am Beispiel der Zustände am sächs. Hof lässt Kleist seinen Erzähler vor allem schildern, wie die Staatsgeschäfte von Opportunismus, Individualinteressen und -begehrlichkeiten sowie von Vetternwirtschaft geprägt sind und nicht vom Ziel, den Gemeinwillen der Bürger umzusetzen. Da es sich offenkundig um einen von den Tronkas gewohnheitsmäßig ausgeübten Missbrauch ihrer Stellung in der Regierung handelt, deutet der Erzähler an, dass die Rebellion des Rosshändlers einen allgemeinen Aufruhr zur Folge haben könnte.

wenn derselbe [...] werden sollte: Hamacher (2003a, S. 39) 62.6–8 macht in dem Zusammenhang auf die jurist. Ambivalenz des kurfürstlichen Amnestieangebots aufmerksam – als Basis für den späteren Streit, ob die Amnestiezusage gebrochen worden sei oder nicht: »Die Abweisung der Klage als Bedingung einer Anklage gegen Kohlhaas kann zweierlei bedeuten: erstens dass die Klage als unzulässig erklärt, also gar nicht zur Entscheidung angenommen würde – dies ist Kohlhaases Auffassung, die ihn dazu führt, auf der Amnestie zu bestehen, da das Dresdner Gericht die Untersuchungen aufnimmt. Zweitens aber – und dies ist offenbar die Lesart der Tronka-Sippe – könnte gemeint sein, dass die Amnestie nur dann in Kraft treten würde, wenn Kohlhaas seinen Prozess gewönne. Hätten also die Tronkas mit ihrer Taktik der Prozessverschleppung Erfolg und Kohlhaas käme wegen der Rappen nicht zu seinem Recht, so wäre auch die Amnestie hinfällig.«

Nachricht über die [...] Rappen einzuziehn: Wiederaufnahme 66.12–14 des Leitmotivs der ›Rappen‹ zur Problematisierung der Frage nach der Identität des Subjekts (vgl. Erl. zu 16.22–23). Beim ersten Anblick erscheinen die Pferde den Junkern wie höchste feudale Jagdobjekte (»wie Hirsche«). Nach deren Beschlagnahmung werden sie in einen »Schweinekoben« gesteckt, aus dessen Dach sie »wie Gänse« hervorschauen. Nach Kohlhaas' Überfall auf die Tronkenburg geraten sie in den »Kuhstall eines Schäfers« aus Wilsdruf, von dort, was aber nur durch »unbestimmte Gerüchte« und keine schriftlich gestützten Nachrichten zu belegen ist, an den »Schweinehirte[n] von Hainichen« und schließlich an den Abdecker von Döbbeln, der sie, weil unehrlich geworden, »abludern und häuten« soll. Zumeist erscheinen die Rappen im Text (leitmotivisch) als Leer-Stelle, »abhanden gekommen und seitdem gänzlich verschollen«; demzufolge sind darauf abzielende schriftliche Anfragen »vergeblich«, eingehende Nachrichten müssen letztlich als »Irrtum« bewertet werden und Identifikationen laufen ins Leere: »Der Junker [...] sagte verlegen: das wären die Pferde nicht, die er dem Kohlhaas abgenommen.« Vor diesem Hintergrund lässt sich von Kohlhaas' Pferden, »um derenthalben der Staat wank[t]«, sagen, dass sie paradigmatisch den prekären Zustand des ›Menschen‹ auf der Schwelle der Rechtsordnung reflektieren.

67.31–32 **Abdecker**: Die ziemlich genau in der Mitte des Textes stehende Peripetie der Erzählung erreicht Kleist durch die vom Burlesken ins Bedrohliche umschlagende Abdecker-Szene. Das die Obrigkeit nicht achtende Verhalten des Abdeckers, der sich ohnehin außerhalb der Gesellschaft befindet und sich von den Amtsinsignien des Kämmerers (Orden und Kette) nicht im Geringsten imponieren lässt, stachelt das ›Volk‹ zum tätlichen Widerstand gegen die Willkür der Obrigkeit (in Person des Kämmerers) an, was zu einem Umschlag der allgemeinen Stimmung, aber auch der Beurteilung Kohlhaas' führt. Fundamentaler ist jedoch, dass eine Identifikation der (mittlerweile ehrlosen) Pferde bzw. eine Rekapitulation ihres Weges durch das Nicht-Wissen des Abdeckers unmöglich erscheint. ›Plötzlich‹ lassen sich die Ereignisse nicht mehr mit gesundem Menschenverstand verfolgen; unbegreiflich ist das Verhalten aller Personen. Daher verwundert es nicht, wenn auch der Erzähler die Last der Unbegreiflichkeit auf sich nimmt und nicht nur Kohlhaas' Geschichte erzählt, sondern auch der Erzählton, die Verwirrung der Perspektiven und die Art des Erzählens beginnen, so absurd zu werden wie Kohlhaas' Vor-Fall: »Seine [Kohlhaas'; A.S.] Geschichte wird endgültig zu einem Strudel. Alle beginnen ihm zu gleichen. Keiner kann sich mehr von der Geschichte befreien – ob er ein Schäfer oder der Kurfürst von Sachsen ist.« (Földényi 1999, S, 382) Das Paradoxe dabei ist: Eigentlich sind alle Details logisch und klar, dennoch bleibt das Ganze rätselhaft und verstrickt sich immer weiter in seiner Unbegreiflichkeit (für die Figuren wie auch für die Leser des Textes).

69.18–19 **oder von einem Dritten**: Die erneut auftauchende Figur des »Dritten« markiert den unbekannten, undenkbaren Anderen (»der Schweinehirte von Hainichen […] von dem Wilsdrufer Schäfer, oder von einem Dritten«), der die Suche nach Wahrheit und Sinn (dialektisch) zu einem Erfolg führen könnte: Hier fungiert der »Dritte« jedoch einmal mehr als Zeichen einer verrückten, ›unbegreiflich‹ gewordenen Welt.

69.25 **Peter oder Paul**: Nur wenige Zeilen nach dem Bekenntnis vom fehlenden ›Dritten‹ wird die Leerstelle zwischen Schweinehirt aus Hainichen und Schäfer aus Wilsdruf durch das oft zusammen genannte Apostelduo Petrus und Paulus (scheinbar) gefüllt.

Zur Auflösung der Sinn-Suche trägt die Namensnennung jedoch nichts bei, da hinter der Grobheit des Abdeckers nicht nur dessen Unwissenheit (»Was er da vorbrächte, verstände er nicht«), sondern auch die vollkommene Willkür, Beliebigkeit und Un-Sinnigkeit der Zeichengebung sichtbar wird.

mit bleichen, bebenden Lippen: Das nervöse Zucken der Lippen scheint Kleist unerträglich gewesen zu sein. In seiner Schrift *Über die allmählige Verfertigung der Gedanken beim Reden* heißt es: »Vielleicht, daß es auf diese Art zuletzt das Zucken einer Oberlippe war, oder ein zweideutiges Spiel an der Manschette, was in Frankreich den Umsturz der Ordnung der Dinge bewirkte.« (SWB 3 S. 537) 69.35–70.1

gänzlich unwissend [...] zu lassen habe: Ein weiteres Beispiel für die Unwissenheit und Orientierungslosigkeit der Figuren Kleists, die angesichts der Ver-Rückung der Welt jeden Halt und jede Sicherheit verloren haben. 70.5–6

Zustand so heillos: Nach der sozialen und ökonomischen Abwertung der Pferde erfolgt nun auch noch ihre metaphysische Degradierung (›heil-los‹). 70.27

die Pferde [...] gehören mir: Nachdem Kohlhaas zu Beginn der Erzählung seine vom Junker beschlagnahmten und geschundenen Pferde nicht als die seinen erkannte, weil eine markante Differenz zwischen Soll- und Ist-Zustand vorlag (»das sind nicht meine Pferde«), gelingt ihm hier mühelos – nach entsprechender »Okular-Inspektion« – eine paradox anmutende (ökonomische) Identifikation der Pferde: »[D]ie Pferde [...] *gehören* mir [Hervorhebung; A.S.]«. Doch Kohlhaas ist sich seines Dilemmas bewusst: Negiert er die leibliche Identität der mittlerweile ehr- und heillosen Pferde, beraubt er sich der Möglichkeit ihrer jurist. eingeforderten *restitutio ad integrum* – die Erzielung einer auf ihrer leiblichen Identität gründenden sozialen Identität wäre damit genauso undenkbar wie die Möglichkeit, sein Rechtsbegehren erfolgreich durchzusetzen. 72.8–9

ehrlich gemacht: Ähnlich wie der Abdecker selbst galten auch die mit ihm in Kontakt geratenen Tiere als ehrlos und unberührbar. 73.22–23

Der Roßhändler [...] gebrochen war: Vor dem Hintergrund von Kohlhaas' Gewaltbereitschaft und Leidenschaft, mit der er 75.30–31 die Wiederherstellung seiner Identität als Rechtssubjekt und die Beachtung der Autonomie seiner Person einklagt, erstaunt das hier zu beobachtende erste Moment der Resignation, das sich bei ihm einstellt, als sich die Stimmung des Volkes – paradoxerweise nicht primär aufgrund seiner marodierenden Züge durch verschiedene Städte, sondern angesichts des »Vorfalls«, der auf dem Markt zu Dresden vollzogenen Begutachtung der wiedergefundenen und identifizierten Rappen – erstmalig gegen den Rosshändler wendet: Obgleich die Möglichkeit, seinen ›Fall‹ vor Gericht auszutragen, durch die leibliche Identifizierung der Pferde greifbarer denn je zuvor erscheint, verliert Kohlhaas seine Antriebskraft.

76.20–23 **sie *sind* tot [...] gebracht hat**: Diese spitzfindige Feststellung im Dresdner Kabinett verweist auf den ›sozialen‹ Tod der Pferde in staatsrechtlicher Diktion, weil sie keinen ökonomischen Wert und auch keinen Zeichen-Wert im juristischen Diskurs mehr besitzen: »Es war höchst unwahrscheinlich, daß die Pferde [...] jemals wieder in den Stand, wie sie aus dem Stall zu Kohlhaasenbrück gekommen waren, hergestellt werden würden.« Die Beziehung von Signifikant und Signifikat ist an dieser Stelle endgültig zerstört. Der (noch ausstehende) leibliche Tod der Tiere erscheint in dieser Argumentation als zweitrangige Nachfolgeerscheinung des sozialen Tods infolge Wert- und Bedeutungszerfalls.

76.35 **Johann Nagelschmidt**: In den folgenden Handlungssequenzen macht sich für Kohlhaas negativ bemerkbar, dass er sich, um seine Fehde durchführen zu können, mit »Gesindel« hat einlassen müssen. Der Hinweis des Erzählers auf die ökonomische Konnotation der Fehde (»das Gewerbe, auf dessen Spur ihn Kohlhaas geführt hatte«) verweist auf Kohlhaas' Mitverantwortung dafür, dass der Versuch, sein Rechtsbegehren mit milit. Mitteln durchzusetzen, durch die kriminellen Aktivitäten seines Haufens eine Eigendynamik gewonnen hat.

78.29–30 **Heinrich und Leopold**: Kleist gebraucht hier seinen eigenen Vornamen und den seines Bruders Leopold (1780–1837), sodass Kohlhaas als eine Art ›literarischer Vater‹ Kleists erscheint. Auch Kleists realer Vater hatte aus zweiter Ehe drei Töchter und zwei Söhne. Von den Zeitgenossen wurde offenbar eine besondere

Ähnlichkeit von Autor und literarischer Figur bemerkt; so spricht Kleists Freund, der Historiker Friedrich Christoph Dahlmann, in einem Brief an Julian Schmidt vom 9. 6. 1858 rückblickend, von »dem herrlichen Kohlhaas, in dem sich des Dichters Charakter treu abbildet« (*Lebensspuren*, Nr. 317). Auffällig ist zudem, dass Kohlhaas im Folgenden seine Söhne in den entscheidenden Momenten immer bei sich hat, während die Mädchen entfernt werden.

keiner Hülfe von Seiten eines Dritten: Nochmalige Verdeutlichung, dass sich hinter Kleists Helden keinerlei metaphysische Dimension entdecken lässt, was auch ihre Zerbrechlichkeit, Zerstreutheit und Hysterie erklärt. Zugleich versichert Kohlhaas hier, dass er einer wie auch immer gearteten Hilfe nicht bedürfe, sodass er – nach dem ersten Moment der Resignation – wiederum stark, unerschütterlich, unbeirrt, klarsichtig und zielbewusst erscheint, was vermuten lässt, dass sich die *hinter* ihm fehlende göttliche, metaphysische Garantie eines »Dritten« *in* ihm selbst zu regen beginnt. 79.18–19

falls er wirklich [...] unterworfen war: Der Konditionalsatz steht in eklatantem Widerspruch zu der anschließend geäußerten Überzeugung. Selbst die hier erkannte Zweifelsfreiheit hinsichtlich seines Zustandes bedarf für Kohlhaas der obrigkeitlichen »bestimmte[n] und unumwundene[n] Erklärung, daß es so sei«. Kohlhaas ist bzw. fühlt sich inhaftiert, hat zum ersten Mal die Meinung des Volkes gegen sich und eine gütliche Einigung ist verhindert. War das Gespräch mit Luther letztlich ein Ergebnis der Eskalation der Ereignisse, so manifestiert sich im Folgenden (nach einem kurzen Stimmungshoch) die Resignation des Rosshändlers. – Angesichts des deutlichen Einflusses Kleists auf Kafka ist durchaus anzunehmen, dass diese (und weitere) Passage(n) als Vorlage für den berühmten Eingang von Kafkas Roman *Der Process* (1914) diente: »Jemand mußte Josef K. verleumdet haben, denn ohne daß er etwas Böses getan hätte, wurde er eines Morgens verhaftet.« Im weiteren Verlauf des Romans sucht Josef K. – ähnlich wie Kohlhaas – nach einer validen Bestätigung seiner Verhaftung, versucht (zumeist vergeblich) zu den gerichtlichen Instanzen vorzudringen, um sein Rechtsbegehren zu artikulieren und in Erfahrung zu bringen, worin seine Schuld besteht. 84.6–7

87.7 **alles nur auf einem Mißverständnis beruhen müsse**: Da das Miss-Verstehen der Personen (untereinander, des Geschehens in der Welt) die Regel und nicht die Ausnahme darstellt, erscheint die Hoffnung des Gubernial-Offizianten, das »Mißverständnis« würde »sich in Kurzem lösen«, als trügerisch.

87.24–25 **in kaum leserlichem Deutsch abgefaßten Schreiben**: Die im Text entfalteten nachhaltigen Kommunikations- und Verstehensstörungen (hier zwischen Kohlhaas und Nagelschmidt) erhalten durch die Unleserlichkeit der Schrift noch eine verstärkte Bedeutung. Bedenkt man die Relevanz dieses Schrift-Stücks für Kohlhaas' weiteres Schicksal, so ist immerhin bemerkenswert, dass die (scheinbar eindeutige) Urteilsfindung (nach Aufhebung der Amnestie) u. a. auch auf einem »in kaum leserlichen Deutsch abgefaßten Schreiben« beruht, während Kohlhaas' scheinbar klarer Rechts-›Fall‹ – trotz massenhafter Zirkulation (lesbarer!) Schriften – immer unverständlicher wird.

88.1–2 **Unglück**: Dass in dieser für Kohlhaas ausgesprochen prekären Situation nun gerade Nagelschmidt »von der Lage seines [Kohlhaas'; A.S.] Rechtsstreits in Dresden durch einen Reisenden, der die Straße zog, mit ziemlicher Genauigkeit unterrichtet war«, wird in seinem Zufallscharakter nur noch durch die hier geschilderten Umstände überboten, wie der Brief des einstigen Gefährten, den dieser einem Knecht übergeben hat, in die Hände von Kohlhaas' Gegnern gerät. Je weiter die Handlung fortschreitet, desto höher ist die Frequenz für vordergründig grundlose Geschehnisse.

90.17–24 **Seine Absicht war [...] aufgegeben.**: Der erschütterte Kohlhaas sieht keinen Ausweg aus seinem Di-Lemma mehr, als Nagelschmidt sich anbietet, ihm zur Flucht, die Kohlhaas selbst aufgrund der nochmals erhöhten Zahl der Wachen alleine kaum noch zu bewerkstelligen in der Lage ist, zu verhelfen. Obwohl sein tief verwurzeltes Rechtsbewusstsein noch einmal deutlich zum Ausdruck kommt – »unter andern Umständen [hätte er Nagelschmidt] beim Kragen genommen« –, nimmt er dessen Angebot an, da er »sich vollkommen überzeugt hatte, daß nichts auf der Welt ihn aus dem Handel, in den er verwickelt war, retten konnte«. – Ähnlich wie im *Zerbrochnen Krug* (12. Auftritt) meint Kleist mit »Ostindien« – im Gegensatz zu Westindien, d. h.

den von Kolumbus fälschlich für einen Teil Indiens gehaltenen Inseln der Karibik – die zur damaligen Zeit unter niederländischer Herrschaft stehenden Inseln Indonesiens.

Man machte ihm [...] antwortete: »ja!«:: Kohlhaas' Identifi-   90.29–34
kation seiner leserlichen und (in Verbindung mit dem Inhalt) eindeutigen Hand-Schrift ist *conditio sine qua non* dafür, dass dem resignierenden Rosshändler der (kurze) Prozess gemacht wird.

mit glühenden Zangen [...] verbrannt zu werden: Die hier an-   91.2–4
gedeutete barbarische Hinrichtungsart liefert ein weiteres Beispiel (vgl. etwa den *sparagmos* in *Penthesilea*) für Kleists (gegen das klassizistische Ideal gerichtete) poetische Evokation des gewaltsam verstümmelten Körpers: Zuerst wird der aus der Gesellschaft exkommunizierte Körper gevierteilt, d. h. derart exekutiert, dass vier Pferde an die (zuvor bereits angesägten) Arme und Beine gespannt werden und den Verurteilten auseinanderreißen. Der noch übrig gebliebene Körper-Torso, der nicht mehr gerädert (mit zerbrochenen Extremitäten aufs Rad geflochten), allenfalls noch aufgeknüpft werden könnte, soll, zur Steigerung der Qualen, dem Feuertod überantwortet werden, und zwar »zwischen Rad und Galgen« als Hinweis auf die dem zum Tode Verurteilten ›normalerweise‹ ebenso zustehenden Todesarten.

So standen [...] Willkür auftrat: Während der Zufall, von einer   91.5–7
höheren Macht gelenkt, seine Adressaten willkürlich trifft, fungiert die Willkür in Kleists Text als Macht- oder Herrschaftsinstrument, das zwar seinen Opfern – zumindest aus deren Blickwinkel – zufällig widerfährt, jedoch einen planmäßig willkürlich Handelnden voraussetzt. Im Gegensatz zum Opfer des Zufalls, das stets mit einer abstrakten Idee hadert, leidet das Opfer der Willkür an einer von Menschen verursachten Bedrohung; dementsprechend wird das jurist. Vorgehen vom Erzähler als »gänzlich willkürliche[s], Gott und Menschen mißgefälliges Verfahren« gebrandmarkt. Damit bewegt sich der Erzähler (neben seiner Tätigkeit als Geschichtsschreiber und Chronist) auf einer zweiten Erzählebene, der des kommentierenden und geschickt manipulierenden Narrators. Kohlhaas wird v. a. dann positiv betrachtet oder mit Mitgefühl bedacht, solange er sich noch auf dem Weg des Rechts bewegt: Vom »ehrlichen Kohlhaas«, vom »armen Kohlhaas« ist immer dann die Rede, wenn

diesem Unrecht widerfährt, obwohl er selbst gerade Hoffnung
auf die Umsetzung positiven Rechts hegt.

91.6 **Kurfürst von Brandenburg**: Zur Zeit des hist. Kohlhase regier-
ten zunächst Joachim I. (1499–1535), der 1506 die Universität
in Kleists Geburtsort Frankfurt/Oder gründete und ein scharfer
Widersacher reformatorischen Denkens war, danach (von 1535
bis 1571) Joachim II. Hector (1505–1571), der 1539 eine de
facto protestantische Kirchenordnung einführte und 30 Jahre
später von Polen die Mitbelehnung mit dem Herzogtum Preußen
erreichte. An Letzteren dürfte Kleist, wenn die Hinrichtung des
Hans Kohlhase mit den Quellen auf das Jahr 1540 datiert wird,
gedacht haben.

92.30–31 **Kohlhaasenbrück [...] im Brandenburgischen liege**: Vgl. dagegen Erl. zu 9.7–8.

92.33 **eine Verletzung des Völkerrechts**: Im Rahmen des Handlungs-
zusammenhangs anachronistisch anmutender moderner Begriff
für die Regelung der jurist. Beziehungen zwischen einzelnen
Staaten, dessen Entwicklung erst für das 17. Jh. festzustellen ist.
Vgl. für die Schreibgegenwart Kleists Kants *Metaphysik der Sitten* (1797/98), §§ 53–61.

93.9 **Kammergericht zu Berlin**: Gemeint ist das höchste Appellati-
onsgericht, das unmittelbar dem Landesherrn unterstellt war, da
es eine Gewaltenteilung im modernen Sinne in Legislative, Ju-
dikative und Exekutive noch nicht gab.

93.11–12 **wegen der zweideutigen [...] geschrieben war**: Wie nahezu allen Schrift-Stücken in Kleists Erzählung haftet auch dem Brief
Nagelschmidts der Makel an, ambivalent zu sein und somit
nicht für Aufklärung, sondern für Chaos und Unordnung im
Reich der Zeichen zu sorgen.

93.18–19 **Bruch des von [...] öffentlichen Landfriedens**: Unter dem Vorgänger Karls I., Maximilian I., wurde auf dem Reichstag zu
Worms 1495 der »Ewige Landfriede« verkündet, der 1521 von
Karl V. im Wormser Reichslandfrieden erneuert wurde. Demnach sollten Streitigkeiten nicht mehr, wie es seit dem mittelalterlichen Fehderecht üblich war, durch Kampf zwischen den beteiligten Parteiungen direkt ausgetragen, sondern auf dem jurist.
Weg durch Vermittlung einer übergeordneten Instanz geltend
gemacht werden. Der »Ewige Landfriede« markierte somit den

ersten Schritt auf dem Weg zur Durchsetzung eines Gewaltmonopols des frühneuzeitl. Staates, das jedoch bis ins 16. Jh. hinein noch nicht durchgesetzt werden konnte (Boockmann 1985, S. 86 f.). Kohlhaas' Fehde widerspricht damit dem modernen jurist. Axiom des Gewaltmonopols, wonach es nur dem Staat zusteht, Recht mit Gewalt durchzusetzen. Am Beispiel des Rosshändlers wird im Text die Konfrontation zweier differenter Rechtsvorstellungen diskutiert, die in Kleists Schreibgegenwart durch die napoleon. Besetzung Preußens seit 1806 wieder virulent geworden waren. Bezeichnenderweise sucht Kleist auch hier nicht nach einer die unterschiedlichen jurist. Diskurse dialektisch verklammernden Figur des ›Dritten‹, sondern experimentiert mit den Möglichkeiten des ›Sowohl/Als auch‹.

Heloise: Intertextuelle Verklammerung mit Rousseaus Briefroman *Julie oder Die neue Héloïse* (1761) sowie mit dem berühmten Liebespaar des lat. Mittelalters, der Nonne Heloise und dem Mönch Abaelard. Ebenso wie ihre weiblichen Vor-Bilder heiratet auch Kleists Heloise ihren Geliebten nicht; vielmehr wird ihre Funktion in der ›Vetternwirtschaft‹ zwischen den Beteiligten der Obrigkeit deutlich: Sie ist die Tochter des Landdrostes, Schwester des Präsidenten Kallheim, Gemahlin des Kämmerers Kunz und zudem ›erste Liebe‹ des Kurfürsten von Sachsen. **93.33**

zu einem großen Hirschjagen: Virtuos mutet immer wieder der dem Erzähler eigene Umgang mit Ironie an; hier widmet er seine Aufmerksamkeit der ausschließlich den Adligen vorbehaltenen Jagd. Während anfänglich die Ritter Kohlhaas' Pferde mit Hirschen vergleichen, finden die beiden zentralen Begegnungen, die der Rosshändler mit der Obrigkeit hat, ebenso im Rahmen von Jagden statt: Das Aufeinandertreffen mit Wenzel von Tronka passiert, als dieser gerade von der Hasenhetze kommt und sich mit (dem) Kohl-Ha(a)s(en) ein neues Opfer sucht; die Begegnung mit dem sächs. Kurfürsten wird in den Kontext einer Hirschjagd gestellt. Gegen Ende der Erzählung, bei seinem Versuch, Kohlhaas den Zettel der Zigeunerin ›abzujagen‹, gibt der Kurfürst vor, »daß er zu dem Fürsten von Dessau auf die Jagd reise« – aus dem Jäger wird jedoch gegen Ende der Gejagte. **94.1**

Dahme: Ähnlich wie Jüterbog gehörte auch Dahme zu jener Zeit zu einem zwischen Sachsen und Brandenburg befindlichen **94.2**

Gebiet, das dem Erzbistum Magdeburg unterstand. Erzbischof war damals der Onkel des brandenburgischen Kurfürsten Joachim II., der Kurfürst Albrecht von Mainz.

94.32–34 **auf welche jedermann [...] weltbekannt war**: Weiteres Beispiel für Kleists lustvolles Spiel mit undenkbaren Paradoxa: die »jedermann unbegreifliche Nachricht« von Kohlhaas' Anwesenheit kollidiert mit dem »weltbekannt[en]« Faktum von dessen eigentlich erwarteter Abwesenheit – aufgrund seiner (scheinbar) bereits sechs Tage zuvor erfolgten Abreise. Das unerwartete Aufeinandertreffen der Personen leitet unmittelbar den jedwede Erzähllogik suspendierenden Schlussabschnitt des Textes ein.

96.26 **bleierne Kapsel**: Die hier erstmals erwähnte Kapsel – als Gegenstück zu der verborgenen Amtskette des Kurfürsten – fungiert als ›Gedächtniskiste‹, als Aufbewahrungsort eines für die kulturelle Erinnerung und Identität Sachsens fundamental wichtigen Kryptogramms, das später – nach erfolgter (stiller) Lektüre durch Kohlhaas – seinen neuen und endgültigen Platz im Körper des Rosshändlers findet.

96.28–29 **was diese zu bedeuten hätte**: Die vom Kurfürsten zunächst noch ganz nebenbei – »da sich grade nichts Besseres zur Unterhaltung anbot« – erfragte Bedeutung der Kapsel bzw. des in ihr befindlichen Schrift-Stücks steht metonymisch für den gesamten Text und dessen nachhaltige Ver-Störung, Ver-Rückung eines eindeutigen Verstehens. Die als adlige Schein-Kommunikation begonnene Unterhaltung über die Kapsel gerät wenig später zur unkontrollierbaren Hysterie, in den Besitz des Zettels zu gelangen, die den Kurfürst von einer Ohnmacht in die nächste geraten lässt.

96.33 **Sieben**: Erneutes Aufgreifen der magischen/apokalyptischen Zahl.

96.34–35 **genau am Tage [...] Begräbnis meiner Frau**: Vgl. dagegen Erl. zu 35.34–35. Nach der Bestattung seiner Frau verfasst Kohlhaas den »Rechtsschluß« und wartet drei Tage auf eine Antwort. Die Unstimmigkeit in den Daten wird oft als Beispiel für die Unzuverlässigkeit des Erzählers gedeutet, kann aber auch »als ein bewußter Hinweis Kleists auf die nun folgende Verschiebung der Realitätsebenen« gelesen werden (Müller-Salget 1990, S. 762).

97.11 **Zigeunerin**: Die Figur der durch Chiromantie und »aus dem

Kalender« wahrsagenden Zigeunerin, die hier den einzelnen Fragestellern Glücks- und Unglückstage angibt, ist ein bekannter Topos der Literaturgeschichte. In ihm drückt sich *sowohl* die Faszination *als auch* die Bedrohung durch eine außerhalb der bürgerlichen Gesellschaft stehende Person aus, die gleichzeitig die Ambivalenz des Wunderglaubens verkörpert.

es wird dir [...] das Leben retten: Mit Blick auf das Textende   98.6–7
könnte man von einer Vorausdeutung sprechen, die sich nicht erfüllt und damit die Wahrsagekunst der Zigeunerin entwerten würde. Hamacher (2003a, S. 48) zieht jedoch auch die Möglichkeit eines Hinweises auf das ewige Leben nach Joh. 12,25 in Betracht: »Wer sein Leben liebhat, der wird's verlieren; und wer sein Leben auf dieser Welt hasset, der wird's erhalten zum ewigen Leben.«

Nervenfiebers: Im 19. Jh. häufig verwendete Bezeichnung für   98.34
Typhus. Vgl. Adelung, Bd. 3, Sp. 468 f.: Nervenfieber ist »ein schleichendes verzehrendes Fieber, welches gemeiniglich mit Mattigkeit und Schwäche, mit anhaltender Verstopfung des Leibes, Aufstoßen und andern Kennzeichen der Blähungen in dem Magen und den Gedärmen verbunden ist, und von einem kränklichen Zustande der Nerven des Magens und der Gedärme, oft auch des ganzen Körpers, seinen Ursprung hat«.

Zufall: Hier im Sinne von ›Unfall‹ gemeint, wobei erst eine Kette   99.17
von Zu-Fällen zu diesem Un-Fall führt: die Erkrankung des Kindes, die ein Zusammentreffen in Dahme erst möglich macht, der mutwillige Vorschlag Heloises und die aus Zerstreuung formulierte Frage des Kurfürsten.

Angelegenheit gesamten heiligen römischen Reichs: Mit der   105.12–13
Krönung Kaiser Ottos I. im Jahr 962 definierte sich das dt. Kaiserreich als Fortsetzung des Römischen Reiches. Ab dem 15. Jh. nannte es sich deshalb »Heiliges Römisches Reich deutscher Nation«, das 1806 mit der Niederlegung der Kaiserkrone durch Franz II. (also zur Entstehungszeit der Erzählung) sein Ende fand.

Franz Müller: Hamacher (2003a, S. 49) vermutet hinsichtlich   105.17
des Namens des kaiserlichen Anwalts eine beziehungsreiche Konjunktion zweier Namensbestandteile: Zum einen werde der Name Franz' II., seit 1792 röm.-dt. Kaiser und seit 1804 (als

Franz I.) Kaiser von Österreich, hörbar, der 1806 nach der Kon-
stituierung des Rheinbundes unter dem Protektorat Napoleons
die röm.-dt. Kaiserkrone niederlegte; zum anderen könnte der
Nachname auf den romantisch-konservativen Staatsphiloso-
phen und Historiker Adam Müller verweisen, mit dem Kleist die
Zeitschrift ›Phöbus‹ herausgab.

106.9 **mancherlei zweideutig und unklar schien**: Nicht nur der Leser,
auch der Kurfürst von Brandenburg ist von der ambivalenten
und anachronistischen Argumentation seines sächs. Pendants
verwirrt.

106.12–13 **strengen Vorschrift der Gesetze**: Kohlhaas' urspr. Forderung
nach Anerkennung als autonomes Rechtssubjekt wird erneut
konterkariert durch die dargestellte Bedingtheit der Welt, in der
Kohlhaas als agierendes, Recht begehrendes Subjekt so lange
bedeutungslos ist, wie obrigkeitliche Willkür den Zugang zur
»strengen Vorschrift der Gesetze« verhindert. Bis zum Eingreifen des Kaisers und der korrekten Deutung der jurist. Vor-
Schriften durch den Kurfürsten von Brandenburg hat der Staat
abstrakt in der Anerkennung der Rechtssubjektivität seiner Mit-
glieder versagt, und zwar nicht etwa aus Gründen der Staatsrä-
son, sondern konkret durch die von Selbstsucht geprägte Korruption der Administration, wie sich auch jetzt noch an dem
Versuch des Kurfürsten von Sachsen zeigt, die Vor-Schriften so
weit zu ent-stellen, zu ver-rücken, zu biegen und zu brechen,
dass seine Individualinteressen umgesetzt werden.

107.14–16 **forderte [...] ein Zeichen von ihr**: Vgl. Mt. 12, 38: »Da hoben
an etliche unter den Schriftgelehrten und Pharisäern und spra-
chen: Meister, wir wollen gerne ein Zeichen von dir sehen.«

107.17 **die römische Sybille**: Fehlschreibung für ›Sibylle‹. – Bezeichnung für eine griech. Priesterin, die im Zustand der Ekstase
künftige Ereignisse, meist Unheil, weissagt. Hier ist die Sibylle
von Cumae gemeint, der die drei im Tempel auf dem Kapitol zu
Rom aufbewahrten und in Notzeiten konsultierten Orakelbü-
cher zugeschrieben wurden.

107.23–32 **Nun mußt du wissen [...] entgegen kommen würde**: Müller-
Salget (1990, S. 763 f.) zufolge bildet dieser Satz »in seiner Ver-
schachtelung die doppelte und dreifache Eingesperrtheit des
Rehbocks und die daraus folgende (scheinbare) Unmöglichkeit
seines Entweichens ab«.

Gestalt zurück […] aus marmornen Augen: Kleist greift bei die- 108.34–109.1
ser Schilderung der Zigeunerin auf das in der Literatur des 18.
und 19. Jh.s weit verbreitete Automatenmotiv zurück, in denen
diese Maschinen als dem Mensch durchaus verwandt angesehen
wurden. Für E.T.A. Hoffmann (vgl. seine Erzählung *Der Sandmann*, 1816) sind alle solche Figuren »wahre Standbilder eines
lebendigen Todes oder eines toten Lebens«. Besonders die stie-
ren, gläsernen Blicke der Automaten werden in der Romantik als
Sinnbild des Unheimlichen gedeutet.

dreierlei schreib' ich dir auf […] reißen wird.: Weiteres Beispiel   109.8–11
für Kleists Vorliebe für die Zahl ›drei‹. Was konkret auf dem
Zettel stehen könnte, bleibt angesichts der Rätselhaftigkeit der
Ereignisse bloße Spekulation. Folgt man den geschichtl. Ereig-
nissen müssten sich folgende drei Angaben finden: 1. der eigene
Name des Kurfürsten, Johann Friedrich, 2. die Jahreszahl 1547,
als er im Schmalkaldischen Krieg von Karl V. gefangen genommen wurde und auf die kurfürstliche Würde verzichtete, 3. der
Name des Vetters des Kurfürsten, Moritz von Sachsen. Die nicht
aufzulösenden hist. Unstimmigkeiten (angesichts der Tatsache,
dass Dresden die Hauptstadt des Albertinischen Herzogtums
Sachsen war, könnte demnach der Niedergang der Albertiner,
nicht der Ernestiner gemeint sein, was jedoch nicht zur Hand-
lungszeit der Erzählung passt, da der erste Albertiner erst 1547
die kurfürstliche Würde erhielt) führten in der Forschung wiederholt zu der unter semiot. oder poststrukturalist. Deutungsas-
pekten nicht abwegigen Lösung, dass der Zettel leer sei, zumal
Kleist in seinen Texten in seiner Gestaltung der niemals stillste-
henden Macht des Begehrens jene triadischen Denkfiguren
dekonstruiert, die eine kulturtheoretisch argumentierende Ge-
schichtsphilosophie um 1800 heranzog, um die Versöhnung so-
zialer und anthropolog. Gegensätze zu begründen.

Siegelring: Im Zusammenhang mit den wiederholt begegnen- 109.15
den apokalyptischen Motiven in Kleists Text ist auch der Siegelring der Zigeunerin als Referenz auf die sieben Siegel in der
Johannesoffenbarung gedeutet worden. Gleichzeitig steht ein
Siegel immer auch für die Wahrheit und Echtheit eines Doku-
ments, was angesichts der ›Scheinhaftigkeit‹ anderer im Text zir-
kulierender Schriften einen bemerkenswerten Kontrapunkt darstellt.

109.21–27 **Und damit [...] umringenden Volks.**: Vorläufiger Höhepunkt
der Handlungsteile um die Zigeunerin, die offenkundig dem
Zweck dienen, den Figuren des Textes (und dem Leser) auf fast
provokante Weise vor Augen zu führen, dass die für das Er-
kenntnisvermögen des Menschen unberechenbare Wirrnis der
Welt ohne Zuflucht zu übernatürlichen Erklärungen, die aber
keine Überzeugungskraft mehr besitzen, weil die Menschen
nicht ›begreifen‹ und ›sprachlos‹ werden, nicht in den Griff zu
bekommen ist. Die Zigeunerin tritt hier und im Folgenden an die
Stelle der von Kleist verabschiedeten alten Götter der Tragödie,
die als *dei ex machina* die Welt wieder ins Lot bringen, indem sie
Einsicht und Verstehen befördern, an die aber nun niemand
mehr zu glauben vermag. Gleichwohl bietet die Zigeunerin (als
verhinderte *dea ex machina*) hier Kohlhaas einen Vorteil, da der
Kurfürst die begehrte Schrift bei ihm ›lösen‹ muss.

112.5–7 **er verurteilt ward [...] gebracht zu werden**: Hamacher (2003a,
S. 51) weist mit Recht darauf hin, dass der Tod durch das
Schwert die von der *Carolina*, der *Peinlichen Halsgerichtsord-
nung* Karls V., in § 128 vorgeschriebene Strafe für Landfriedensbruch war. Im Unterschied dazu sah das ALR von 1794 die
Hinrichtungsart durch das Schwert nur für »Verbrechen gegen
die äußere Sicherheit des Staats« (§ 102–114), nicht jedoch gegen die innere Sicherheit vor.

112.28–113.4 **Er bestellte ein [...] spielen zu lassen.**: Groteske Steigerung des
Zufallsprinzip: Während jede noch so logisch konstruierte Signifikantenkette im Verlauf des Textes ihrer Beziehung zu den
jeweiligen Signifikaten durch Störungen, Ambivalenzen, Verschiebungen, Subversionen, Willkür u. a. verlustig geht, gelingt
es dem Kämmerer hier ›zufällig‹, ein altes Trödelweib zu finden,
das – als Signifikant – mit dem Signifikat (wahrsagende Zigeunerin) zunächst zwar nur »übereinzustimmen *schien* [Hervor-
hebung; A.S.]«, damit es »die Rolle, als ob sie die Zigeunerin
wäre, spielen« kann; im weiteren Verlauf erweist sie sich jedoch
als mit ihr identisch. Die von Kleist hier verwendete Als-ob-
Konstruktion deutet – trotz der mehrfach konstatierten Untauglichkeit des menschlichen Wahrnehmungs- und Erkenntnisver-
mögens – immerhin die Möglichkeit eines Gelingens, der (zufälligen, aber nicht planbaren) Übereinstimmung von Signifikant

und Signifikat, an. Mithilfe von Siegelring und Korallenkette gelingt Kohlhaas jedenfalls die Wiedererkennung der Zigeunerin.

wie denn die Wahrscheinlichkeit [...] zugestehen müssen: Der Erzähler weigert sich programmatisch, als Kontrollzentrum für den ›Sinn‹ der von ihm berichteten Geschichte aufzutreten und zu garantieren, dass alle Fäden des Textes logisch miteinander verknüpft sind. Vielmehr bietet er eine Geschichte, in der jeweils einzelne Elemente einen Sinn ergeben, aber nie das Ganze als Summe der in sich sinnvollen Einzelelemente. Gleichwohl betont er sehr bewusst das Wesen des Zufalls in dieser Situation, das zuvor noch von einer Regelhaftigkeit des Unwahrscheinlichen getragen war, bis es in der Zigeunerin-Episode als handlungsleitend evident wird. 113.34–114.3

nachgeahmt: Kleist geht es an dieser Stelle um den Bruch der mimetischen Ästhetik, in dem das semiot. Problem des Auseinanderstrebens von Zeichen und Bezeichnetem zum Problem einer von der Wirklichkeit abgelösten Sprache verdichtet wird. Anders jedoch als an vielen weiteren Stellen des Textes liegt das Problem hier darin, dass die Nachahmung nicht gelingen kann, weil Abbild und Urbild ineins fallen. 114.6–7

eine sonderbare Ähnlichkeit [...] Weibe Lisbeth: Als Zigeunerin (Gesandte des Jenseits) wiedergeboren, soll die ent-setzte Lisbeth (vgl. Erl. zu 31.35–32.1; 119.23) ihrem Mann mit dem Amulett die Macht zum Widerstand gegen die fürstliche Herrschaft verleihen. 114.17–19

Mal: Fleck, Makel, Merkmal, das als Erkennungszeichen in der *Poetik* des Aristoteles (1454b–1455a) eine wichtige Rolle spielt. Als ›Anagnorisis‹ definiert Aristoteles die Wiedererkennung, die sich durch Zeichen, durch vom Dichter Erdachtes, aufgrund von Erinnerung oder aufgrund einer Schlussfolgerung vollzieht: »Die beste unter allen Wiedererkennungen ist diejenige, die sich aus den Geschehnissen selbst ergibt, indem die Überraschung aus Wahrscheinlichem hervorgeht.« (1455a; Aristoteles: *Poetik*, griech.-dt., übers. und hg. v. Manfred Fuhrmann, Stuttgart 1982, S. 53) Kleist, der dieses literarische Muster wiederholt in seinen Texten gestaltet, verbindet hier das Mal der Zigeunerin mit dem Muttermal am Hals seiner toten Frau Lisbeth, das deren Nobilitierung dient. 114.24

114.30 **mit dem Schwanz wedelte**: Die Stelle ist eine Reminiszenz an eine der berühmtesten Wiedererkennungsszenen der Weltliteratur, die Begrüßung des heimgekehrten Odysseus durch seinen alten Hund Argos im 17. Gesang der Homerischen *Odyssee*.

115.20–21 **seines Feindes Ferse [...] tödlich zu verwunden**: Anspielung auf 1. Mose 3,14 f., Gottes Verfluchung der Schlange im bibl. Schöpfungsbericht: »Und ich will Feindschaft setzen zwischen dir und dem Weibe und zwischen deinem Nachkommen und ihrem Nachkommen; der soll dir den Kopf zertreten, und du wirst ihn in die Ferse stechen.« Zu denken wäre auch an eine Anspielung auf die einzige Stelle, an der nach Homers *Ilias* der griech. Held Achilles verwundbar war (›Achillesferse‹).

115.21–22 **nicht um die Welt, Mütterchen, nicht um die Welt!**: Denkbar ist hier eine Anspielung auf Jesu Ablehnung der Versuchung durch Satan, der ihm »alle Reiche der Welt und ihre Herrlichkeit« anbietet.

115.30–31 **reichte ihm [...] einen Apfel**: Hier werden zur nachhaltigen Verwirrung des Rosshändlers zwei Bildvorstellungen übereinandergeblendet: Einerseits erscheint die Zigeunerin in der Rolle Evas, die Adam die verbotene Frucht vom Baum der Erkenntnis reicht (vgl. 1. Mose 3,6), andererseits im Bild der Gottesmutter Maria, die (als zweite Eva) dem Christuskind (als zweitem Adam) den Apfel als Lebensfrucht darbietet und damit den Sünden-Fall im Paradies rückgängig zu machen sucht. Letzteres erscheint bei Kleist jedoch als »leeres Trugbild«.

115.32–35 **daß die Kinder selbst [...] den Zettel behalten**: Trotz seiner Verwirrung angesichts der ständigen Destabilisierung der Zeichen denkt Kohlhaas – wie Hamacher (2003a, S. 52) hervorhebt – »erbrechtlich konsequent«: Er muss wieder Rechtssubjekt werden, um seine Ehre wiederherstellen und sein Eigentum sichern zu können, damit es an die Kinder weitergereicht wird. »Dies kann er aber nur, wenn er sich der ›ehrenvollen‹ Hinrichtung nicht widersetzt und das Angebot des Kurfürsten von Sachsen, ihm zur Flucht aus brandenburgischer Haft zu verhelfen, ausschlägt.«

116.29–30 **Es soll dir [...] nicht fehlen!**: Eschatologisches Textsignal, das auf das Endschicksal des Menschen Kohlhaas und der Welt vorausdeutet. Erst im Paradies gelingt das Verständnis der ›entzweiten Welt‹, die Erklärung des Unerklärlichen im Medium der Sprache, die »Kenntnis über dies alles«.

zwei Astrologen: Auch die vom sächs. Kurfürsten bestellten 116.35
Stern-Deuter sehen sich nicht in der Lage, trotz einer »fortgesetzten, tiefsinnigen Untersuchung« der absenten Schrift (›Zettel‹) einen (magischen, hermeneutischen) Sinn zu geben: sie
konnten sich »nicht einig werden«.

Montag nach Palmarum: Mit dem Montag nach Palmsonntag, 117.26
an dem des Einzugs Jesu in Jerusalem gedacht wird, beginnt die
Karwoche mit der Erinnerung an Leiden und Sterben Jesu. Den
Hinrichtungstermin hat Kleist der hist. Quelle entnommen.

indem die Chroniken [...] aufheben: Ironische Konstruktion, 117.34–118.2
da diese (einzige) Berufung des Erzählers auf die seinem Bericht
zugrunde liegende Quelle (›alte Chronik‹) fiktiv ist; die fragli-
chen Ereignisse sind erfunden. Zudem ist die hier skizzierte
dekonstruktive Textbewegung auffällig: die Chroniken ›widersprechen einander‹, mit der Folge, dass sie sich letztlich ›aufheben‹.

Demnach glich [...] seiner letzten Tage: Müller-Salget (1990, 118.18–19
S. 766) erinnert daran, dass die folgenden Schilderungen »wohl
nicht zufällig an Platons Bericht über die letzten Tage des So-
krates im Gefängnis« erinnern. Ebenso wäre an Tacitus' Bericht
über den stoisch ertragenen Selbstmord des Seneca zu denken
(Tac. ann. XV, 60–64).

Jacob Freising: Auch hier bricht Kleists Ironie deutlich durch, 118.25
wenn Luthers (von Kleist erfundener) Abgesandter ausgerechnet
den Namen einer alten, nach dem Apostel Jakobus benannten
kath. Pfarrei im Bistum Freising in Bayern trägt.

mit einem eigenhändigen [...] gegangen ist: Offenkundig kal- 118.26–27
kuliert der Erzähler einen Vergleich mit der hist. Quelle ein: Ein
zweiter Brief Luthers an Hans Kohlhase ist jedenfalls unbekannt. Gerätselt werden darf immerhin, ob Luther inzwischen
seine Meinung geändert hat (denn er übersendet ja das Abendmahl, obwohl Kohlhaas nicht auf sein Rechtsbegehren verzich-
tet hat) oder ob er es für angemessen erachtet, den zum Tode
Verurteilten (und dadurch wieder in den »Damm der menschlichen Ordnung« Zurückgedrängten) mit geistlichem Wohlwollen zu behandeln.

119.23 **Elisabeth**: Durch die Verwendung der vollständigen Namens-
form von ›Lisbeth‹ wird auf eine mögliche Identität mit Kohlhaas' Frau hingewiesen, die aber durch die Namensverschie-
bung gleichzeitig wieder suspendiert wird (erneute Verwendung
der Figur des ›Sowohl/Als auch‹); in jedem Fall ist Elisabeth kei-
nesfalls ein adäquater Name für eine Zigeunerin, sodass schon
durch diesen Umstand der Zeichenprozess wieder ver-rückt
wird.

119.27–28 **in Mitten der Rede auf sonderbare Weise stockte**: Das sonderbare Stocken der Rede und der Abbruch der sich widersin-
nigerweise gerade daraus entwickelnden Kette der Worte verun-
möglichen nicht nur das Verstehen der sprachlichen Zeichen
(»Kohlhaas […] konnte […] nicht vernehmen, was der Mann,
der an allen Gliedern zu zittern schien, vorbrachte«), sondern
führen auch zum endgültigen Abbruch der hermeneutischen
Sinn-Suche nach der Bedeutung der Zigeunerin: »›Kohlhaas, das
Weib‹ – –« – dieser Satz bleibt eine ›Leer-Stelle‹, die nur vom
jeweiligen Leser gefüllt werden kann.

120.12 **Schwingung einer Fahne**: Im *Handwörterbuch des Aberglaubens* (Bd. 2, Sp. 1122) wird im Artikel »Fahne« die »militärische
Sitte« erwähnt, »durch Schwenken der F[ahne] über einem Ehrlosen diesen wieder ehrlich zu machen, ihn gewissermaßen
durch die Kraft des höchsten Ehrenzeichens wieder zu wei-
hen«.

120.22–24 **was ich […] schuldig war**: Erstmalig lässt Kleist – in Person des
brandenburgischen Kurfürsten – einen Vertreter der Obrigkeit
die gegenseitige Rechtsverpflichtung von Herrscher und Untertan explizit anerkennen.

120.26 **Bist du mit mir zufrieden?**: Vgl. Psalm 116,7: »Sei nun wieder
zufrieden, meine Seele, denn der Herr tut dir Gutes.«

121.18 **Kohlhaas, der Roßhändler**: Nach dem Erhalt jurist. ›Genugtuung‹ wird aus dem Objekt obrigkeitlicher Willkür und dem
selbsternannten Racheengel Michael – wie schon durch die kleine Szene polizeilicher Identitätsfeststellung vorbereitet – ein
Rechtssubjekt mit dem Primat der sozialen vor der natürlichen
Identität: »Kohlhaas, der Roßhändler«. Der Rebell wird dadurch rehabilitiert, dass er zuletzt in den Raum von Gesetz und
Ordnung zurückkehrt und als Rechtssubjekt den Tod durch das

Schwert hinnimmt. Dadurch erst kann auch sein »Testament«
wirksam werden, das zu vollstrecken der »Amtmann von Kohlhaasenbrück« bestimmt wird. Dieser Restitution der jurist. Person und ihres ›Falls‹ folgt nun die (scheinbare) Restitution des
aus den Fugen geratenen Staates, indem Kohlhaas aufgefordert
wird, »kaiserlicher Majestät [...] [s]einerseits Genugtuung zu
geben«.

Kohlhaas löste [...] verschlang ihn.: Vgl. Ezechiels Berufung   121.33–122.5
zum Prophetenamt: »Und er [Gott] sprach zu mir: Du Men-
schenkind, iss, was du vor dir hast! Iss diese Schriftrolle und geh
hin und rede zum Hause Israel! Da tat ich meinen Mund auf, und
er gab mir die Rolle zu essen und sprach zu mir: Du Menschen-
kind, du musst diese Schriftrolle, die ich dir gebe, in dich hinein
essen und deinen Leib damit füllen. Da aß ich sie, und sie war in
meinem Mund so süß wie Honig.« (Ez. 3,1–3) Wie Grathoff
verdeutlicht hat, wird Kohlhaas gegen Ende des Textes nur da-
hingehend zum ›selbstbestimmten Subjekt‹, dass er durch Ein-
verleiben des Zettels den sächs. Kurfürsten ebenfalls der demü-
tigenden Beliebigkeit zwischen Selbst- und Fremdbestimmung
unterwirft (Grathoff 1998, S. 65). Lange (1969) interpretiert
dieses Verschlingen der Schrift als das zweite Essen vom Baum
der Erkenntnis, das am Ende von Kleists Schrift *Über das Marionettentheater* als »das letzte Kapitel von der Geschichte der
Welt« bezeichnet wird. Dem urspr. Baum der Erkenntnis ent-
spräche dann der Schlagbaum vom Beginn der Erzählung (im
Zusammenhang mit dem von der Obrigkeit in Person des Junkers zwar willkürlich geforderten, aber inexistenten Passschein).
Der zweite ›Passschein‹ in Form des (ebenfalls von der Obrigkeit, nun aber in Person des sächs. Kurfürsten geforderten) von
Kohlhaas in seinem Inneren geborgenen Zettels ist für den Be-
gehrenden letztlich ebenso unverfügbar wie der erste, führt nun
aber zur Vernichtung des Kurfürsten, der »ohnmächtig, in
Krämpfen nieder[sinkend], zerrissen an Leib und Seele« sein
weiteres (kurzes) Leben verbringen muss.

Hier endigt die Geschichte vom Kohlhaas.: Der Satz des Erzäh-   122.10–11
lers (hier wieder als Chronist) dient der Einleitung zur tatsäch-
lichen Beendigung der Geschichte.

anständig: Es entsprach üblichem Vorgehen, Hingerichtete (so-   122.13

wie Selbstmörder) am Rande oder auch außerhalb des Kirchhofs ohne Ehren zu begraben (vgl. das Ende von Goethes *Die Leiden des jungen Werthers*). Kohlhaas erhält hingegen ein christl. Begräbnis.

122.15–17 **schlug sie […] zu Rittern:** Die seinen Söhnen hier zuteil werdende Nobilitierung blieb bis zu diesem Zeitpunkt weitgehend Kohlhaas' Gegnern vorbehalten; der Stand des Ritters war urspr. kein Geburtsprivileg, sondern eine würdevolle Auszeichnung, die man durch Tugend, Tapferkeit und rühmliche Heldentaten erlangen konnte.

122.19–20 **wo man das Weitere […] nachlesen muß:** Selbst diese scheinbar eindeutige Lektüreanweisung führt – passend zur paradoxalen Struktur des Textes insgesamt – keineswegs zur Aufklärung über das weitere Schicksal des Kurfürsten von Sachsen, sondern vielmehr zur Entdeckung von hist. Ungenauigkeiten und weiteren Anachronismen der Erzählung; folglich ist weder aus dem Text noch aus der ihm als Kon-Text zugrunde liegenden Geschichte etwas zu lernen.

122.20–21 **noch im vergangenen Jahrhundert:** Offenkundig ist die Nachkommenschaft des Rosshändlers inzwischen, d. h. zu Kleists Schreibgegenwart am Anfang des 19. Jh.s, ebenfalls ausgestorben.

122.21 **im Mecklenburgischen:** Also weder in Brandenburg noch in Sachsen, sondern in der Heimat seiner Frau Lisbeth.

122.22 **gelebt:** Während im ersten Teil des Textes eine streng jurist. Vorstellung überwiegt, ist das politische Geschehen zum Schluss von der Sorge um das physische Dasein bestimmt. Kleists Text ist sich über die hist. Tragweite dieses fundamentalen Paradigmenwechsels im Klaren, leitet der Zettel der Wahrsagerin doch nichts weniger als den Niedergang des sächs. Kurfürsten ein, während sich dagegen die Prophezeiung insofern erfüllt, als die Zigeunerin das Leben nicht nur in jurist. Hinsicht, sondern auch nach Maßgabe seiner biolog. Funktion der Fortpflanzung adressiert (Motiv der fünffachen Vaterschaft, Wiederholung der familiären Konstellation mit der verstorbenen (E)lis(a)beth). Im Gespräch mit dem »gute[n] Mütterchen« verschiebt sich der Fokus für den Rosshändler endgültig auf das Leben seiner Nachfahren. Wenn sich die Zigeunerin von den Kleinen mit den Worten verabschiedet: »Lebt wohl, Kinderchen, lebt wohl!«, dann markiert dies den Umstand, dass Kohlhaas erst dadurch gerettet wird, dass er mit seinem ehrenhaften Tod das Wohl und ›Leben‹ der Nachkommenschaft sichert: »Von Kohlhaas aber haben noch im vergangenen Jahrhundert, im Mecklenburgischen, einige frohe und rüstige Nachkommen *gelebt* [Hervorhebung; A.S.].« Dieser letzte Satz des Erzählers (als Chronist) deckt sich in seiner Prädikatverwendung nicht nur mit den Worten der Wahrsagerin, die den Zettel in ihrer früheren Rede vom ›Leben‹ aufs Engste mit dem Schicksal des Rosshändlers verbindet, sondern auch mit dem ersten Satz des Erzählers (als Chronist): »An den Ufern der Havel *lebte* [Hervorhebung; A.S.], um die Mitte des sechzehnten Jahrhunderts, ein Rosshändler, namens *Michael Kohlhaas* [...].« Somit sticht das erste Prädikat sowohl durch seine Stellung im Ausgang des ersten Kolons als auch in seiner Korrespondenz zum letzten Prädikat des Textes hervor (vgl. Giuriato 2011, S. 295).

Suhrkamp BasisBibliothek
Text und Kommentar in einem Band

»Die Suhrkamp BasisBibliothek hat sich längst einen Namen gemacht. Als ›Arbeitstexte für Schule und Studium‹ präsentiert der Suhrkamp Verlag diese Zusammenarbeit mit dem Schulbuchverlag Cornelsen. Doch nicht nur prüfungsgepeinigte Proseminaristen treibt es in die Arme der vielschichtig angelegten Didaktik, mit der diese unprätentiösen Bändchen aufwarten. Auch Lehrer und Liebhaber vertrauen sich gerne den jeweiligen Kommentatoren an, zumal die Bände mit erschöpfenden Hintergrundinformationen, Zeittafeln, Entstehungsgeschichten, Rezeptionsgeschichten, Erklärungsmodellen, Interpretationsskizzen, Wort- und Sacherläuterungen und Literaturhinweisen gespickt sind.«
Frankfurter Allgemeine Zeitung

Ingeborg Bachmann. Malina. Kommentar: Monika Albrecht und Dirk Göttsche. SBB 56. 389 Seiten

Jurek Becker. Jakob der Lügner. Kommentar: Thomas Kraft. SBB 15. 351 Seiten

Thomas Bernhard. Amras. Kommentar: Bernhard Judex. SBB 70. 144 Seiten

Thomas Bernhard. Erzählungen. Kommentar: Hans Höller. SBB 23. 171 Seiten

Peter Bichsel. Geschichten. Kommentar: Rolf Jucker. SBB 64. 194 Seiten.

Bertolt Brecht. Der Aufstieg des Arturo Ui. Kommentar: Annabelle Köhler. SBB 55. 182 Seiten

Friedrich Hebbel. Maria Magdalena. Kommentar: Florian Radvan. SBB 74. 150 Seiten

Christoph Hein. Der fremde Freund. Drachenblut. Kommentar: Michael Masanetz. SBB 69. 236 Seiten

Hermann Hesse. Demian. Kommentar: Heribert Kuhn. SBB 16. 233 Seiten

Hermann Hesse. Narziß und Goldmund. Kommentar: Heribert Kuhn. SBB 40. 407 Seiten

Hermann Hesse. Siddhartha. Kommentar: Heribert Kuhn. SBB 2. 192 Seiten

Hermann Hesse. Der Steppenwolf. Kommentar: Heribert Kuhn. SBB 12. 306 Seiten

Hermann Hesse. Unterm Rad. Kommentar: Heribert Kuhn. SBB 34. 275 Seiten

E. T. A. Hoffmann. Das Fräulein von Scuderi. Kommentar: Barbara von Korff-Schmising. SBB 22. 149 Seiten

E. T. A. Hoffmann. Der goldene Topf. Kommentar: Peter Braun. SBB 31. 157 Seiten

E. T. A. Hoffmann. Der Sandmann. Kommentar: Peter Braun. SBB 45. 100 Seiten

Ödön von Horváth. Geschichten aus dem Wiener Wald. Kommentar: Dieter Wöhrle. SBB 26. 168 Seiten

Ödön von Horváth. Glaube Liebe Hoffnung. Kommentar: Dieter Wöhrle. SBB 84. 152 Seiten

Ödön von Horváth. Italienische Nacht. Kommentar: Dieter Wöhrle. SBB 43. 162 Seiten

Ödön von Horváth. Jugend ohne Gott. Kommentar: Elisabeth Tworek. SBB 7. 195 Seiten

Ödön von Horváth. Kasimir und Karoline. Kommentar: Dieter Wöhrle. SBB 28. 147 Seiten

Franz Kafka. Der Prozeß. Kommentar: Heribert Kuhn. SBB 18. 352 Seiten

Franz Kafka. Das Urteil und andere Erzählungen. Kommentar: Peter Höfle. SBB 36. 188 Seiten

Franz Kafka. Die Verwandlung. Kommentar: Heribert Kuhn. SBB 13. 134 Seiten

Franz Kafka. In der Strafkolonie. Kommentar: Peter Höfle. SBB 78. 133 Seiten

Marie Luise Kaschnitz. Das dicke Kind und andere Erzählungen. Kommentar: Uwe Schweikert und Asta-Maria Bachmann. SBB 19. 249 Seiten

Gottfried Keller. Kleider machen Leute. Kommentar: Peter Villwock. SBB 68. 192 Seiten

Heinar Kipphardt. In der Sache J. Robert Oppenheimer. Kommentar: Ana Kugli. SBB 58. 220 Seiten

Heinrich von Kleist. Penthesilea. Kommentar: Axel Schmitt. SBB 72. 180 Seiten.

Patrick Roth. Riverside. Kommentar: Grete Lübbe-Grothes. SBB 62. 148 Seiten

Friedrich Schiller. Kabale und Liebe. Kommentar: Wilhelm Große. SBB 10. 175 Seiten

Friedrich Schiller. Maria Stuart. Kommentar: Wilhelm Große. SBB 53. 220 Seiten

Friedrich Schiller. Die Räuber. Kommentar: Wilhelm Große. SBB 67. 272 Seiten

Friedrich Schiller. Wilhelm Tell. Kommentar: Wilhelm Große. SBB 30. 196 Seiten

Arno Schmidt. Schwarze Spiegel. Kommentar: Oliver Jahn. SBB 71. 150 Seiten

Arthur Schnitzler. Lieutenant Gustl. Kommentar: Ursula Renner-Henke. SBB 33. 162 Seiten

Theodor Storm. Der Schimmelreiter. Kommentar: Heribert Kuhn. SBB 9. 199 Seiten

Hans-Ulrich Treichel. Der Verlorene. Kommentar: Jürgen Krätzer. SBB 60. 176 Seiten

Martin Walser. Ein fliehendes Pferd. Kommentar: Helmuth Kiesel. SBB 35. 164 Seiten

Frank Wedekind. Frühlings Erwachen. Kommentar: Hansgeorg Schmidt-Bergmann. SBB 21. 148 Seiten

Peter Weiss. Abschied von den Eltern. Kommentar: Axel Schmolke. SBB 77. 192 Seiten